C.W. MÖNNICH

Kijk op KERKEN

met illustraties van Con Mönnich

MCMLXXIX · Elsevier · Amsterdam/Brussel

Samenstelling	Henk Nieuwenkamp
Vormgeving	Jac. van den Bos
Produktie	Frits Vesters
Lithografie en montage	Nauta en Haagen, Amsterdam
Drukken en binden	Fabrieken Brepols, Turnhout

© MCMLXXIX Elsevier Nederland B.V.

D/MCMLXXIX/0199/651   ISBN 90 10 02448 2

Deze uitgave is verzorgd door B.V. Uitgeversmaatschappij Elsevier Focus

Angst Angst
Angst
   overkomt me.
En ik voel niets meer.

Kijk op
KERKEN

Inhoud

Inleiding

Midwolde (Groningen), Hervormde kerk: grafmonument voor Carel Hiëronymus von Inn- en Knijphuizen, door Rombout Verhulst, 1665–1669.

Hoeveel kerken Nederland telt is niet precies vast te stellen en zelfs moeilijk te schatten. Wij zullen echter, met een marge van enige honderden naar beide kanten, wel niet al te ver mis zijn, als wij het aantal op een vijfduizend stellen. Maatstaf is dan wel, dat de kerken nog voor de openbare godsdienstoefening in gebruik zijn of het tot voor kort nog waren.

Een stad als Arnhem bijvoorbeeld zal een veertigtal kerken herbergen. De stad telde in 1965 een 130 000 inwoners en daarmee ongeveer 1 % van de Nederlandse bevolking. Arnhem had toen 40 % katholieken, 27 % Nederlands hervormden, 6 % gereformeerden, 4 % andere kerkelijk gezinden en 23 % onkerkelijken. Die cijfers waren voor geheel Nederland respectievelijk 40,4 %, 28,3 %, 9,3 %, 3,5 % en 18,4 %, althans in 1960. Deze percentages verschillen niet zo heel veel van die van Arnhem. Voor wat de gereformeerden betreft ligt het percentage onder het landelijk gemiddelde, bij de onkerkelijken ligt het erboven. Hierbij moet wel opgemerkt worden dat ten eerste de statistische tendens tussen 1960 en 1965 ook landelijk in de richting van vermeerdering der onkerkelijkheid en vermindering van de kerkelijkheid gaat, en ten tweede dat zich lokaal sterke factoren kunnen doen gelden, die de afwijking ten opzichte van het gemiddelde veroorzaken. Die kerken dateren van kort voor het jaar 1000 tot op heden. Zij vertegenwoordigen daarmee een millennium Nederlandse geschiedenis. In veel gevallen beheersen zij het stads- en dorpsbeeld en zelfs dat van het landschap; de Lange Jan van Amersfoort en de Utrechtse Dom zijn tientallen kilometers buiten die steden te zien. Die beheersing stamt nog uit de tijd dat de kerk een van de grote politieke, maatschappelijke en vooral ook economische machten van het land was. Dat was al zo kort na de invoering van het christendom, dat (met uitzondering van Zuid-Limburg: daar bestond het christendom al in de nadagen van het Romeinse rijk, in de vierde eeuw) sedert de achtste eeuw zijn beslag kreeg. In een tijd dat het geld schaars was en landbezit de ware rijkdom betekende, dat wil zeggen in de bijna totaal agrarische economie van tot ongeveer 1300, bezaten de kerkelijke instellingen ongeveer eenderde tot tweevijfde van de grond. Zij bezaten de middelen om aanzienlijke gebouwen op te laten trekken. Toen de steden omhoog kwamen, het eerste in het zuiden van ons land, en daarmee de geldeconomie van belang werd, waren het de nieuwe rijken en de nieuwe machthebbers zoals de landheer, de kooplieden, de hoofden van de gilden, die de bouw van de grote stadskerken mede konden bekostigen. Zij wensten voor hun nieuwe steden indrukwekkende pronkstukken, die tegelijk als gemeenschapsgebouwen konden dienen.

De rijkdom van de kerk is sterk afgenomen na de zestiende eeuw. Er is nog wel uit ruime openbare middelen gebouwd in de zeventiende en de achttiende eeuw. Maar in de loop van de negentiende eeuw heeft ieder kerkgenootschap in principe onderhoud en nieuwbouw van zijn bedehuizen zelf moeten leren bekostigen. In het beeld van stad en dorp krijgen zij een heel wat minder

Links: *Batenburg (Gelderland), Hervormde kerk.*

Hervormde kerk van Marsum, Groningen. Tweede helft der 12de eeuw. Op het koor liggen nog de oude romaanse bolle en holle pannen.

centrale en publieke plaats. Veelal worden zij opgenomen in de straatwand of de tuinpercelen van de nieuwe buitenwijken. Opmerkelijk is de toeneming van het aantal gebouwen, ook bij het teruglopen van het aantal kerkgangers. De oorzaak daarvan ligt in de toenemende veelheid van kerkgenootschappen en godsdienstige verenigingen in de negentiende en de twintigste eeuw. Vooral, maar niet alleen, heeft het calvinistische protestantisme te maken gekregen met religieuze en kerkordelijke geschillen, die alleen door afsplitsing van de oudere kerk bleken te kunnen worden opgelost.

Kerken blijven herkenbaar, ook de nieuwe zijn vaak markante accenten in de eenvormigheid van de nieuwere en nieuwste woongebieden. Zij vragen de aandacht ook van wie onverschillig tegenover de kerk staat. Soms hebben zij preromaanse trekken van voor het jaar 1000; er zijn romaanse gebouwen en gotische; een heel enkele renaissancegevel is aan te wijzen, veel meer barokke en classicistische; er zijn de soms charmante, maar vaak ook overdreven plechtige Waterstaatskerken; er is de katholieke neogotische vernieuwing; er zijn latere vormen: van de imposante bevlogenheid van de Haarlemse Sint-Bavo tot experimenten waarin de tijdelijkheid, het verder moeten een architectonische uitdrukking krijgt in een tentvorm.

Kijk op kerken tracht aan dit alles aandacht te schenken.

Kerken en hun geschiedenis

Het hemelse uurwerk telt geen stonden

JOOST VAN DEN VONDEL

*De Sint-Walburgskerk te Zutphen.
Gewelfschildering uit de 15de eeuw.*

Christenen dienen te weten dat hun God niet woont in tempels met handen gemaakt en dat Hij zich ook niet laat dienen door mensenhanden, alsof Hij nog iets nodig had. Paulus had dat de Atheners verteld, naar het bericht in Handelingen 17, 24 en volgende. Maar vanaf de vroege middeleeuwen tot diep in de vorige eeuw zijn de kerken gewoonlijk de hoogste en de grootste gebouwen ter plaatse geweest. Het plein waaraan zij nog weleens liggen bood ruimte voor markt en kermis en al van ver buiten de stadswal waren hun daken en torens hoog boven de huizen uit te zien. Hun bouw heeft meestal handenvol geld gekost en zelden was één generatie voldoende om de benodigde middelen op tafel te leggen. Het is geen uitzondering als hun bouwgeschiedenis anderhalve eeuw of meer beslaat. Het huis van die God, die door zijn apostel te kennen had gegeven, dat Hij er geen behoefte aan had, was onderwijl het religieuze centrum van de gemeenschap en legde er nadrukkelijk beslag op. Wat was de nuttige ruimte van die enorme gevaarten, die vooral in de tweede helft van de middeleeuwen ontstonden in de stadjes waarin zich het driftige en onrustige leven van die tijd ontwikkelde, in onze gewesten vanaf de dertiende of de veertiende eeuw? Die bouwsels met hun groot vloeroppervlak en hun exorbitante en zeer onpraktische hoogte die de akoestiek, zeker voor een spreekstem, bedierf, die iedere verwarming onmogelijk maakte en die bij rampen zoals de om de haverklap uitbrekende stadsbranden luchttrekkingen veroorzaakte, waardoor het vuur snel tot stormkracht kon aanwakkeren.

Provinciaals

Ons land is lang een economische en politieke uithoek van het Duitse rijk gebleven en ook cultureel lag het ver buiten de grote Europese stromingen. Dat gold nog het minst voor de Nederlanden bezuiden de grote rivieren, Limburg, Brabant, Zeeland, al waren ook die streken provinciaals in vergelijking met het gebied waarvan zij deel uitmaakten: het Maasland met Luik, Brabant met Brussel en Vlaanderen, behorend bij het vroege handels- en industriegebied waartoe ook Henegouwen en Noord-Frankrijk gerekend moeten worden. In het noorden was er sprake van een veel meer afzijdige ligging. Alleen Utrecht, waar de bisschop de Duitse keizer vertegenwoordigde, deed op bescheiden schaal mee aan het culturele leven rondom de keizer en exporteerde er ook wel van naar plaatsen onder zijn gezag, zoals Deventer en Oldenzaal. Vanaf de elfde eeuw zien wij Holland wat meer in het economische en politieke licht treden en vanaf de dertiende eeuw een factor in het internationale spel van krachten van toen worden, met een oriëntatie eerder naar het zuiden en naar de Noordzee dan naar de Duitse gebieden. Maar de geest blijft provinciaals, ook als de kerkelijke machthebbers in onze gewesten mee gaan doen aan de bouwactiviteiten, die zich vooral vanuit Noord-Frankrijk ontplooien. Wij hebben nergens op het Nederlandse grondgebied een kerk als de kathedraal van Amiens, ruim 42 meter hoog, van vloer tot gewelf, en met een vloeroppervlak van 7700 vierkante meter. De dom van Keulen is nog hoger: 45 meter, en de hoogste is de kathedraal van Beauvais, waarvan echter alleen maar het koor gereedgekomen is: dat gebouw meet 48 meter van vloer tot gewelf. Daarbij vergeleken hebben onze kerken veel bescheidener afmetingen. De meest internationale gotische kerk bij ons is de dom van Utrecht en die kerk meet onder het gewelf 32 meter. De Sint-Jan in Den Bosch, gebouwd naar de plattegrond van Amiens, is binnenwerks zo'n 28 meter hoog en komt met de nok van het gewelf net even boven de onderste rand van de hoge middenschipramen van Amiens, dus ongeveer twee derde van de hoogte van dat illustere voorbeeld. En dan te bedenken, dat die Noordfranse kerk half zo groot is als de Sint-Pieter in Rome...

KERKEN WAREN KOSTBARE BOUWWERKEN

Maar toch waren ook in de Nederlanden de kerken opmerkelijk grote en kostbare bouwwerken. Wat moest een stadje als Amsterdam in 1400 (er zullen toen ongeveer vijfduizend mensen hebben gewoond) met de twee grote parochiekerken van de Oude en de Nieuwe Zijde, de Sint-Nicolaaskerk en de Sint-Catherinakerk (ons beter bekend als Oude en Nieuwe Kerk) met samen globaal 7000 vierkante meter vloeroppervlak? Zij liggen nog geen vijf minuten lopen uit elkaar; was uit het oogpunt van de zielzorg één flinke kerk niet voldoende, als men bedenkt, dat niet het onderwijs van Gods Woord, dus de preek en het godsdienstonderwijs, maar de bediening van de mis de hoofdzaak was? Vele particuliere missen werden opgedragen. Daar was weinig publiek bij nodig.

Theologie en politieke kracht waren één

Wat zit er achter die grote en dure gevaarten voor een God die alleen zijn eigen eeuwigheid tot zijn tehuis heeft? Het is wellicht verstandig, althans het begin van het antwoord te zoeken waar het in soortgelijke gevallen vaker te vinden is: in de economische en politieke realiteit van de middeleeuwse maatschappij en in een wereld waarin het christendom een openbare zaak was en de processen in de volkshuishouding, de samenleving, de staatkunde onvermijdelijk christelijke vormen aannamen. Ook het omgekeerde geldt, zij het in mindere mate: het christendom is in die eeuwen niet denkbaar zonder dat het wordt geïntegreerd in genoemde processen. Toch heeft zich nog iets voorgedaan, waardoor het christelijke geloof niet opging in de bewegingen van de tijd. Het geestelijke leven heeft voor sommigen een ingekeerdheid, die een vereenzelviging van het christendom met de maatschappij zeer bemoeilijkt. Toegegeven, dat is vooral mogelijk geweest doordat de ingekeerde vrome gesteund werd door een machtig lichaam: de kapittelkerk, waarvan de prebenden hem in staat stelden om zonder zorg voor het dagelijks brood Gods wegen te overpeinzen, of zijn rijke klooster. Maar de ingekeerdheid was er en die kon merkwaardig genoeg uitgroeien tot felle en in daden omgezette kritiek op het bestaande bestel. Juist omdat het christendom tot in de achttiende eeuw zo'n openbare aangelegenheid is geweest, kon zo'n protest vruchtbaar zijn wat betreft de religieuze en politieke gevolgen. De vernietigende kritiek op de sacrale en hiërarchische opbouw van Kerk en samenleving die bijvoorbeeld het calvinisme in

Utrecht, Domtoren. Afzonderlijk van de Dom ontworpen en gebouwd van 1321 tot 1382. Al tijdens de bouw gekritiseerd wegens de kosten.

Rechts: *Maastricht, koor van de Sint-Servaaskerk en de toren van de (hervormde) Sint-Janskerk ; de Sint-Jan is gebouwd als parochiekerk naast de kapittelkerk van Sint-Servaas.*

Kruisgang van de Sint-Servaas in Maastricht omstreeks 1475. Een kapittelkerk heeft altijd een dergelijke gang, rondom een vierkante hof, ten gerieve van de kanunniken.

de zestiende eeuw heeft laten horen, heeft in ons land zeer vérstrekkende gevolgen gehad. Zij is theoretisch geboren uit de studie van de bijbel, maar zij heeft daarna naar de wapenen gegrepen. Het gereformeerdendom, met het stempel van Calvijn, heeft strijders opgeleverd, die zowel theologisch als militair geschoold waren. Zij hebben in hoge mate het gezicht van het gereformeerde protestantendom in ons land bepaald. Als zich in de Nederlanden ooit iets heeft voltrokken dat op een revolutie leek, dan is deze wel ontketend door mensen, die gesteund door hun geloof de katholieke samenleving te lijf gingen en geweld daarbij niet hebben geschuwd. Abraham Kuyper is een van de laatsten uit deze traditie : een man voor wie theologie en politieke kracht één waren.

Dat anti-hiërarchische protestantisme heeft zijn stempel gezet op de Nederlandse kerkgebouwen die het tot zijn beschikking heeft gekregen. Een afzonderlijke gewijde ruimte, waarin een priester de heilige handelingen kan voltrekken, het koor, wordt overbodig, grote nadruk komt te liggen op het onderwijs, dus op de preekstoel. Ook Doop en Avondmaal worden gedacht als bijzondere vormen van de dienst des Woords.

Herenbanken

De gemeente is een gemeente van mondige gelovigen die de verantwoordelijkheid voor de dienst van God moeten dragen en daartoe bepaalde functionarissen aanwijzen, zonder dat zij hun verantwoordelijkheid fundamenteel prijsgeven. Dat

Dordrecht, Grote Kerk ; vooraan de preekstoel uit 1753–1756.
Rechts: detail van de marmeren kuip : de Doop van Jezus.
Onder: *Meppel, Hervormde kerk ; preekstoel en doophek ; 1782.*
detail : gevleugelde zandloper en zich in de staart bijtende slang.

wil niet zeggen, dat de maatschappelijke ongelijkheid ook wordt opgeheven: ten eerste zijn er de zitplaatsen voor de overheid en de notabelen, de zgn. herenbanken, en zeker is in de tijd van de Reformatie en de daaropvolgende twee eeuwen de overheid in handen van de maatschappelijk sterksten. Hun weelde zal zich ook in de kerkinrichting afspiegelen: in kostbare orgels, in overdadig gesneden preekstoelen, in luxueuze doophekken en herenbanken, in grafborden en grote gebeeldhouwde monumenten ter ere van hun voorname doden. Maar priesterlijk is een gereformeerde kerk niet meer. Ook de kerken van de negentiende-eeuwse Afgescheidenen, van de mannen van 1834, en van de volgelingen van Abraham Kuyper, leggen een zelfbewust en soms uitdagend getuigenis af tegen de hervormde orde van de negentiende eeuw.

Preromaanse en romaanse gebouwen

Wij zullen echter voor een goed begrip van wat een kerk is moeten teruggaan tot ongeveer het jaar 1000. De meeste Nederlandse kerken zijn middeleeuwse gebouwen en al is er van pre-romaanse en romaanse gebouwen weinig meer over, toch hebben de laat-middeleeuwse gotische kerken al een ver terugreikend verleden en hun ligging, hun opbouw, hun bestemming zijn zelfs pas uit hun voorgeschiedenis te begrijpen.
Alleen in Zuid-Limburg heeft het christendom het wegtrekken van de troepen en de administratie der Romeinen uit onze gewesten overleefd. Dat was aan het einde van de vierde en het begin van de vijfde eeuw. Elders is het christendom hier gevestigd sedert het einde van de zevende eeuw. In die tijd zijn er wel kerkjes gebouwd. Soms verrezen zij op heilige plaatsen van vroeger, maar lang niet altijd. Het kan zijn, dat de inwoners hechtten aan een oude sacrale plek ; van belang zal vaak zijn geweest, dat bouwmateriaal van een heidens heiligdom kon worden gebruikt en dat het terrein bebouwbaar was.

Ons land vormde de noordwestelijke hoek van het Romeinse rijk en bood als woongebied weinig aantrekkelijks. Bovendien voelden de Romeinen niet veel voor een dichte bewoning aan hun verre grenzen. Zij hebben hun heil gezocht in het scheppen van een soort niemandsland in de buurt van de grote rivieren en nadat zij waren vertrokken zijn uitgestrekte streken soms nog een paar eeuwen geheel of nagenoeg onbewoond gebleven. Vandaar de vrij late kerstening in die noordelijke gewesten, terwijl toch de Frankische koningen en hun opvolgers er hun invloedssfeer hadden. Zij waren vanaf het einde der vijfde eeuw katholiek en als zij hun macht ergens wilden vestigen, dan gebeurde dat steeds in een samenhang met kersteningspogingen. Maar lange tijd hebben zij aan onze gewesten weinig zorg besteed.

De oudste kerkjes

De oudste kerkjes zijn waarschijnlijk uit hout en veldkeien opgebouwd geweest. Zij zijn alle verdwenen : verwoest in de eeuwige krijgshandelingen, verbrand door het hemelvuur of onachtzaamheid, weggerot door het klimaat. Maar vervanging is ook wel veroorzaakt door de groei van een nederzetting, het aanzien van een machtige bezitter of de aantrekkingskracht die van de wonderdoende relieken van een populaire heilige uitging. Dan kwam er op den duur wel een stenen gebouw. Dat was doelmatig: zo'n stenen kerk kon langer mee. Maar de bouw vereiste een aanzienlijke technische vaardigheid en in menig geval moest de steen van ver komen ; de tot in de twaalfde eeuw gebruikte tufsteen werd uit de Eifel geïmporteerd. Dat betekende dat de bouw kostbaar was, heel wat duurder dan de gebruikelijke opstallen, hofsteden en schuren op het platteland, maar ook duurder dan militaire werken met aarden wallen en palissaden. Waarom die luxueuze kerkbouw?

Hervormde kerk van Midwolde (Groningen). Herenbank met geschilderde familiewapens. De bank is als een loggia hoog aangebracht tegen de kerk en via een trap links bereikbaar. Rouwkas met wapen ; eerste helft 18de eeuw uit de Hervormde kerk te Midwolde.

De kloosters

De oorsprong van het antwoord ligt bij de kloosters. Zij beheersten het vroege Nederlandse christendom. Niet dat de pasgekerstende boeren, herders en vissers in onze gewesten zo kloosterlijk gezind waren ; wij weten vrijwel niets van hun gevoelens jegens de nieuwe religie, die zij op last van de grote heren moesten aanvaarden. Er zullen zich moeilijkheden hebben voorgedaan ; dat is van elders wel bekend. Maar er is bitter weinig van gedocumenteerd. Wel gedocumenteerd is de economische en sociale greep van de kloosters op het land spoedig na de invoering van het christendom. Kloosterstichting was het genereuze gebaar van de machthebber, die op Gods genade hoopte door vrome monniken voor zich te laten

Westzijde van de parochiekerk te Susteren, 12de eeuw.

Onder: *Hervormde kerk van Oosterbeek ; schip mogelijk 10de eeuw.* Geheel onder: *Lemiers (Limburg), Catharinakapel (vroege parochiekerk) ; schip in 11de eeuw begonnen, koor 13de eeuw.*

bidden. Zijn traditionele levenswijze : zijn vechtlust en verkwisting, gaf hem zijn plaats onder zijn soortgenoten maar deed dat niet voor de God van de missionarissen. In dat opzicht was het stichten van kloosters een teken, dat de oude normen en waarden in een crisis kwamen te verkeren. Kloosterstichting had ook wereldlijke voordelen : jongere zoons en ongetrouwde dochters konden er een bestaan volgens hun stand vinden en in vele gevallen behield de stichter toch nog een zekere invloed op zijn stichting, al was het maar door de verplichting tot militaire bijstand. Wij zullen ons het klooster vooral moeten voorstellen als de woning van geestelijke grootgrondbezitters, die de kloostergoederen door de daar gevestigde boeren lieten bewerken ; de abt was een rijksgrote gelijk.

> **UITGESTREKT KLOOSTERBEZIT**
>
> Het kloosterbezit was buitengewoon uitgestrekt en verspreid. Het Gooi bijvoorbeeld was sedert de tweede helft van de tiende eeuw bezit van de abdij van Elten (pas in 1280 kwam het aan de Hollandse graaf Floris V), de abdij van Prüm in de Eifel was gegoed langs de Veluwezoom en bezat in Arnhem de Sint-Maartenskerk, die later door de Eusebiuskerk zou worden opgevolgd ; Putten in Gelderland behoorde aan het klooster Paderborn. De lijst is nog veel langer te maken.

De goederen moesten worden beheerd en dat was vanuit het verre moederklooster niet centraal te regelen. Plaatselijk toezicht was nodig, ook al ter wille van de geestelijke controle ; boerenopstanden zijn niet zeldzaam in de middeleeuwen en een buitenkerkelijke wonderdoener had zijn kansen onder mensen, die steeds weer werden bedreigd door misoogst, krijg, ziekte en hongersnood waartegen geen kruid was gewassen. Vandaar dat de moederabdij haar vertegenwoordigers, leden van de kloostergemeenschap, op de buitenposten wilde stationeren. Daar verrees dan voor hun kleine groep een kapel, waarvan ook andere reizigers gebruik konden maken : afgezanten van kerkelijke hoogwaardigheidsbekleders of van de landheer. Die moesten met hun gevolg worden geherbergd. Reizen waren gevaarlijk, kostbaar en langdurig. Onderweg moest men onderdak hebben.

Van nederzetting tot dorp

Zo zijn er kerkjes gesticht bij oude rivierovergangen, zoals in Oosterbeek ; het nu weer romaanse kerkje bij de uiterwaarden is er een voorbeeld van. Geen enkele van dergelijke vroege kerkgebouwen is onveranderd tot ons gekomen ; dat genoemde kerk in Oosterbeek teruggereconstrueerd kon worden, vindt zijn oorzaak in het oorlogsgeweld van 1944, toen het gebouw zwaar werd beschadigd en de gotische delen niet meer voor restauratie in aanmerking kwamen. Zelfs de Catherinakapel, het kleine kerkje in Lemiers bij Vaals, dat nog een goede indruk geeft van hoe zo'n oude kerk er eens uitzag, is al vergroot en verhoogd.

Wij vinden zo'n kerkje lief en klein, maar toen het pas was gebouwd moet het een trotse indruk hebben gemaakt op de omwonenden, die als bouwmateriaal hout, leem, veldkeien gewend waren. Maar in de loop der eeuwen kan hun nederzetting uitgroeien tot een aanzienlijker plaats van samenleving ; er ontstaat een echt dorp en de bezitter van het goed of het dorp vindt de kerk te klein, te weinig representatief. Het gebouw beantwoordt niet meer aan het doel en men gaat tot nieuwbouw of verbouwing over. Eerst wordt het koor verbouwd, want dat is het middelpunt van de kerk, daar wordt de dienst van gebed en offer onderhouden. Het komt nogal eens voor, met name in de dorpen, dat een verbouwing daar onvoltooid is gebleven, zodat het bekende profiel ontstaat van een toren, een betrekkelijk laag romaans schip en een hoog gotisch koor. De hervormde kerk van Andelst in de Betuwe is er een goed voorbeeld van: een schip dat mogelijk zelfs nog tiende-eeuws is, een koor uit 1440 en een toren die zo'n veertig jaar eerder werd gebouwd.

Het christendom is in onze gewesten begonnen in een bijna uitsluitend agrarische wereld. Men heeft berekend, dat aan het begin van de middeleeuwen 95 % van de Westeuropeanen op het platteland leefde; dat is een groter percentage dan in de hedendaagse ontwikkelingsgebieden in hun primitiefste staat het geval is. Maar dat

Andelst (Gelderland), Hervormde kerk. De zuidwand van het schip mogelijk 10de eeuw. Het hoge koor is van omstreeks 1440; de toren omstr. 1400.

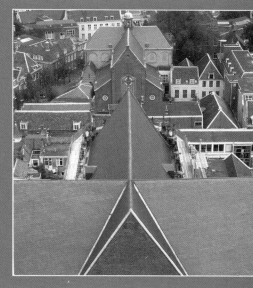

Pieter Saenredam (1597–1665), zijbeuk van de Sint-Janskerk te Utrecht. Rechts: Utrecht, gezicht over het dak van de Dom naar de Pieterskerk.

Utrecht, gezicht vanaf de Domtoren op de (neogotische) Sint-Willibrord en daarachter de Janskerk.

wordt anders in de twaalfde eeuw en de daaropvolgende eeuwen: de steden komen op. Het zijn Noord-Frankrijk, Henegouwen, Vlaanderen, die voor ons het belangrijkste zijn. Die nieuwe stedelijke wereld brengt veranderingen die het gezicht van het christendom, ook in de kerkbouw, sterk wijzigen.

Utrecht

Bisschop Bernulphus heeft zijn stad, Utrecht, toen nog Trajectum geheten en nog niet veel meer dan een oud fort aan de Rijn, tegen het midden van de elfde eeuw nog vrij kunnen ontwikkelen naar puur-kerkelijke behoefte: in een kruisvorm met zijn kathedraal – voorganger van de tegenwoordige domkerk – en de nabijgelegen kapittelkerk, de Sint-Salvator, als middelpunt en drie andere kapittelkerken plus een abdij als de uiteinden van de vier armen: de Pieterskerk in het oosten, de Janskerk in het noorden, de Mariakerk in het westen en de Paulusabdij in het zuiden.

Opmerkelijk is, dat de levendige kerkelijke bouwactiviteiten in het Utrecht van de elfde eeuw zich nog niet op een parochiekerk richten. Want ook de kapittelkerken (dat wil zeggen kerken, beheerd door een kapittel, een college van priesters in een zeker samenlevingsverband, gehouden tot de dienst der getijden en de regels van de zgn. *vita canonica,* een aan regels gebonden leven, waarnaar de leden van het kapittel canonici, kanunniken heten) zijn niet in de eerste plaats voor pastorale arbeid bedoeld. Pas als buiten het oude centrum een buitenwijk groeit, Uut-Trecht,

Overzichtskaartje van de binnenstad van Zutphen. De oude kern (vrijwel vierkant) met aan de zuidzijde de Walburgskerk, voormalige kapittelkerk, vlak bij de plek waar het grafelijk kasteel stond. Aan de noordoostkant de Nieuwstad, uitbreiding uit de tweede helft van de 13de eeuw, met gotische parochiekerk. Tussen beide in het voormalige dominicanerklooster.

De Grote Kerk van Zutphen, vroeger kapittelkerk. Een deel der gewelfschilderingen ziet men op blz. 9.

Het koor van de Sint-Servaas te Maastricht.

Buiten-Trecht, ontstaat de eerste parochiekerk, opnieuw een aan de Heilige Maagd toegewijd bedehuis, de tegenwoordige Buurkerk. Dan zijn wij een halve eeuw later. Het zuiver klerikale ontwerp van Bernulphus wordt steeds verder doorkruist door de religieuze eisen van een gemeenschap, die niet meer alleen door de geestelijkheid wordt bepaald.

Zutphen

In Zutphen is iets dergelijks waar te nemen. Daar zijn de kapittelkerk van Sint-Walburg, samen met het in de onmiddellijke nabijheid gelegen kasteel van de graven van Zutphen – kiemcel van het latere hertogdom Gelre –, zaak van de eerste en de tweede stand: geestelijkheid en adel. Maar in de Nieuwstad, de stedelijke uitbreiding van Zutphen, is een nieuwe parochiekerk nodig, de aardige Nieuwstadskerk, waarvan de oorsprong tot het begin van de veertiende eeuw teruggaat. Zutphen telt nog een middeleeuwse kerk, deel van een grotendeels behouden gebleven gebouwencomplex, de Broederenkerk. In menige oude stad vinden wij zo'n kerk, eenmaal het bedehuis van een bedelorde, en als de kerk er niet meer is, dan zijn er wel Broederenstraten te vinden.

Bedelorden

De bedelorden zochten hun heil in de steden. Zij zijn in de eerste helft van de dertiende eeuw ontstaan en hebben hun pastorale activiteit op de stedelijke samenleving gericht. Elders probeerden zij vaste voet in de jonge universiteiten te krijgen en zo hebben zij de eerste wetenschappelijke theologie ontwikkeld: de grote wetenschappelijke voorman, Thomas van Aquino die in 1274 overleed, was dominicaan. In de Nederlanden bestond vóór de stichting van de universiteit van Leuven in 1425 door hertog Jan IV van Brabant geen academisch onderricht, maar bij de prediking van het volk en de controle op wat gezegd en geleerd werd waren de dominicanen wel actief. Zij en hun collega's in de andere bedelorden hebben gepreekt voor het volk en daarmee getracht te voldoen aan het verlangen van de stedelingen naar emancipatie en het in kerkelijke banen te houden.

DE 'ZIELZORG' VAN DE KANUNNIKEN

Dat de kanunniken zich niet in de eerste plaats hebben gericht op de zielzorg blijkt soms pijnlijk-duidelijk uit de kerkbouw. Niet alleen dat het koor van een kapittelkerk gewoonlijk heel diep is, even diep als het schip, maar soms vond men het te druk als ook de missen voor het vulgus in de kerk werden gelezen. Dan werd naast de kapittelkerk voor de parochie een tweede kerk gebouwd. Zo is naast de Sint-Servaaskerk in Maastricht de Sint-Jan verrezen. In die zelfde stad is dat ook gebeurd bij de Onze-Lieve-Vrouwe-kerk; daar is een Sint-Nicolaaskerk naast gebouwd, die in de vorige eeuw is afgebroken. In Deventer heeft tegen het westeinde van de Lebuïnuskerk — eens een kapittelkerk — eenmaal ook een parochiekerk gestaan, een Mariakerk, waarvan alleen de ruïnes nog over zijn. Wie het beeld van het verleden oproept, dient het zich goed voor te stellen: de kanunnik, die met een vies gezicht langs het vulgus loopt, een anjer (middel tegen de dood) onder zijn neus houdende tegen de stank, want de middeleeuwse samenleving heeft verschrikkelijk gestonken; en met het voornemen om zijn collega's zo spoedig mogelijk de bouw van een parochiekerk voor te stellen, om tenminste af te zijn van het gepeupel, als men de mis las of de getijden zong.

Stadskerk

Onder: *de Sint-Jan te Den Bosch, detail koorzijde.*
Geheel onder: *Grote kerk te Breda, detail.*

De stijl van de stedelijke religieuze bouw is de gotische geweest. Sedert het midden van de twaalfde eeuw is zij in Frankrijk tot ontwikkeling gekomen, maar in de Nederlanden begint de opmars van de gotische bouwprincipes pas in de dertiende eeuw. De grootste activiteit ontplooit zich vooral in de veertiende en de vijftiende eeuw. Dan ontstaan in de steden de grote kerken zoals wij ze kennen.

Een gotische kerk is een veel sterkere constructie dan een romaanse en kan heel wat ruimer worden gebouwd. In het land van herkomst, Noord-Frankrijk, is daardoor de zeer grote stadskerk mogelijk geworden en via Brabant en Vlaanderen is deze stijl naar de noordelijke Nederlanden gekomen. Voor Groningen geldt dat in mindere mate. Dat gewest behoorde tot de cultuurkring van de Noordduitse laagvlakte en heeft daar de inspiratie gevonden voor zijn gotiek, die er trouwens pas laat werkelijk heeft doorgezet. Maar er is bij de stadskerk meer aan de hand dan een technische ontwikkeling. Die is op zichzelf wel belangrijk: zij vereist veel meer gespecialiseerde krachten dan de oude romaanse kerkjes. Van belang is echter vooral, dat de nieuwe grote stadskerk in de stedelijke wereld nieuwe functies krijgt.

De oude romaanse kerk

De oude romaanse kerk diende vooral een gesloten religieuze gemeenschap: de kloostercommunauteit, het kapittel. Het belangrijkste deel ervan was het koor: daar werd de mis gelezen, daar werden de getijden gezongen. Het schip heeft een secundaire functie: ontvangstruimte voor de leken, die er als gast of pelgrim komen. Bovendien heeft het schip een ruimtewerking die de weidsheid van het koor ten goede komt. Wie is de werkelijke heer van dat koor? Dat is niet de priester die er officieert, niet de monnik of de kanunnik. Zij zijn dienaren, knechten, gelijk de paus zelf knecht is, knecht van Gods knechten, zoals een van zijn titels sedert de zevende eeuw luidt. De verborgen heer van de kerk, huizende in het koor, is Jezus Christus zelf, de Triomfantelijke, de Rechter, de Albeheerser van hemel en aarde. Hij is verborgen, maar niet onzichtbaar: zijn knechten maken hem zichtbaar in de verhulde gedaante van brood en wijn die, geconsacreerd, zijn eigen lichaam en bloed zijn. Daarin is Hij aanwezig op het altaar, in de hostie. Om hem heen is als zijn

Rechts: Deventer, oude Lebuïnuskerk, Hervormde kerk in hallekerkvorm: de ruimte wordt diffuus doordat de zijbeuken een zelfstandige betekenis krijgen. Rechts midden: *Norg, Hervormde kerk. Hier is het koor nog duidelijk aanwezig, maar de richting van de aandacht is gewijzigd en staat haaks op de oude richting. Stoelen en banken zijn op de preekstoel georiënteerd; de op zichzelf belangrijke ruimtewerking van het koor doet onfunctioneel aan.* Geheel rechts: *Amsterdam, Westerkerk; voor de protestantse eredienst ontworpen.*

Rhenen, Sint-Cunerakerk, oksaal. Het oksaal sluit het koor weer af van de rest van de kerk en vormt als het ware een kerk in de kerk, waar de geestelijkheid haar taken kan verrichten aan het altaar en bij het getijdegebed. Detail: de dood, een profeet.

dienarenstoet de geestelijkheid in het koor geschaard. Die onderhoudt de dienst van gebed en offer en doet dat voor de gemeenschap: voor de boeren op het land, voor de krijgers in het fort. Die behoeven niet in de kerk te zijn om de vruchten van het heilige werk der priesters te ontvangen.

In de kerk de geestelijke, daarbuiten de leek, verbonden door het besef, dat hij met de priester saamhorig dient te zijn. Zo is het in een maatschappij die een vaste orde kent: een maatschappij die verder van een kleinschalig en primitief karakter is. Omstreeks 1000 is de agrarische samenleving heus wel ingewikkeld, maar de orde ervan presenteert zich als een onveranderlijke. Er is een geestelijkheid, die rijk aan grondbezit is en kerkelijke belastingen heft (hetgeen meer dan eens tot verzet leidt); verder is er een adel die leeft van de opbrengst van zijn landgoederen en van de oorlog; ten slotte zijn er de boeren zonder eigen land of in het bezit van maar een heel klein stuk, die voor de produktiviteit zorgen. De bevolking is gering in aantal, de ontginningen te midden van de nog eindeloze, maagdelijke gebieden van bos en moeras zijn weinig uitgestrekt, de landbouwwerktuigen zijn primitief en vereisen grote lichamelijke inspanning voor een betrekkelijk geringe opbrengst. Medische verzorging ontbreekt, het dieet is meestal ontoereikend en nog vaker slecht samengesteld. Het leven van de mensen wordt bepaald door de grillen van de natuur en de boeren kunnen zich er alleen maar marginaal tegen weren. Het sterftecijfer onder alle standen was hoog; de gemiddelde leeftijd moet tussen de 20 en de 30 jaar hebben gelegen.

In die wereld, in de schaduw van de dood, kan onrust ontstaan: boeren komen in opstand, edelen gaan elkaar te lijf, geestelijken bekruipt de onlust om nog langer aan het kerkelijk of kloosterlijk leven deel te nemen en zij lopen weg. Aan de zelfkant van de maatschappij zijn roversbenden te vinden, die samengesteld blijken te zijn uit alle rangen en standen. Die zijn gevaarlijk genoeg om voor de landheren een voortdurende bron van zorg te zijn. Maar het verschil tussen de macht van de machthebber en de machteloosheid van de onderdaan is zo groot, de strijd om het naakte bestaan zo hevig, dat er geen kans op een werkelijke omwenteling van de verhoudingen in de samenleving mogelijk blijkt. De vaste orde blijft onverstoorbaar. In de kerk is hij gericht op de ene Heer van hemel en aarde, tronende in het koor. Dat is in de bouw te zien: koor en koorafsluiting bepalen de richting van de constructie. Een romaanse kerk laat geen afwijking van de blik buiten de lengteas toe.

In de stad verandert het levenspatroon. De stedelijke samenleving is niet alleen veel ingewikkelder en beweeglijker geworden, maar zij bestaat uit veel losser van elkaar

opererende groepen. Kleinere organisatievormen treden op: ambachtscorporaties, bestuurscolleges en dergelijke, later ook broederschappen met een religieus of charitatief doel. Die groepen kunnen met elkaar botsen en vaak hebben zij zeer uiteenlopende belangen; het politieke leven in een middeleeuwse stad is vol onrust en vol onverwachte verschuivingen in de macht.

De altaren

Die groepen vinden in de kerk bij de altaren het middelpunt van hun onvermijdelijke religieuze activiteiten. Die zijn in handen van priesters en dezen verdienen aan hun missen soms een behoorlijke boterham. Rijken laten voor hun doden missen lezen en stichten soms bij een altaar voor reeksen van jaren zulke diensten. Steeds meer altaren waren nodig; vlak voordat de Oude Kerk in Amsterdam werd ingericht voor de gereformeerde eredienst (dat was in 1578) telde zij 35 altaren – en zij was maar één van de stadskerken. Was zo'n stadskerk ook nog kapittelkerk, dan vormde het koor een afzonderlijk bouwsel binnen in de kerkelijke ruimte. Het was afgesloten door een wand en aan het begin van het koor werd een oksaal opgetrokken, dat de beslotenheid der getijdendiensten van het kapittel kon waarborgen. In de steeds noodzakelijker wordende zijkapellen (die in de romaanse kerken ontbraken; daar waren alleen in het transept en de kooromgang nog nissen voor afzonderlijke altaren, te bedienen door de priesters van klooster of kapittel) werden vaak tegelijk verschillende missen opgedragen. Het schip en de zijbeuken vormden als het ware een plein rondom hetwelk zich de verschillende religieuze handelingen konden voltrekken. Het was de ruimte voor de leken, een ieder op een bepaald altaar geconcentreerd. Stoelen en banken ontbraken meestal.

Volkspreek

Het schip als een binnenplein: daar konden de leken bereikt worden door de volkspredikers, die meestal, zoals wij al zeiden, leden van de bedelorden waren. De dominicanen heetten zelfs officieel naar die activiteit Predikheren; hun orde is de Orde der Broeders Predikers, *Ordo Fratrum Praedicatorum,* of kortweg O.P. In de loop van de vijftiende eeuw worden meer en meer kerken tot hallekerken verbouwd, dat wil zeggen, dat hun zijbeuken worden verhoogd en verbreed tot de afmetingen van het middenschip, zodat een grote ruimte van drie hallen ontstaat, waar veel mensen bijeen kunnen zijn. De hallekerk is een geliefd model geweest voor de broederkerken, waar de mensen konden worden toegesproken. De ruimte is in zo'n hallekerk veel diffuser dan in een kerk met een basilicale opzet het geval is. De altaren zijn er nog te vinden, in de zijkapellen, tegen de pijlers, het hoogaltaar in het koor, maar de blik valt er niet vanzelf op. De volkspreek wordt belangrijker voor een bevolking, die niet alleen via het priesterlijk handelen aan het altaar in de dingen van God betrokken wil worden.

Verwijdering van beelden

In dat opzicht heeft de Reformatie een zekere strekking van het kerkelijk leven in de vijftiende eeuw voortgezet, toen zij aan het eind van de zestiende eeuw kerkgebouwen ging inrichten voor de gereformeerde eredienst. Het radicalisme daarvan manifesteerde zich vooral in het afstoten van de priesterlijke functies, die eenmaal bij het altaar waren geconcentreerd; het eerste dat gebeurt is de verwijdering van de beelden (maar over het algemeen hadden de beelden, met uitzondering van sommige miraculeuze sculpturen of afbeeldingen van de Madonna

Midden: *Loppersum, Hervormde kerk, in de 15de en 16de eeuw grondig verbouwd. Naast het hoofdkoor een tweede kapel (Mariakapel): de concentratie doorbroken.* Onder: *Edam, Hervormde kerk ; zuivere hallekerk.*

en van geliefde heilige helpers, geen directe op de devotie of de liturgie gerichte functie) en het verwijderen van de altaren. Nodig is een preekstoel, met daarbij een doopschaal; de oude doopvonten verdwijnen ook, want de doop is niet langer een afzonderlijke heilige handeling, maar dient met het Woord te worden verbonden. Wat steeds belangrijker is geworden in de vijftiende eeuw en de eerste helft van de zestiende, gaat nu als kerkelijke handeling overheersen: de prediking. De preekstoel blijft meestal waar hij al was, aan een van de lange kanten van de kerk, het koor wordt niet meer gebruikt, verdwijnt zelfs hier en daar of wordt, evenals de oude sacristie, verbouwd en bestemd tot dienstlokaal. Sommige vroegere katholieke kerken worden zelfs na de Reformatie hardhandig vergroot door om en om de pijlers van het schip weg te breken. Dat is bijvoorbeeld in Utrecht in 1657 gebeurd met de Janskerk.

Klankbord

Nieuwbouw van gereformeerde bedehuizen nadat de gereformeerde religie de publieke religie van de Republiek was geworden is betrekkelijk weinig voorgekomen; de oude gebouwen waren kostbaar en het eigendom van de gehele gemeenschap, en zij waren nog wel als preekkerk bruikbaar. De akoestiek, het is al gezegd, was meestal slecht voor de spreekstem, maar dat werd voor een deel wel opgevangen door het klankbord boven de preekstoel. Dat klankbord, en trouwens het geheel van de stoel en de ruimte eromheen, afgepaald door het zgn. doophek (omdat daarbinnen werd gedoopt), zijn weldra even weelderig opgetooid met koperwerk en kostbare houtsculpturen als vóór de Reformatie het altaar en de altaarruimte. In de meeste gevallen is dat geheel van preekstoel en doophek de sterkste blikvanger in een voor de gereformeerde liturgie ingerichte kerk.

Meppel, Hervormde kerk. Doopschaal aan preekstoel bevestigd: 'Woord en doopwater behoren bijeen', naar protestantse overtuiging.
Midden: *Zutphen, Sint-Walburgskerk, opbouw van de doopvont.*

Dordrecht, Grote Kerk, opbouw van het klankbord boven de preekstoel en koorbanken (onder).

De macht van de overheid

Maar daarbij mogen wij de herenbanken niet vergeten: vaak hoger geplaatst dan de banken voor het gewone kerkvolk, rijk versierd en opgetuigd met het onderscheidingsteken van de heren: hun wapenschild. Zulke banken ontbraken in de oude katholieke kerken, want de koorbanken, die hier en daar nog in protestantse kerken bewaard zijn – bijvoorbeeld in Bolsward en in Dordrecht –, zijn zetels van een kapittel, niet van een christelijke overheid. De landsheer had in zijn kasteel zijn eigen kapel gehad, waar de hofkapelaan officieerde, en de machtigen van de stad waren door hun corporaties of alleen bij bijzondere gelegenheden direct bij de gebeurtenissen binnen een kerkgebouw betrokken. Maar nu werd de overheid binnen de kerk gebracht en moest er zitten, gedurende heel de lange godsdienstoefening. Betekent dat nu, dat de staat, door de overheid vertegenwoordigd, onder het gezag van de kerk is gekomen? Neen. Het merkwaardige feit doet zich voor dat de burgerij niet langer in de kerk haar ontmoetingsplaats heeft, maar in de burgerzaal van haar nieuwe stadhuizen. De overheid en de notabelen in hun dure familie- of ambtsbanken kwamen wel in de kerk, maar zij demonstreerden er ook mee, dat de kerk een publiek lichaam was en onderdeel van een gemenebest waarin zij, en niet de kerkeraad, de predikant, de classis of de synode het laatste woord hadden.

Stadhuis en kerk

Natuurlijk: de kerk bleef staan aan het voornaamste plein van de stad. Op de Grote Markt in Haarlem is de situatie wellicht nog het duidelijkste: de zeer hoog oprijzende oude Sint-Bavo, vergeleken waarbij het stadhuis – het oudste,

gekanteelde deel moet uit het midden van de veertiende eeuw stammen en was 's graven hof – in het niet valt. Maar op de Amsterdamse Dam is de situatie anders. Op de kaart van Balthasar Florisz uit 1625 is dat centrale plein kleiner dan tegenwoordig. Het oude stadhuis staat er nog, iets achterwaarts ten opzichte van het stadhuis van Jacob van Campen, tegenwoordig het paleis, en verder is het plein omzoomd door huizen. De nieuwe Kerk lag nog niet aan de Dam; zij lag aan een achterstraat. De bouw van het nieuwe stadhuis heeft haar ontmanteld, doordat er een heel huizenblok voor moest worden afgebroken, zodat zij aan haar zuidoostkant vrij, zij het wat terzijde kwam te liggen. Zo is de situatie ontstaan, die wij nu nog kennen: een plein, gedomineerd door het nieuwe stadhuis en aan de kant wat weggedoken de Nieuwe Kerk. Tussen die twee loopt de Mozes en Aäronstraat door, eraan herinnerende, dat de wetgever en de priester hier bijeen waren, burgemeesters, schout, schepenen op het stadhuis, predikanten en kerkeraad in de kerk. Maar Aäron staat op de tweede plaats, hij heeft zelfs geen toren gekregen. Daar is wel een ontwerp voor getekend en zelfs is er een eerste begin met de bouw gemaakt, nog te zien aan de zijde van de Nieuwezijds Voorburgwal. Maar de toren kwam er niet. Hij had de Westertoren in hoogte moeten overtreffen. Erkend zij, dat wij voor de

Boven: *Haarlem, Grote Kerk op de Markt. De kerk domineert het plein. Isaac Ouwater, Gezicht op de Nieuwe Kerk te Amsterdam. Het stadhuis domineert de kerk.*

Van boven naar onder: *Renswoude, Hervormde kerk (1639–1641): typisch protestantse centraalbouw. Amsterdam, Oude Doopsgezinde Kerk, schuilkerk. Amsterdam, Oude Lutherse Kerk (1632–1633).*

ongestoorde aanblik van het paleis blij mogen zijn met die mislukking, erkend zij ook, dat de overheid meer zorg had voor de esthetica van haar eigen zetel dan voor die van Gods huis. Eerlijk gezegd: de verhouding van stadhuis en kerk in Amsterdam weerspiegelt zuiverder de betrekkingen van beide in de zeventiende en de achttiende eeuw dan die op de Grote Markt van Haarlem.

Kerken met centraalbouw

Als er opzettelijk voor de gereformeerde religie nieuw werd gebouwd, dan kon de bouwmeester zich richten naar haar liturgische beginselen: een gebouw zonder sacraal middelpunt, waarin het Woord centraal was en de gelovigen rondom het Woord geschaard konden worden. Zo ontstonden kerken met centraalbouw: de oudste in Willemstad, daarna in Den Haag, Amsterdam, Leiden, Groningen, om maar een paar voorbeelden te noemen. Ook als men een wat conventioneler schema aanhield, zoals Hendrick de Keyser bij de bouw van de Zuider- en de Westerkerk in Amsterdam, ontwikkelde men een preekkerk zonder koor.

Schuilkerken

In de Nederlanden was vanaf eind zestiende eeuw de gereformeerde godsdienst de publieke religie; alleen in wat nu Zuid-Limburg is, was na 1632 de situatie anders, zoals nog zal worden beschreven. Dat betekende niet, dat andersdenkenden hevig vervolgd werden. Zij hebben hun godsdienstoefeningen tersluiks kunnen houden, ook de katholieken – hetgeen dan wel geld, soms heel veel geld, kostte. Aldus zijn schuilkerken ontstaan, van doopsgezinden, lutheranen, katholieken, remonstranten; inpandig soms, maar toch ook wel eens zo dat de term 'schuilkerk' ridicuul is. Maar goed: officieel was er een publieke religie, waarmee de staat relaties onderhield – ook door er toezicht op te houden: zo vrij was de gereformeerde synode nu ook weer niet in doen en laten – en verder waren er particuliere kerkelijke groeperingen. Dat is pas anders geworden, toen de Bataafse Omwenteling een einde aan de oude Republiek maakte.

Waterstaatskerken

De geschiedenis van de manier waarop de oude publieke religie is teruggetreden en andere kerkgenootschappen met de gereformeerde kerken gelijkberechtigd zijn geworden, behoeft hier niet te worden verhaald. Er kan mee worden volstaan te vermelden dat koning Willem I die gelijkheid in bestaansrecht heeft trachten te realiseren, onder andere door de openbare kerkbouw van de vroeger achtergestelde groepen te stimuleren. Het Departement van Waterstaat werd daarbij ingeschakeld en zijn architecten hebben op de kerkbouw van de eerste helft der negentiende eeuw hun deftig en soms toch ook wel joyeus stempel gezet. Het is de tijd van de zgn. Waterstaatskerken, meestal met een classicistisch front, met zuilen en een driehoekig fronton; het beroemdste voorbeeld is de Mozes en Aäronkerk in Amsterdam. Toch waren met name de katholieken niet tevreden en kerkelijk gezien, terecht niet: de structuur van hun kerk eiste herstel van de bisschoppelijke hiërarchie. Die kwam in 1853 tot stand – en dan ineens is de rustige Waterstaatswerkelijkheid weggevaagd.

De droom van de neogotiek

Nieuw moet er gebouwd worden, in de oude katholieke streken het eerst, in Brabant vooral, en het zal geschieden naar de gouden droom van de middeleeuwen: de

Onder: *Amsterdam, Mozes en Aäronkerk ; voorbeeld van een grote Waterstaatskerk.* Rechts: *Haarlem, Grote Kerk of Oude Sint-Bavo.*

Kampen, Evangelisch-Lutherse Kerk (1843). Voorbeeld van een kleine Waterstaatskerk.

droom van de allesbeheersende, alles overtreffende katholieke Kerk, middelpunt van de grote katholieke eenheid in cultuur en samenleving. Het was een droom van een realiteit die nooit heeft bestaan, en verder de droom van een zich emanciperende, rijk wordende katholieke burgerij, die het horige proletariaat voorschreef wat het moest doen en denken, terwijl de al even sterk met die bourgeoisie verbonden geestelijkheid de fabrieksarbeiders in de stad en de dagloners op het platteland de les las. Maar er waren onder de dromers kunstenaars, die de kerk weer hoog boven de daken van de wereld zagen verrijzen en de torens de hemel in zagen steken : smeekbede tot de Almachtige en lans van Sint-Michaël tegelijk. Een van hen was P.J.H. Cuypers, leerling van Viollet-le-Duc, de grote Franse kenner en restaurateur van middeleeuwse gebouwen in Frankrijk, en hij bracht een vleug van diens visie over naar onze gewesten. Menige kerk in neogotische trant hebben hij en zijn vakbroeders doen oprijzen. Maar de emancipatie van de katholieken bracht ook mee, dat zij niet langer alleen maar middeleeuwse modellen wilden navolgen, maar zelf nieuwe schoonheid, katholieke schoonheid wilden ontwikkelen. De Haarlemse kathedraal, de Nieuwe Sint-Bavo, is daarvan een van de belangrijkste monumenten. Terwijl Cuypers zijn kerken bouwde en daarna de nieuwe katholieke esthetiek traditionele ambachtelijkheid in eigentijdse vormen realiseerde, verrezen achter zijn rug nieuwe gebouwen, groter dan ooit een kerk zou zijn : spinnerijen en weverijen, machinefabrieken, levensmiddelenindustrieën, aan de Zaan bijvoorbeeld ; de aardappelmeelfabrieken, grote scheepswerven, nieuwe pakhuizen, stations, eindeloze arbeidersbuurten aan de rand van de grote steden, die al bij de bouw tot verkrotting voorbestemd leken te zijn, kazernes, gevangenissen niet te vergeten. Zij hebben het vrome profiel van een middeleeuwse samenleving, gekroond door haar woud van torens boven haar stadswallen, doen ondergaan in heel wat nieuwere lijnen, horizontale van enorme gebouwen, verticale van hoge, zware schoorstenen. De droom van de neogotiek berustte nooit op historische feitelijkheid. De grote kerken van het verleden zijn niet de uitdrukking van een allen inspirerende vroomheid. Zij zijn imposant in meer dan één betekenis. Zij maken op ons gevoel voor schoonheid indruk, maar zij legden eens hun macht op aan een wereld, die ook toen uit armen en rijken, machtigen en machtelozen, ontrechten en het recht als wapen tot eigenbelang hanterenden bestond. Maar waar is: toen was de religie een onafscheidelijk element in de samenleving. Dat is niet meer zo, dat was al ondermijnd toen de nieuwe neogotische spitsen zich ten hemel strekten.

Kerken zijn geen middelpunt van het gemeenschapsleven meer

Wat dan? Kerken als monumenten, even onnuttig en even dierbaar gekoesterd als oude molens en oude treinen? Maar er gaan nog mensen naar de kerk, de kerk laat nog van zich horen, soms in dwaasheid, soms in wijsheid, en er wordt door sommigen nog naar geluisterd. Veel kerken hebben hun functie verloren: er zijn er verbouwd tot supermarkten en garages, tot musea en pakhuizen. Er worden er in de nieuwe woonwijken nog wel gebouwd, maar er zijn nu al gevallen, dat zulke nieuwbouw, misschien nog geen vijftien jaar oud, alweer gesloten moet worden: de exploitatie is niet meer lonend, de gemeente heeft niet de middelen om er een pastoraal centrum met een eigen predikant of priester van te maken. Zoals het stadsprofiel in de negentiende eeuw radicaal is gewijzigd en de oude hoge herkenningspunten heeft geabsorbeerd achter de fabrieken en de schoorstenen, zo is het ook geestelijk en cultureel. De kerken zijn geen middelpunt van het gemeenschapsleven meer. Toch – het zij herhaald – wordt er nog in gewerkt en wordt er nog in geloofd. Nog willen zij niet alleen voor een eigen besloten kring spreken, maar meedoen in de vorming van de openbare morele meningsvorming en handeling. Hoe zit dat?
Dat is een vraag om voor het laatste hoofdstuk te bewaren.

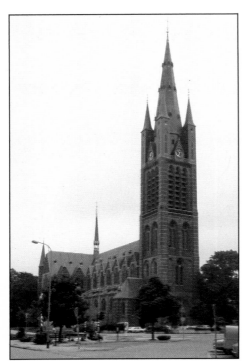

Hilversum, Sint-Vituskerk (1891–1892).
Voorbeeld van neogotiek.

Rechts: *Hervormde Thomaskerk te Amsterdam (1966).*

Kerken van Limburg

Waar Maastricht zweeft in een woud van torens

JAN ENGELMAN

Limburgs wegkruis bij Mechelen. Na een tijd van een zekere verwaarlozing ontstaat een hernieuwde belangstelling voor dergelijke monumentjes van devotie.

Van de Nederlandse gewesten heeft Limburg de oudste kerkgeschiedenis en de grootste verscheidenheid in kerkbouw. Maastricht was al tegen het einde van de vierde eeuw, in de nadagen van de Romeinse heerschappij, een bisschopstad. Al is er uit die tijd niets meer dat aan kerken doet denken, uit de tijd daarna is er heel veel te vinden. Soms zijn dit wat muurresten, opgenomen in latere gebouwen, maar van het jaar 1000 af zijn het grotere delen: romaanse kerken, gotische kerken, gebouwen uit de renaissance, de barok, het classicisme. De reeks gaat verder, door de negentiende eeuw heen: Waterstaatskerken, de neostijlen van na het midden der vorige eeuw, neogotiek, neoromaans, nieuwe stijlen, tot in onze dagen toe. Er is veel verwoest en er is veel gebouwd. Er is ook in verschillende trant gebouwd. Dat is een weerspiegeling van een grensland met een lange en zeer ingewikkelde geschiedenis. Limburg is de op een na kleinste provincie van ons land (alleen Utrecht is kleiner), maar heeft een buitenlandse grens van een kleine 300 kilometer, langs Duitsland en België. Als wij daar dan nog bij bedenken, dat in België de taalgrens (die ook een historische en culturele is) vlak langs de zuidelijke en zuidwestelijke grens van het land loopt, kunnen wij ons wel voorstellen dat er van die uiteenlopende streken, namelijk die van het Duitse Rijnland, het Waalse Maasdal, de Nederlandstalige Belgische Kempen, al vroeg veel invloed is uitgegaan. Er waren twee grote kerkelijke centra: Keulen in het oosten en Luik in het zuiden. Luik was daarvan het belangrijkste, omdat Maastricht tot het Luiks diocees behoorde en de bisschop van Luik een belangrijke politieke invloed had. Uit het westen deed Brabant zich voelen: zeker van de dertiende eeuw af zowel economisch als maatschappelijk een van de verst gevorderde streken van geheel West-Europa. Maastricht is trouwens van 1204 af tot aan de Franse Revolutie twee-herig geweest: het stond onder het dubbele gezag van de bisschop van Luik en de hertog van Brabant. Toen het noordelijk deel van dat hertogdom in de tijd van de Republiek der Verenigde Nederlanden onder Staatsgezag kwam, hield het Hof van Den Bosch de zeggenschap, samen met Luik.

Romeinse invloed

De provincie is door haar ligging belangrijk geweest. Een viertal eeuwen hadden de Romeinen er de macht in handen, militair, politiek, maar ook economisch, door hun kolonisatie. In die tijd moet het land het christendom hebben ontvangen, eeuwen eerder dan de rest van het vaderland. Toen Servatius zijn zetel van Tongeren naar Maastricht verplaatste, werd Maastricht zelfs een bisschopstad. In 384 is Servatius

Maastricht, Sint-Servaas, de zgn. Noodkist: reliekschrijn voor het gebeente van de Heilige Servatius (omstreeks 1160).

er begraven op de plek waar nu de kerk van Sint-Servaas zijn naam in gedachtenis houdt en de noodkist zijn gebeente bergt.

Dat was in de nadagen van de Romeinse macht in die streken. Stad en land waren van belang, omdat de grote militaire weg van Bavay in Noordwest-Frankrijk naar Keulen erdoor liep en over een stenen brug de Maas kruiste. De overgang was militair versterkt, maar in het begin van de vijfde eeuw trokken de Romeinen hier weg en kregen de barbaren vrij spel: zij zouden Europa onder elkaar verdelen. In de noordwesthoek van het oude Romeinse rijk kregen de verschillende stammen van de Franken het heft in handen. Op den duur zouden zij in het oude Gallië het Frankische rijk scheppen, dat ten slotte Frankrijk is geworden. Een Frankische groep kwam uit de Betuwe en breidde zich naar het zuiden tot Doornik uit. Uit deze stam zouden ten slotte de vorsten komen, die over alle Franken zouden heersen: de Merovingers. Ook het tegenwoordige Zuid-Limburg kwam onder hun beslag. Maastricht bleef nog lang bisschopsstad onder hun bewind. Dat was onderwijl christelijk geworden, toen de Frankische vorst Chlodovech, beter bekend als koning Clovis (466–511), zich in het begin van de zesde eeuw had laten dopen. Pas tegen het einde van de Merovingische macht heeft bisschop Hubertus zijn troon naar Luik verplaatst. Dat was in 723.

Het land deelde het lot van het noordelijke Frankische rijk: na de rauwe tijd van de Merovingers de heerschappij van de Karolingers, het geslacht waarvan Karel de Grote het bekendste lid was. Hij voelde zich bijzonder thuis in Aken en het gebied daar in de buurt, en daar valt ons Zuid-Limburg ook onder. In de Sint-Servaas te Maastricht staat nog zijn grote standbeeld: hij is in de middeleeuwen wel als heilige geëerd. Zijn rijk was te groot voor zijn zonen en is in 843 verdeeld, waarbij Limburg, evenals de rest van wat Nederland zou worden, tot het oostelijke, Duitse rijk ging behoren. Die rest was voor de keizer niet al te interessant: een moerassig grenslandje.

Limburg was belangrijk

Niet alleen de keizer deed er zich gelden. De plaatselijke heren waren voor het dagelijkse leven wel zo belangrijk: de bisschop van Luik en de graaf, later hertog van Brabant, maar ook lokale grootheden. Dat maakt de plaatselijke geschiedenis van Limburg zo ingewikkeld in de middeleeuwen: wereldlijke en geestelijke potentaten, graven, abten, prelaten hebben er geheerst en er hun twisten uitgevochten. Het bleef grensland. Fel is het begeerd om zijn rijkdom, maar ook om zijn situatie. In de Tachtigjarige Oorlog was het niet anders. Spaanse legers en de huurtroepen van Willem van Oranje zijn er doorgetrokken en hebben er gevochten. Namen? Mook in het noorden, bekend om de slag op de Mookerheide van 14 april 1574. Toen sneuvelden twee Nassaus, Lodewijk en Hendrik. In het zuiden Maastricht, de enige stad die in het Wilhelmus wordt genoemd, omdat Alva er zich had ingegraven en tegen Oranje geen slag wilde leveren. Dat was heel verstandig, want Willem de Zwijger had een veel te duur leger voor zijn beperkte geldmiddelen, hij had dus behoefte aan een snelle militaire beslissing en door hem die niet te gunnen kon Alva hem dwingen spoedig dat leger te ontbinden. Toen was het de herfst van 1568.

Twee publieke religies

Beslissend was de tocht van Willems jongste zoon, stadhouder Frederik Hendrik, in 1632. Aanzienlijke delen van Limburg vielen toen de Staten toe, Roermond en Venlo openden onmiddellijk hun poorten voor de Staatse legers, maar Maastricht dwong een belegering af. Frederik Hendrik kreeg de stad ten slotte in handen. Maar bij de capitulatie werd iets afgesproken, dat op vele tijdgenoten de indruk moet hebben gemaakt van een politiek novum: er zouden voortaan twee publieke religies zijn. In

het eigenlijke gebied van de Verenigde Provincies was er maar een: de gereformeerde, die wij tegenwoordig de hervormde zouden noemen, en in de Spaanse Nederlanden was er ook maar een: de katholieke. Maar de gecompliceerde staatsrechtelijke verhoudingen dwongen tot een ongehoord tolerante oplossing: de oude katholieke godsdienst blijft geoorloofd, er mogen katholieke manifestaties plaatsvinden, er kunnen in het openbaar kerken worden gebouwd. Maar ook mogen de hervormden er hun religie belijden en hun riten volgen, ook zij mogen kerken bezitten en zo nodig bouwen. Die ruimhartigheid gold niet voor andere kerken; maar in ieder geval de lutheranen hebben een graantje kunnen meepikken. De lutherse kerk in Maastricht is, zij het wat achteraf en achter een muurtje, in 1684 gebouwd. De graaf van Waldeck, een generaal in dienst van de Staten, was er militair gouverneur en hij was luthers.

VANDAAR DE NAAM

Een halve eeuw of zo geleden deed het fraaie verhaal nog de ronde, dat de Heilige Geest, een doodlopend steegje dat op de Markt uitkomt in Maastricht, zo heette, omdat daar een kapel lag die bij een sterk protestants garnizoen moest dienen voor de zondagse godsdienstoefening, omdat de Sint-Jan en de Matthias te klein waren. Iedere veertien dagen moest daar een gereformeerde dienst worden gehouden. Maar dat betekende, dat iedere veertien dagen de kapel ontwijd was en voor de volgende week opnieuw gewijd moest worden. Zo voltrok er zich eens in de veertien dagen een wijdingsritueel, waarbij de Heilige Geest aangeroepen moest worden. Vandaar de naam... Of het verhaal waar is? Het is jammer zo iets te gaan toetsen.

Boven: *Maastricht, stadhuis (bouw in 1659 begonnen). Aangezien de stad twee heren had: de bisschop van Luik en de hertog van Brabant (wiens rechten via het Hof van Den Bosch zijn overgegaan op de Staten-Generaal van de Republiek) en hun respectieve vertegenwoordigers bij plechtige gelegenheden niet na elkaar, maar tegelijk langs gescheiden wegen in het stadhuis moesten komen of het moesten verlaten, is deze monumentale dubbele opgang gebouwd. De tweeherigheid, hier gesymboliseerd, heeft gemaakt, dat in de stad de gereformeerde religie en de rooms-katholieke haast elkaar openlijk uitgeoefend konden worden.*

Hoe dan ook, prettig of niet, men bestond naast elkaar. Op die manier werd Limburg gedwongen in de zeventiende en achttiende eeuw op de toekomst vooruit te lopen wat kerkbouw betrof en katholieken en protestanten richtten hun eigen kerken aan de openbare weg op. Dat was iets dat in Europa, maar ook in het trotse land van de Staten-Generaal benoorden de grote rivieren zijn weerga niet had. Alleen al daarom is Limburg inzake de kerkbouw te rekenen als destijds de belangrijkste, op de toekomst gerichte provincie van het tegenwoordige Nederland. Na de Franse Revolutie krijgt de politiek een ander gezicht. De rooms-katholieke godsdienst wordt gelijkgerechtigd – wat voor een gebied dat in overgrote meerderheid katholiek is nauwelijks als een bijzondere weldaad zal zijn gevoeld, hooguit een bevestiging van wat allang zo was. Ten hoogste was het voor de conservatieven niet goed te verkroppen, dat er hoe dan ook nog protestanten in hun land voorkwamen. Niet dat men zich daar bijzonder druk over maakte. De dorpspastoor zag niet graag contacten van zijn schapen met andersdenkenden; maar hadden die schapen veel kans daarop, als wij bedenken, dat de protestanten in de negentiende eeuw nu eenmaal niet behoorden tot het milieu waar de meeste roomsen voorkwamen? De ambtenaar, de koopman, de militair die van het noorden uit in het zuiden werden gestationeerd, kwam niet in intensief contact met de autochtonen, tenzij van hun eigen stand – en hoeveel waren er dat?

P.J.H. Cuypers

Hoe het ook zij, de overheid heeft onpartijdig kerken gebouwd in Limburg: de lang geminachte, tegenwoordig weer hoger gewaardeerde Waterstaatskerken, zo geheten

*Maastricht-Wijk, H.Martinuskerk,
1857–1858. Het grote kruis is
vermoedelijk Duits, 14de eeuw. De kerk
bezit opmerkelijke moderne ramen
(hieronder detail).*

omdat de staat de financiële middelen voor de bouw hielp verzorgen en zijn eigen
architecten van Waterstaat inschakelde voor de ontwerpen. Een rustige stijl, maar
het katholicisme dat van emancipatie droomde (en wellicht bij de broeders in wat
weldra België zou zijn meer verwantschap vond dan bij die stijve harken uit het
noorden) wilde iets anders. De romantiek had de stijl van de middeleeuwen opnieuw
in omloop gebracht, en middeleeuwen betekenden toch maar: een katholieke
wereld, waarin ieder katholiek was, van de keizer af tot de kleinste boerenjongen toe,
zoals in het sprookje van Andersen over de nachtegaal in China ook iedereen een
Chinees was. Wat bevroedde men trouwens van de grote economische, sociale en
politieke spanningen of van de afkeer der ketters en de onverschilligheid van zovelen
buiten de magische cirkel van de middeleeuwse geestelijkheid? Welnu, na het
midden van de negentiende eeuw komt de gotiek weer op, als een droom van een
nieuwe bevlogenheid. Het is niet alleen Limburg dat door die inspiratie wordt
getroffen. De grote meester van de neo-gotiek, P.J.H. Cuypers, geboren in
Roermond maar lange jaren werkzaam in Amsterdam, heeft zijn roomse geestdrift
in vele, vele plaatsen van ons land kunnen uitzingen in zijn kerken – hij deed het
vaak overtuigend.

Maar in feite is al sedert het begin van de negentiende eeuw de bijzondere tijd van
Limburg voorbij: in een eenheidsstaat als het Koninkrijk der Nederlanden nu
eenmaal is geworden, is nog wel het een en ander te zien dat een eigen regionaal
karakter vertoont, maar de grote creativiteit in de kerkbouw, gevoed door een grote
rijkdom van de kerk is voorbij. Zeker na de afscheiding van België wordt Limburg
niet veel anders dan een Nederlandse provincie en volgt het de bewegingen van het

Sittard, kerk van Sint-Petrus' Stoel van Antiochië (parochiekerk), detail toren, begin 16de eeuw.

Wahlwiller, parochiekerk; wandschilderingen van Aad de Haas (1946). Er is veel te doen geweest over zijn werk in deze kerk. De (afneembare) kruiswegstaties, die de schilder had gemaakt, zijn in 1949 op last van de kerkelijke overheid verwijderd; zij zijn in het Bonnefantenmuseum ondergebracht. De muurschildering, door afbladderen bedreigd, verdient een grondige restauratie.

land. In bepaalde opzichten is dat te betreuren. Voornamelijk is het te betreuren, omdat wat eenmaal een grote Europese cultuur was nu alleen maar provinciale trekken krijgt. Na het midden van de zeventiende eeuw is het, hoewel provinciaal, toch een ongekende zaak dat rooms en protestant naast elkaar aan de openbare weg verschijnen. Hoewel, zeker gedragen door liefde voor het gewest en zijn religie, en wel degelijk getekend door die vleug van artisticiteit die dit zuiden nu eenmaal zelden vreemd is, toch blijft het provinciaals. De vraag is alleen: is behalve Amsterdam niet heel Nederland provinciaals? En zelfs Amsterdam...

Weerspiegeling van het leven van de Limburgers

Deze sombere overpeinzing zal ons niet verhinderen met plezier te kijken niet alleen naar wat in de middeleeuwen en de tijden voor het ontstaan van het Koninkrijk der Nederlanden is gepresteerd, maar ook naar wat daarna is gebouwd. Ook daarin spiegelt zich het leven der kerk, en dat wil in Limburg nog meer dan elders zeggen: het leven van de Limburgers, af: hoop, trots op een hersteld episcopaat, maar ook het verdriet van vernietiging door oorlogsgeweld en moed om opnieuw te beginnen. Dat alles maakt ook de jongste geschiedenis van Limburgs kerken belangrijk.

Luxueuzere bouw

Ook voor Limburg geldt dat als er een oude kerk wordt gerestaureerd en er opgravingen plaatsvinden, er dan fundamenten van een of meer oudere kerken te voorschijn komen. Begrijpelijk, zal men zeggen: gebouwen vervallen of worden verwoest door natuur- of mensengeweld en nieuwbouw is steeds weer nodig. Maar waarom dan altijd weer groter? Omdat er ruimere middelen waren en meer kerkgangers dan vroeger? Omdat de heer of de vrouwe van het dorp, de abt of de abdis van het klooster, het kapittel van de collegiale stadskerk iets representatievers wilde dan wat er vroeger had gestaan? Al die factoren kunnen hebben meegewerkt. Over heel Europa neemt de bevolking na de tiende eeuw toe, en al is het niet mogelijk om die algemene regel altijd plaatselijk bevestigd te krijgen, toch is de betekenis ervan wel vrijwel overal af te lezen. De opbrengsten van het land worden groter. Dat betekent ook dat de daarop geheven 10 % kerkelijke belasting (de tienden) toenemen. Voor de verplichte afdrachten aan de landheer geldt hetzelfde. Al met al zijn die veranderingen aan de kerken zo vreemd nog niet. Er kan luxueuzer worden gebouwd.

Maastricht

Het is te verwachten, dat in Maastricht de meest glorieuze gebouwen uit de vroege tijden van de elfde en de twaalfde eeuw zijn te vinden. Dat zijn de Onze Lieve Vrouwekerk en de kerk van Sint-Servatius. De eerste, niet de grootste, maar met haar westgevel de verbijsterendste, moet wat die westkant betreft al voor het jaar 1000 zijn opgetrokken. De kerk is een voorbeeld van romaanse stijl, zoals die in het Maasland gebruikelijk was: er is een west- en een oostkoor (dat is nog erfgoed van karolingische stijl), een toren op de viering van het transept ontbreekt, en het dwarspand is lager dan schip en koor. Ook aan deze kerk is veel verbouwd in de loop van de eeuwen (voor de Sint-Servaas geldt dat trouwens evenzeer): de bovenkant van de westelijke wand is uit het einde van de twaalfde eeuw of het begin van de dertiende eeuw, het oostkoor dat er nu is heeft een ouder vervangen, de stergewelven van het middenschip zijn uit de achttiende eeuw, naar het vijftiende-eeuws model van de viering – zo is er wel meer te noemen. Het kapittel dat de kerk bezat is in 990 in het leven geroepen en is in 1797 opgeheven. Dat karakter van kapittelkerk maakte, als in zoveel gevallen, dat zij voor de parochiebehoeften niet geschikt was. Men heeft zich lang beholpen: het kapittel had zijn altaar in het oostkoor, de parochie in het westen. De kerk is echter niet zo heel groot; van het westelijke deel van het schip tot aan de achtermuur van de apsis is slechts 60 meter. Er vonden ook burgerlijke handelingen plaats (zo vergaderde er de Luikse Schepenbank, die de rechtzaken van de Luikse bisschop behartigde), kortom, men vond aanleiding tot een splitsing. In 1342 werd vlak bij de Onze Lieve Vrouwe een parochiekerk gesticht, toegewijd aan de heiligen Nicolaas en Lambertus. Het was een vergelijkbare situatie als bij de Sint-Servaas, waar de Sint-Jan, ook al opvolger van een oudere kerk, naast de grote kapittelkerk verrijst. Maastricht is trouwens in dit opzicht geen uitzondering, ook in ons land niet.

Maar de Franse Revolutie kwam. De kerk werd verkocht en het kapittel ontbonden. Over bleef een lege ruimte – en wat doet men ermee? Wat men ermee deed was onder andere er de garnizoenssmederij in vestigen. Deze profanisering duurde tot 1837; toen werd de oude parochiekerk afgebroken en werd de Onze Lieve Vrouwe in die functie weer kerk.

De Sint-Servaas

De Sint-Servaas en de Sint-Jan zijn geen van beide gesloopt, maar ook de Sint-Servaas is geen kapittelkerk meer en de Sint-Jan is sinds 1632 hervormde kerk. Ook de Sint-Servaas heeft een zware westbouw. Die is minder goed te zien dan die

Maastricht, Sint-Servaas, kapiteel, voorstellende 'operarii', bouwlieden, bezig met steenhouwerswerk.

Rechts: *Maastricht, Sint-Servaas, Bergportaal (omstr. 1250). In het boogveld de Dood van Maria, haar verrijzenis en haar Kroning door Christus.*

Roermond, Munsterkerk, de Heilige Maagd (boven) en gezicht op viering en koor. Rechts: Tombe van Graaf Gerard III van Gelre en zijn vrouw Margaretha van Brabant in dezelfde kerk; eerste helft 13de eeuw.
Onder: Maastricht, O.L.Vrouwe; kooromgang.

van de Onze Lieve Vrouwe; de straat waaraan zij ligt, het Sint-Servaasklooster, is maar nauw. Maar het complex is veel groter dan dat van de andere kapittelkerk; trouwens, dat geldt voor het gehele gebouw. Het hele gebouw is, van schip (dus zonder het westkoor) tot aan de muur van het oostkoor, een 85 meter lang. Ook hier is veel verbouwd, laat-romaans en gotisch uit verschillende periodes. Voorbeelden hiervan zijn het Bergportaal en de kruisgang, die uit de tweede helft van de 15de eeuw stamt.

Gotiek is er genoeg te zien in Maastricht, maar ook daarbuiten bijvoorbeeld in Meerssen, en voor het romaans geldt hetzelfde. Vaak is wat dat romaans betreft het Maasdal van betekenis en voor de gotiek geldt dat ook. Het is een uitzondering, als men, zoals in het Bergportaal van de Sint-Servaas, naar Noord-Frankrijk heeft gekeken. De Sint-Pieterskerk in Sittard – ook weer eens, van 1299 tot 1802, een kapittelkerk – heeft een vrij duistere geschiedenis, maar vertoont trekken van Maaslandse gotiek. Van Roermond en Venlo geldt, dat zij steden van Opper-Gelre waren en dat de gotiek uit die streek zich laat gelden in de kathedraal van Roermond en in de Sint-Martinuskerk van Venlo. Er is aan de geschiedenis van die steden weer de verbrokkelde historie van Limburg af te lezen: Roermond is in 1673 aan de Spaanse Nederlanden gekomen en is eerst sedert 1815 deel van ons land. Venlo werd in 1648 als deel van Opper-Gelre Spaans, maar kwam in 1715 als generaliteitsland onder de Republiek. Weert behoorde sedert 1568 ook tot de Spaanse en daarna tot de Oostenrijkse Nederlanden en kwam langs de Franse bezetting in 1793 ten slotte in het nieuwe Koninkrijk der Nederlanden terecht in 1815. Daar was de invloed van de Kempen te bespeuren, het stadje lag in het oostelijk deel van die streek. De toren van de oude kerk van Sint-Martinus vertoont alle trekken van de Kempische familie.

Verschillende stijlen

Men ziet: uit het zuiden, uit het oosten, uit het westen komen de sporen van de stijlen waarin gebouwd wordt in de steden en in de dorpen van wat wij nu zo

Maastricht, voorm. Augustijnerkerk (1661). Hierboven een detail van de gevel.
Onder: *Eys, parochiekerk (1732–1734), portaal. Geheel onder: Eys, grafkruis, laat-zeventiende-eeuws.*

gemakkelijk 'Limburg' noemen, maar wat nog in de achttiende eeuw een ingewikkeld weefsel van politieke bindingen was. Vandaar de verschillen. Dat is ook in de nieuwere tijd zo gebleven. Zo is de gevel van de vroegere Augustijnenkerk in Maastricht, in 1661 klaargekomen, duidelijk onder Zuidnederlandse invloed. Maar in Eys, op nog geen twintig kilometer afstand van Maastricht, heeft J.C. Schlaun, een architect uit Munster, in de jaren 1732 tot 1734 een parochiekerk gebouwd in de barokstijl van zijn geboortestreek. Hij heeft trouwens ook dicht in de buurt, in Wittem, een staal van zijn kunnen gegeven, waar hij voor wat toen een kapucijnenklooster, maar nu een redemptoristenklooster is (en een niet onvermaard bedevaartsoord naar het graf van de H. Gerardus Majella) een kerk bouwde. Echter om de charme van zijn werk te ondergaan moet men wel naar binnen; aan het einde van de vorige eeuw is de gevel gesloopt om plaats te maken voor een uitzonderlijk lelijke en deftige neogotische voorkant.

Simultaankerk

In de kerkgeschiedenis van Limburg zijn wat het zuiden betreft twee militaire en politieke ingrepen van het allergrootste belang geweest in de nieuwere tijd; en voor de rest van de provincie één. De veldtocht van Frederik Hendrik in 1632 heeft ertoe geleid, dat naast de katholieke religie ook de gereformeerde bestaansrecht kreeg en de reeks gebeurtenissen van de Franse Revolutie in onze gewesten: de inval van de Fransen, de Bataafse Republiek, het (Napoleontische) Koninkrijk Holland, de inlijving bij Frankrijk, de terugkeer van Oranje en de oprichting van het Koninkrijk der Nederlanden, hebben niet alleen de wel zeer versnipperde streken van Limburg verenigd, maar, voor ons belangrijker, ook de rijkdom en de macht van de kerkelijke machten – bijvoorbeeld kapittels en kloosters – drastisch veranderd. Wat die zeventiende-eeuwse erkenning van de protestanten in het Staats geworden Zuid-Limburg betreft, die noopte tot een kerkelijke organisatie en tot de beschikbaarheid van een aantal kerkgebouwen. In het begin behielp men zich door de roomsen te dwingen bij voorkomende gelegenheden hun kerken voor de protestantse eredienst beschikbaar te stellen, hetgeen allicht niet zonder bitterheid en wrijving geschiedde. Maar wat in het noorden en in Brabant was gebeurd: alle kerken onttrekken aan de katholieke dienst en inrichten voor de gereformeerde, gebeurde hier niet. In Maastricht moesten de katholieken de Sint-Jan en de Sint-Matthias afstaan. De eerste is nog altijd de hervormde kerk van Maastricht, de tweede is in de Franse tijd eerst ongebruikt gebleven en ten slotte in 1804 weer aan de katholieken gekomen. Het probleem was evenwel niet bijzonder nijpend, afgezien

van plaatselijke omstandigheden. Er waren dorpen genoeg waar in wijde omtrek geen protestant te vinden was en ook geen Hollandse ambtenaren werkten. Waar wel protestanten woonden, is nieuw gebouwd, want de oplossing van de simultaankerk, soms voor rooms en soms voor onrooms beschikbaar, bleef onbevredigend. In Urmond aan de Maas, westelijk van Sittard, kwamen vrij veel Hollandse schippers en voor de protestanten onder hen verrees in 1685 een protestants kerkje. In Sittard zelf begint de geschiedenis van het gereformeerde kerkgebouw in 1635 in wat wellicht een brouwerij was of anders als brouwerij werd aangekondigd, omdat een geïrriteerde katholieke overheid hinderlijk kon zijn. Het gebouwtje brandde in 1677 af; in 1681 is het herbouwd en in 1684 kreeg het zelfs een toren. Het geheel was niet bijzonder triomfantelijk; het katholicisme bouwde heel wat grootser in datzelfde zeventiende-eeuwse Sittard. Wij zien er de Sint-Michielskerk, waaraan sedert 1659 werd gewerkt. Zij was oorspronkelijk de dominicanerkerk: kalm en waardig voorbeeld van de Zuidnederlandse barok.

Rechts: Wahlwiller. Religieuze artikelen te Wahlwiller. Boven: Sittard, Sint-Michielskerk. Onder: Natuurhistorisch Museum, Maastricht.

Vaals

In Vaals zijn twee protestantse kerken verrezen. Tegen een dertiende-eeuwse toren heeft men in 1671 een hervormde kerk gebouwd en in 1737 is de lutherse kerk tot stand gekomen. Vaals was een toevlucht voor lutheranen uit het Duitse, streng katholieke grensgebied, waar Aken domineerde. De uit die stad afkomstige familie von Clermont, die luthers was, heeft de lutherse gemeente krachtig geholpen. Belangrijker was de toevloed van Franse réfugiés. Naarmate Lodewijk XIV hun het bestaan onmogelijker maakte weken er meer uit. Ten slotte hief de Zonnekoning bij een edict van 1685 het Edict van Nantes, in 1598 door zijn voorvader Hendrik IV uitgevaardigd, op: het protestantisme mocht niet langer bestaan in zijn rijk. Geschat wordt dat in de Nederlanden tussen de vijftig- en vijfenzeventigduizend hugenoten onderdak hebben gezocht. Dat heeft plaatselijk wel eens opstoppingen veroorzaakt. Zo waren er in 1689 zeventien Franse predikanten met hun gezinnen te Maastricht aanwezig. Niet alle vluchtelingen bleven ter plaatse, maar er bleven er wel genoeg om in Maastricht een eigen Waalse gemeente te vormen en een nieuwe Waalse kerk te laten bouwen. De inwijding ervan heeft in 1733 plaatsgehad.

Van concertzaal tot Landbouwproefstation

Voor heel Limburg zijn, evenzeer als voor het noorden, de afbraak van het oude staatsbestel der Republiek, de Omwenteling en het ontstaan van de monarchie van fundamenteel belang geweest. Voorbij waren de tijden van de kapittels en de oude

Susteren, parochiekerk (volgende blz. midden). *Vogelvluchtdoorsnede van deze parochiekerk, waar de eigenaardige bovengrondse ligging van de crypt achter het koor duidelijk wordt.*

Onder: *Houthem-Sint-Gerlach, parochiekerk, begin 18de eeuw; wandschilderingen uit het midden van die eeuw, door de Zuidduitser Joh. Adam Schöpff. De kerk is gebouwd als stiftskerk voor adellijke vrouwen; vandaar de weelderige en voor die tijd modieuze versiering.*

Houthem-St.-Gerlach, parochiekerk. Altaar en westwand in Houthem-Sint-Gerlach. Achter het orgel een afbeelding van het Laatste Oordeel. Volgende blz. onder: Thorn, Stiftskerk, zijaltaar en in dezelfde plaats Kapel onder de Linden (1673).

kloosters. Wat ervan overbleef was nog maar een flauwe weerschijn van wat zij allemaal vroeger hadden betekend. Heel wat hedendaagse parochiekerken zijn oude kapittel- of stiftskerken: in Maastricht de Onze Lieve Vrouwe en de Sint-Servaas; de Bonnefanten (eertijds klooster van de zusters Sepulchrijnen) in 1798 opgeheven, is nu museum, het grauwzustersklooster is natuurhistorisch museum geworden, de dominicanerkerk concertzaal, het kruisherenklooster landbouwproefstation... Het verhaal is nog lang te maken, ook op het platteland: Sint-Gerlach, Susteren, Thorn, nu parochiekerken, eenmaal de pronkstukken van deftige communauteiten.

Die nieuwe tijd van de negentiende eeuw begon wat de kerkbouw betreft niet spectaculair, ook niet in Limburg. Daar was ook niet veel nodig. In de rest van Nederland, met inbegrip van een voormalig Generaliteitsland als Noordbrabant, had het katholicisme de tijd van de schuilkerken achter zich gelaten; ieder kerkgenootschap mocht in het openbaar zijn religie uitoefenen en uit publieke gelden steun ontvangen (hetgeen evenwel niet voor nieuw te vormen groepen gold, zoals de Afgescheidenen van 1834 – maar die waren er niet in Limburg). Maar Limburg was vrijwel geheel katholiek en had nooit anders dan de openbaarheid van de katholieke religie gekend. Door de maatregelen van de Revolutie waren kloosters opgeheven en kapittels afgeschaft en hun kerkgebouwen stonden of leeg (of kregen een andere bestemming) of werden parochiekerken. Waarom dan, bij een veel geringer bevolkingsdichtheid dan nu en een algemene armoede van de nieuwe natie, nieuwe kerken gebouwd? Er zijn wel enige voorbeelden van vroege negentiende-eeuwse kerken in de neoclassicistische stijl, die ook elders in deze eerste helft van de negentiende eeuw toegepast werd. Maar het is al met al toch niet belangwekkend genoeg om er veel aandacht aan te besteden.

Dat Limburg in de negentiende eeuw zuchtte onder het juk van het Koninkrijk der Nederlanden is wat te veel gezegd. Wel is het waar, dat wat eenmaal grensland was en daardoor trefpunt van velerlei cultuur en politieke macht, een uithoek is geworden en dat is niet verbeterd na de Belgische onafhankelijkheid. Integendeel, economisch, cultureel en religieus had het belang bij de Duitse en Belgische buren,

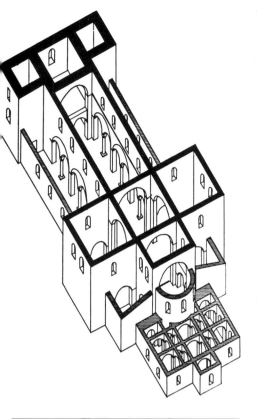

waar de industrialisatie op gang kwam – men denke maar aan de kolenbekkens van de Kempen en het Luikse en de Duitse mijngebieden vlak over de grens; en de rivier die aan Roermond zijn naam verleent stroomt hogerop door het Roergebied – meer dan bij het achtergebleven noorden waar het door het kansspel van de grote mogendheden na de val van Napoleon politiek onder verzeild was. De sympathie voor wat in 1830 dat noorden de Belgische rebellen noemde was niet gering en met afgunst hebben degenen die onder Nederlands militair gezag bleven in die woelige jaren gekeken naar de gelukkigen in andere delen van Limburg, waar de nieuwe Belgische meesters de oude roomse glorie deden herleven: in Wittem kwamen de redemptoristen binnen, in Venray vestigden zich de ursulinen en in Weert zag het oude franciscaanse klooster – de minderbroederskerk werd in 1526 gewijd, de kloostergebouwen dateren voornamelijk uit de achttiende eeuw – de vroegere bezitters weer binnen zijn muren. Maar in 1839 bleef het Koninkrijk der Nederlanden ten slotte toch in het bezit van de tegenwoordige provincie Limburg. Niet de aansluiting aan België kon een nieuwe ontwikkeling in de geschiedenis van de Limburgse kerken brengen. Maar veertien jaar later werd de bisschoppelijke hiërarchie in Nederland hersteld: een gebeurtenis die het groeiend katholiek zelfbewustzijn sterk heeft gestimuleerd. Dat kan men ook aflezen aan de reeks neogotische kerken, die in de tweede helft van de negentiende eeuw zijn gebouwd. In protestantse streken of streken met aanzienlijke minderheden van rooms of protestants vallen zij meer in het oog. Maar ook in Limburg is een groot aantal verrezen.

Een bouwtrant gedragen door de idealen van de katholieke burgerij

Daar waar de katholieken in grote meerderheid waren, in Brabant of Twenthe, was het culturele en intellectuele leven achtergebleven bij de zeeprovincies. De politiek kon geen carrière voor de katholieken zijn. Zij waren aangewezen op het economische leven, terwijl hun culturele leven vooral clericaal was. Nu, met de opkomende industrie, hadden de katholieken hun kansen; er waren voldoende arbeidskrachten tegen lage lonen te krijgen, er was de nabijheid van reeds geïndustrialiseerde streken in Duitsland en België, en kapitaal kon men onder die gunstige omstandigheden aantrekken. Dat alles is ook af te lezen aan de kerkbouw. Die is veeleisender aan materiaal en arbeidskracht, hij vereist ook meer technische mogelijkheden dan het neoclassicisme van de eerste helft der negentiende eeuw. Een droom kon worden verwerkelijkt, de romantische van de middeleeuwse christelijke wereld, waarover al gesproken is in het eerste hoofdstuk. Maar het was de droom

Bovenste rij, van links naar rechts:
Meerssen, basiliek, 14de eeuw. Gewelf
met Calvariegroep, 16de eeuw uit
dezelfde basiliek. Bunde, Limburg,
parochiekerk. Voorbeeld van moderne
katholieke kerk; het altaar centraal
tussen de zitplaatsen.

Onderste rij, van links naar rechts:
Glaswand in de parochiekerk te Bunde.
Het raam is afkomstig van een gebouw op
de Brusselse Wereldtentoonstelling in
1958.
Detail van het Sacramentshuis (16de
eeuw) uit de basiliek van Meerssen.

van mensen, die geworteld waren in de burgerlijke wereld van de groten uit dit negentiende-eeuwse katholicisme. Wat Cuypers en zijn collega's hebben gebouwd is niet vaak burgermanswerk, en bij een artiest als Cuypers is dat bijna nooit het geval. Wel is het burgerlijke kunst; een bouwtrant, gedragen door de idealen van de katholieke burgerij, die zich nu niet langer klein moest maken in schuilkerken.

Bunde

Genoeg over de neostijlen. Men is er ook in Limburg ten slotte van teruggekomen. Er is in de twintigste eeuw nieuw gebouwd, met nieuwe middelen en met nieuwe ideeën, en na de Tweede Wereldoorlog, die Limburg niet gespaard heeft, moest de kerkarchitectuur zeer actief worden, voor herstel en restauratie, maar ook voor het ontwerpen van volledig nieuwe kerken. Dragen deze werkstukken nog specifiek Limburgse kenmerken? In één opzicht wel: zij staan in het Limburgse land, in Limburgse buurten van steden en dorpen; daar moesten hun bouwmeesters rekening mee houden. Maar verder? De integratie van Limburg in het Nederlandse geheel is toch wel zo groot, dat de onderscheiding in regionale verschillen zinloos gaat worden. Laat ik – wederom uit strikt persoonlijke overwegingen – eindigen met het noemen van één dorp, waar oud en nieuw, triomfantelijk en gastvrij-functioneel te vinden zijn: Bunde, met zijn oude, nu prijsgegeven kerk, en zijn nieuwe uit 1960.

Kerken van Noordbrabant en Zeeland

Ses dagen heb Ick daer vry-willigh in verwerckt ;
Den sevenden gerust, gesegent en gepresen,
Voor eeuwig t' Mijner eer geheilight heeten wesen,
Ses dagen sal de span van uwen arbeid zijn,
Ses dagen hooren u, de sevende is Mijn.

CONSTANTIJN HUYGENS

Brouwershaven, Hervormde kerk ; tot hallekerk verbouwde gotische kruisbasiliek.

Noordbrabant en Zeeland hebben gemeen, dat zij beide aan België grenzen. De scheidslijn der nationaliteiten loopt oost-west. Maar in de middeleeuwen liep de scheidslijn noord-zuid. Ieder van beide provincies maakte deel uit van een groter geheel, en dat is nog te zien, in Zeeland aan de naam Zeeuws-Vlaanderen, in de andere provincie aan dat voorvoegsel Noord. Dat betekent, dat er een ander Vlaanderen is en een ander Brabant.

Zeeland lag aan de noordkant van het machtige graafschap Vlaanderen, waarvan de vorst zowel politiek als economisch een belangrijke factor was in de betrekkingen tussen Frankrijk en Engeland. Noordbrabant maakte deel uit van het grote hertogdom Brabant, dat in de eerste helft van de veertiende eeuw zijn hoogtepunt bereikte en met zijn expansiedrift naar het oosten en het zuidoosten zich zeer voelbaar maakte onder de machthebbers van die streken. Vlaanderen en Brabant waren sterke buren; zij hebben dan ook wrijvingen en botsingen gekend. Maar er waren ook punten van aanraking. Kijken wij bijvoorbeeld naar hun grote kerkgebouwen, dan wordt dat duidelijk genoeg: Zeeland en Noordbrabant hebben een gotiek voortgebracht, die verschillende gemeenschappelijke kenmerken vertoont.

Het breukpunt in de geschiedenis der Nederlanden, de Tachtigjarige Oorlog, is ook voor deze twee provincies een breukpunt geweest, toen de grens ging lopen tussen de Republiek der Verenigde Nederlanden, dat wil zeggen de samenwerkende zeven noordelijke provinciën, die zich van de Spaanse heerschappij hebben losgemaakt, en de zuidelijke, Spaans gebleven Nederlanden. Toen zijn de lotgevallen van Zeeland en Noordbrabant steeds meer uiteengegaan. Voor Zeeland was het de tijd van de hoogste bloei. De zeer winstgevende kaapvaart op de routes tussen Spanje en Spaans Amerika was van het grootste belang en het behoeft ons dan ook niet te verwonderen, dat er in Zeeland verzet was tegen het sluiten van de vrede tussen de Republiek en Spanje. De Vrede van Munster is er toch in 1648 gekomen. Van die tijd af, de tweede helft van de zeventiende eeuw, was Zeeland nog wel een welvarende agrarische provincie, maar de grote tijd van de buitenlandse handel was er toch voorbij.

Generaliteitsland

Het lot van Brabant – 'Staats-Brabant' zei men toen, om het te onderscheiden van het grotere, in de Spaanse Nederlanden gelegen deel van het oude hertogdom – was heel wat droeviger. Het werd een zgn. Generaliteitsland, dat wil zeggen dat het rechtstreeks werd bestuurd door de Raad van Staten van de Republiek en niet door een eigen gouvernement. De regering van de Republiek werd in feite gevormd door de regeringen, 'Staten', van de afzonderlijke provinciën. Dat betekende dat Noordbrabant in feite door een vreemde overheid werd bestuurd. Hetzelfde gold trouwens ook voor grote delen van Limburg en voor Staats-Vlaanderen, dat later Zeeuws-Vlaanderen zou heten. Door die regeling is Noordbrabant twee eeuwen lang onrechtmatig overheerst, en het had noch de economische, noch de sociale en culturele kracht om daartegen een politieke vuist te maken. Die toestand van Generaliteitsland was, gelijk gezegd, onrechtmatig. De grondregel van de Unie van Utrecht, begin 1579 gesloten, zei dat de gewesten eendrachtig zouden zijn in de strijd tegen Spanje, maar 'onverminderd nochtans een yghelck Provincien ende die particulier steden, leden en ingesetenen van dyen haerluyden particuliere privilegien', dat wil zeggen: de eenheid zou niet ten koste gaan van de eigen regionale en lokale autonomie, in de oude regelingen vastgelegd. In Noordbrabant hadden de voornaamste steden en gebieden: Breda, Den Bosch, het markizaat van Bergen-op-Zoom, de Unie afgekondigd en zij zouden mitsdien recht hebben op die autonomie. Maar daar kwam niets van terecht.

Ten eerste is Brabant door de wisselvalligheden van de oorlog telkens weer, en soms langdurig, in Spaanse handen geweest. De uitkomst van de strijd was ten slotte, dat Brabant de grens ging vormen tegen de zuidelijke provinciën, die volledig buitenland werden. Maar was het gewest wel betrouwbaar in de ogen van de Hollandse en Zeeuwse calvinisten, wier gereformeerde religie de officiële was geworden? Hier komt de tweede reden aan de orde, waarom Brabant achteruitgezet is gebleven. Brabant was vrijwel geheel katholiek gebleven. Nu was in de bepalingen van de Unie van Utrecht daarin wel voorzien. In Holland en Zeeland was de gereformeerde religie al de publieke geworden en verder kon iedere aan de Unie deelnemende provincie zelf haar religie bepalen, mits zij zich onthield van vervolging van andersdenkenden.

Voor Noordbrabant zou dat hebben betekend, dat het gewest als zelfstandige provincie rooms zou zijn geweest. Maar toen in de tweede helft van de Tachtigjarige

Jan van Ruusbroec schrijft zijn werken neer op een wastafeltje.

Onder: *titelvignet in de uitgave van* Van den vos Reinaerde *uit 1589.*

Rechts: *Breda, Grote Kerk, koorhek, 1581 ; de deuren zijn ouder.*
Volgende blz. van boven naar onder: *Sint-Jacobus de Meerdere, Sint-Christoffel. Grafmonument voor Engelbert II van Nassau en zijn vrouw Cimburga van Baden. Op de bodemplaat de doden ; de bovenplaat, waarop de wapenrusting, gedragen door Julius Caesar, Attilius Regulus, Hannibal en Philippus van Macedonië. Grote Kerk te Breda.*
Volgende blz. rechts: Brouwershaven, Hervormde kerk, vnl. 15de en 16de eeuw.

Oorlog de Spaanse macht in dat gebied steeds sterker teruggedrongen werd, was het overwicht van Holland en Zeeland en dus van het calvinisme in het landsbestuur in de Staten-Generaal al zeer groot. Vandaar dat men Brabant simpelweg als Generaliteitsland is gaan behandelen, en niet als een laat van het Spaanse juk bevrijde zelfstandige provincie.

En dat, nadat het land vóór de zestiende eeuw geleefd had als deel van het rijke hertogdom met zijn belangrijke kerkelijke en culturele steunpunten in het zuiden en met zijn middeleeuwse steden, waarvan de stadsrechten model konden staan voor de Hollandse regelingen. Brussel was het centrum van Brabant, in de veertiende eeuw, en Antwerpen was zijn haven. Antwerpen, dat in 1357 door de Vlaamse graaf Louis van Mâle werd geannexeerd maar dat nog in de zeventiende eeuw een Brabantse inslag had; *De Spaanse Brabander*, de held van Bredero's blijspel van 1617, is een Antwerpenaar. Het geestelijke leven van Brabant heeft in die eeuwen zeer gebloeid onder de politieke wisselvalligheden. Namen? Die van Hadewijch, de mystieke dichteres, die omstreeks het midden van de dertiende eeuw haar hartstochtelijke liefde voor Christus uitzong in verzen en in brieven van een daarna maar zelden in onze letterkunde meer bereikte hoogte. Ongetwijfeld, een *savante* die thuis was in de toenmalige Latijnse en Franse letterkunde. Zij beheerste de moeilijke, uit de traditie van de Provençaalse lyriek afkomstige versvormen, maar had ook een gepassioneerd zelfbewustzijn, dat men alleen maar op een hoog niveau van cultuur kan aantreffen. Met haar opent onze letterkunde groots genoeg. De andere toren van die ingang, even hoog, maar van totaal andere aard, is de Reinaard de Vos, van een dichter die Willem heette – meer weten wij niet van hem, behalve dan dat hij vermoedelijk afkomstig is uit de streek tussen Gent en Hulst (waar een monument aan de sluwe vos herinnert), een Vlaming dus. De tweede grote mysticus van Brabant is Jan van Ruusbroec. Hij werd in 1293 in het gelijknamige dorp bij Brussel geboren en is in 1381 als prior van het augustijnenklooster Groenendaal, ten zuiden van die stad,

Van links naar rechts: *details van de Sint-Jan uit Den Bosch.*

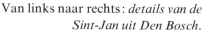

Miniatuur uit ca. 1460. Voorgesteld is de bouw van kerken. Men ziet de bouwvolgorde: eerst het koor (dat met een koorhek al is afgesloten: het wordt al gebruikt voordat het transept en het schip gereed zijn), daarna de rest.

gestorven. Ook hij was een geleerde, maar een die in de taal van zijn land, liever dan in het Latijn, het instrument vond om zijn diepste gedachten uit te drukken. Wel is zijn Brabants in het Latijn vertaald en zo is hij ook buiten zijn Brabantse wereld gelezen. Ten slotte Leuven. Van 1517 tot 1521 heeft Erasmus er gewoond, maar juist in die jaren werd de Wittenbergse nieuwlichter doctor Martin Luther in Europa vermaard en berucht, en Leuven was theologisch conservatief, hetgeen Erasmus reden gaf om eventuele vervolging te vrezen en naar Bazel te verhuizen. Kort voordat Erasmus in Leuven kwam, had een andere geleerde de stad verlaten, namelijk de Utrechtenaar Adriaan Florensz., die van omstreeks 1490 tot 1515 aan de theologische faculteit was verbonden. Hij is toen naar Spanje gegaan, als gezant van zijn pupil Karel v, om diens troonsbestijging als koning van Spanje te regelen. Zijn verdere loopbaan doet er voor ons niet toe, hoe briljant hij ook was. Wij vermelden alleen het naar zijn besef verdrietige slot. Op 9 januari 1522 werd hij tot paus gekozen, op 31 augustus van dat jaar is hij in Rome gekroond en op 14 september 1523 is hij er gestorven: 'Hier rust Hadrianus vi, die van oordeel was dat hem niets rampzaligers was beschoren dan dat hij moest regeren', stond op zijn vroegere graf in de oude Sint-Pieterskerk te Rome.

Brabant was materieel een rijk land

Brabant was van oudsher een der cultuurgewesten van de Nederlanden. Het kon het ook worden, omdat het materieel een rijk land was. Nu zal die uitdrukking wel preciezer moeten wezen om geen misverstanden op te roepen. Naar onze hedendaagse begrippen is een rijk land een land waar geen werkelijke honger wordt geleden, waar de zwakken in de samenleving behoorlijk verzorgd worden naar wettelijke richtlijnen, waar onderwijs voor allen gerealiseerd wordt en waar de economische voorwaarden zo vervuld worden, dat dat alles behoorlijk en constant gefinancierd kan worden. Maar zo iets was in de middeleeuwen volstrekt ondenkbaar, in welk land, in welke stad ook. In die tijden is een rijk land een land waarin een aantal mensen en corporaties (kloostergemeenschappen bijvoorbeeld, of in de steden kanunniken, kooplieden en hoofden van de gilden) grote rijkdommen hebben en in staat zijn daaraan het nodige gewicht te verlenen door kostbare bouwwerken, luxueuze inrichting van kerken en stadhuizen, een weelde van sacrale en profane sieraden, representatieve beelden en schilderijen en niet te vergeten pronkoptochten ter gelegenheid van heiligenfeesten of bijzondere gebeurtenissen. In dat opzicht was Brabant in de middeleeuwen rijk.

Hilvarenbeek, parochiekerk, 16de eeuw. Preekstoel is van 1628, koor met koorbanken, 1609–1621 (rechts boven) en afbeelding van de ingang onder de toren.

Maar ook daar hebben zich de gewone verschijnselen in het middeleeuwse stedelijke leven en op het platteland voorgedaan: duurte, schaarste, hongersnood, sociale onrust onder de laagste bevolkingsklassen (vaak nog geleid door welgestelden, die zich met de politieke gang van zaken niet konden verenigen) en grote sterfte. Het verkeer kon onveilig zijn door rovers, zeker niet erger dan elders in Europa, maar voor ons onvoorstelbaar. Er was rechtsongelijkheid tussen de verschillende bevolkingsgroepen, hoge heren, geestelijken, de armen, de kooplieden en de handwerkers.

Een rijk land, Brabant, met het hierboven geschetste voorbehoud. Er was rijkdom in overvloed: er waren de uitgestrekte bezittingen van de hertog zelf en van de edelen, er waren de goederen van de kerkelijke instellingen, van de abdijen en de kapittels en de godshuizen. Van dat alles was in het tegenwoordig Belgische deel van Brabant meer te vinden dan in het noorden, maar zij ontbraken ook daar niet. Er waren instellingen, ouder dan Brabant zelf, zoals Nijvel, nog gesticht door een voorvader van Karel de Grote, omstreeks het midden van de zevende eeuw. Maar iedere grote beweging van regulier leven heeft haar neerslag gehad in Brabant; er zijn vestigingen van cisterciënsers en norbertijnen gekomen in de twaalfde eeuw (de kartuizers hebben merkwaardig lang op zich laten wachten); in de dertiende eeuw en daarna komen de bedelorden, de franciscanen het eerst, in Den Bosch al in 1228, de heilige Franciscus was twee jaar daarvoor gestorven, maar ook de dominicanen en de augustijnen. Nog weer later, toen de door Geert Grote geïnspireerde vroomheidsbeweging der Moderne Devotie, georganiseerd in de broeders en zusters van het Gemene Leven, zich in de Nederlanden en Duitsland verbreidde, was een van hun stichtingen gevestigd in Den Bosch. Dat was begin zestiende eeuw. Dan waren er de vaak zeer rijke kapittels van de collegiale kerken, bijvoorbeeld te Hilvarenbeek, dat al in het midden van de twaalfde eeuw een kapittel kreeg, te Sint-Oedenrode kreeg de kerk van Sint-Oda in 1173 een kapittel, in Oirschot werd in 1283 een dergelijk college verbonden aan de Sint-Pieterskerk, de Onze Lieve Vrouwekerk van Breda werd kapittelkerk in 1303, de Sint-Jan in Den Bosch in 1366, de Sint-Pieter in Boxtel in 1493. Geertruidenberg, dat in 1310 een kapittel kreeg,

Geheel boven: *Oirschot, parochiekerk (St.-Petrus Banden), begin 16de eeuw. De kerk werd in 1944 zwaar beschadigd. Gerestaureerd in 1956; de toren in 1963.*

Boven: *Oirschot, N.H.kerk, oorspronkelijk O.-L.-Vrouwekapel, begin 12de eeuw.*

Hilvarenbeek, toren van de parochiekerk.

behoort in dit rijtje niet thuis. Het stadje is pas na de Napoleontische tijd bij Noordbrabant gevoegd, maar historisch gezien is het een Hollandse stad, en zelfs een van de alleroudste; het kreeg in 1213, nog eerder dan Dordrecht, stadsrechten van de Hollandse graaf Willem I. Dordrecht moest toen nog zeven jaar op die rechten wachten.

De Brabantse kerk was geestelijk en stoffelijk rijk. Maar ook de bedelorden droegen het hunne bij tot de rijkdom van het gewest. Hun huizen waren vaak schenkingen van de rijken in het land en al was de soberheid hun meer op het hart gedrukt dan andere kloosterlingen, hun bezit en wellicht nog meer hun ijveren voor de instandhouding van het katholicisme, en daarmee van de toenmalige maatschappij, tegenover de ondermijning door de ketters, maakten hen tot onmisbare steunpilaren van de maatschappij binnen de toenmalige machtsverhoudingen.

Op den duur heeft men de middeleeuwse kerkelijke indeling toch wel als bezwaarlijk gevoeld. Ten eerste waren de bisdommen in feite te groot voor een gedegen kerkelijk bestuur en het toezicht op de lagere geestelijkheid liet wel eens te wensen over. Dat konden de zelfbewuste intellectuelen onder de burgers niet verkroppen en zij eisten andere pastoors. Dat was niet helemaal billijk, want in vele gevallen liet zowel de opleiding als de honorering van de wereldlijke geestelijkheid te wensen over, en konden hun gelederen alleen gerekruteerd worden uit slecht geschoolden, die van een pastoor of een schoolmeester wat lezen en schrijven en een beetje mislatijn hadden geleerd. Maar zelf boerenzonen, kenden zij hun kudde en haar noden goed. In 1559 kwam, althans op papier, een redelijk efficiënte nieuwe bisschoppelijke indeling tot stand. Er was veel verzet van belanghebbenden bij de oude orde, waardoor de invoering werd vertraagd. Ten slotte werd de invoering in de noordelijke gewesten onmogelijk wegens de opstand tegen Spanje. Die was dan wel geen godsdiensttoorlog, maar er waren wel religieuze belangen in het geding. In dit geval het drijven van de gereformeerden, die van bisschoppen niets moesten hebben. Rome heeft trouwens in 1853, bij het herstel van de kerkelijke hiërarchie, nauwelijks meer naar die indeling van 1559 gekeken. Toen kreeg Utrecht weer een aartsbisschop en bisschoppen kwamen in Haarlem, Den Bosch en Roermond (die inderdaad volgens de oude regeling). Het noorden en Zeeland bleven van provinciale bisschoppen verstoken, evenals Twenthe en Salland. Hierdoor zijn noch Deventer, noch Leeuwarden, noch Groningen toen bisschopsstad geworden. Wel kreeg Brabant er een bisschop bij, namelijk in Breda. Om het verhaal af te ronden kunnen wij vermelden dat in onze dagen, in 1956, daar Rotterdam en Groningen aan toegevoegd zijn.

Calvinisme

Het calvinisme, dat de ontwikkeling van het katholicisme zou afremmen, ging ter zake van de kerkhervorming heel wat verder dan deze administratieve organisatie bedoelde. Het wilde geen bisschoppen en geen pastoors, geen abten, priors, monniken en nonnen, om van de paus in Rome maar helemaal te zwijgen. Dit waren allemaal de duivelse instrumenten om de ware leer en zeker de ware praktijk te verhinderen. Ware leer en praktijk waren alleen in de Schrift te vinden.

Dat calvinisme kwam van het zuiden opzetten, uit het Noordfranse, Henegouwse, Vlaamse industriegebied met zijn oude proletarische noden en zijn daarmee verbonden radicalisme. Het vervloekte in de zestiende eeuw heel het oude kerkelijke bedrijf: de levenswandel van 'de' geestelijkheid (generalisering is de kracht van de slogans, slogans zijn de kracht van de rebellie) zo goed als haar ritueel optreden, de kostbare toerusting van de kerken, maar evenzeer de weg- en akkerkruisen, de kapelletjes in de velden, de beeldjes bij huis en hof. Dat alles was godslastering en de roomse papen hielden met hun charlatanerie de christenen in bedwang met de duivel. Het ware geloof, de ware bevrijding uit hun levensnood moesten zij elders zoeken, namelijk in de Heilige Schrift en in het besef dat zij de Heilige Geest hadden ontvangen. Het geloof was uit het gehoor, zei de *Brief aan de Romeinen,* hoofdstuk 10 vers 17, en zeker niet uit die uiterlijke *vertoningen,* legden de gereformeerden uit. In het calvinisme schuilt een verlangen naar emancipatie uit geestelijke bevoogding, en dit kan doorstoten naar een strijd om ook vrij te worden van de materiële bevoogding, in maatschappelijk, economisch en politiek opzicht. Of moeten wij stellen dat zulke verlangens van de zestiende eeuw af tot diep in de negentiende in het calvinisme de inspiratie gevonden hebben om zich te verwezenlijken?

De Beeldenstorm

Emancipatiebewegingen zijn zelden of nooit massale bewegingen, maar zij kunnen wel hevige uitbarstingen veroorzaken en zijn dan destructief. Dat geldt ook voor de emancipatorische verlangens die zich in de zeventiende eeuw verbonden met het streven naar de reformatie van de kerk, speciaal met de door Calvijn geïnspireerde hervorming. Het waren vooral verpauperde textielarbeiders, die in augustus 1566 hun verbittering uitleefden in het Noordfranse industriegebied en door Henegouwen en Vlaanderen naar het noorden trokken of tenminste de fakkel van het protest langs die weg doorgaven. Geen beeld, geen altaar, geen schilderij, misgewaad of tapijt was voor hen veilig. Weg met die afgoderij! De Beeldenstorm was in de zuidelijke Nederlanden begonnen en naar het noorden uitgebreid: 14 augustus in Poperinge, 15 en 16 augustus in Ieper, 18 augustus in Oudenaarde, 20 augustus in Antwerpen, 22 augustus in Gent, Middelburg, Den Bosch, 23 augustus in Doornik, 24 augustus in Valenciennes, Delft, Utrecht, 25 augustus in Den Haag en Leiden. De vernielingen waren meestal mogelijk doordat een aantal ontevreden notabelen niet onwelgevallig tegenover een afrekening met de oude kerkelijke macht stonden en bange overheden zich van ingrijpen onthielden. Er is berekend, dat een vierhonderd kerken en kloosters in de Nederlanden door de Beeldenstorm geplunderd zijn.

Voor de Nederlandse kerken is de gebeurtenis in zoverre van belang, dat een aantal beschadigingen aan beeldhouwwerk en dergelijke in en aan de kerkgebouwen aan de acties toegeschreven dienen te worden. Deze vernielingen liepen uiteen van verminkingen tot aan het weghalen van sculpturen toe. De verdere afloop van de geschiedenis is in het kader van dit boek niet zo belangrijk. Voor Noordbrabant is een tachtig jaar later de uitkomst bekend. Het is dan Generaliteitsland geworden en de gereformeerden hebben er grotendeels hun zin gekregen. Bij de meeste grote kerken die in hun handen zijn, zeker in de steden, worden beelden en altaren eruit gehaald en verdwijnen schilderingen onder de witkalk (zij worden er bij moderne restauraties als het even kan weer onderuit gehaald). Bovendien wordt het optreden van katholieke geestelijken illegitiem gemaakt.

Pas in de tweede helft van de achttiende eeuw is het met Noordbrabant weer wat beter gegaan. Na 1795, toen Staats-Brabant tot 1806 Bataafs-Brabant werd en ten slotte in 1815 een gelijkwaardige provincie van het Koninkrijk der Nederlanden, kon de welvaart groter worden. Maar voorwaarde was daarvoor ook de hereniging met het oude stamland, en dat kon in het rijk van Willem I tot aan de afscheiding van België in 1830. Toen viel het land terug in zijn armoedige achterlijkheid van veel woeste grond, primitieve landbouw en weinig industrie. Pas aan het einde van de negentiende eeuw is daarin werkelijk verandering gekomen; maar Vincent van Goghs beelden van het Brabantse platteland stammen nog uit de jaren tachtig van die eeuw.

De kerkelijke ontwikkeling van die periode loopt parallel met wat zich elders onder de Nederlandse katholieken voltrok. Bij de bespreking van Limburg is die zaak al

Sculptuur uit de 19de eeuw. Let op de sentimentele inslag van de groep.

Frans Hoghenberg, Beeldenstorm, gravure uit 1566. Een geweldige vernieling is afgebeeld (de ramen worden ingeslagen), niet het systematisch 'zuiveren', dat weldra normaal zou worden.

aan de orde gekomen. In 1853 was ook hier het hoogtepunt het herstel van de katholieke hiërarchie, waarbij Brabant, dat met uitzondering van de korte tijd na 1559 toen Den Bosch bisdom was, nooit een eigen Brabants episcopaat had gekend, nu ineens twee bisschoppen kreeg namelijk een in Den Bosch en een in Breda. De bisschop van Den Bosch kreeg de Sint-Jan tot kathedraal, maar de oude hoofdkerk van Breda, eenmaal aan Onze Lieve Vrouwe toegewijd, bleef protestants.

Gotiek

De grote tijd van de Brabantse kerken is de tijd van de gotiek. Vooral de veertiende en de vijftiende eeuw, al is in de dertiende eeuw een begin gemaakt met de grote vernieuwing in de kerkbouw. De tijden waren er naar. De bevolking is in de tweede helft van de middeleeuwen, van omstreeks de elfde eeuw af, toegenomen en er is steeds meer woeste grond in cultuur gebracht. In grote trekken is toen het landschap ontstaan in West-Europa, zoals wij dat nog kennen. De Zwarte Dood, de pestepidemie, die rond het midden van de veertiende eeuw de bevolking van Europa met een kwart verminderde, heeft de ontginningen niet ongedaan kunnen maken. Bovendien zijn onze gewesten er minder zwaar door getroffen dan bijvoorbeeld Italië, Frankrijk en Engeland. Er zijn wel grote moeilijkheden geweest, ook in de industriegebieden van Noord-Frankrijk, Vlaanderen en Brabant waardoor de textielnijverheid en de handel zijn vertraagd. Deze moeilijkheden hebben echter niet geleid tot een aanzienlijk afnemen van de bouwactiviteiten in onze gewesten.

Inspiratie uit Noord-Frankrijk

Schip van de St.-Janskathedraal.

De toeneming van de bevolking en de ontginning van de woeste gronden betekenden ook voor de kerkelijke instellingen die zelf land bezaten een aanzienlijke vermeerdering van inkomsten. Maar er waren ook nog de kerkelijke belastingen, de tienden, die naar bijbels voorschrift werden geheven. Zij bedroegen een tiende deel van de opbrengst van veld, akker en weide, maar ook van de inkomsten van ambachtelijke arbeid. Zij moesten aan de pastoor of diens plaatsvervanger worden betaald en via deze aan hogere kerkelijke functionarissen zoals kanunniken.

Deze twee factoren kwamen samen : de oude kerkjes bleken te klein voor de gegroeide bevolking en de kerken hadden de middelen om ruimer en kostbaarder te bouwen. Dat is de materiële achtergrond van het verschijnsel, dat er maar heel weinig romaanse dorpskerken en wat Noordbrabant betreft in het geheel geen romaanse stadskerken zijn overgebleven. Zij zijn grondig verbouwd of gesloopt en de resten die hier en daar in muurwerk of raamaftekening aan te wijzen zijn hebben voor de bepaling van het karakter der kerken vrijwel geen betekenis meer.
De inspiratie van de nieuwbouw in Brabant kwam uit het zuidelijke buurland Noord-Frankrijk, het stamland van de grote gotiek.

Sint-Jan in Den Bosch

De Sint-Jan in Den Bosch is gebouwd volgens een schema dat een eeuw eerder was toegepast in de grote kathedraal van Amiens, de Notre-Dame, hoogtepunt van de Noordfranse gotiek in de dertiende eeuw. De plattegronden lijken heel veel op elkaar inzake schip, koor, kapellenkrans daaromheen en transept. De Sint-Jan is eenvoudiger.
De Sint-Jan is kleiner dan de Notre-Dame in de Noordfranse stad. Die kathedraal is

Vieringlantaarn uit de Sint-Jan in Den Bosch.

A. middenschip, A_1. travee, B. zijbeuk, C. steunbeer, D. triforium, E. luchtboog, E_1. windboog, F. zadeldak, G. lessenaardak, H. kruisgewelf, 1. pijler, 2. basement, 3. kapiteel, 4. schalk, Kruisribgewelf met projectie (a) in grondplan, 5. muraalboog, 5b. muur- of pijlerboog, 6. kruisrib, 7. transversaalboog, of gordelboog, 8. kruisbloem, 9. kegel, 10. hogel, 11. fiaal of spinakel, 12. waterspuwer/gargouille, 13. balustrade.

Gewelfschildering, eind 15de eeuw in de Grote Kerk van Breda.

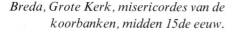

Breda, Grote Kerk, misericordes van de koorbanken, midden 15de eeuw.

langer: 133 meter tegen een 110 meter binnenwerks in Den Bosch en zij is ook wat breder. Maar het is vooral de hoogte die in Den Bosch minder is: de Sint-Jan is ruim 27 meter hoog van onder het gewelf tot de vloer.

Toch maakt de kerk geen 'lage' indruk. Ook in dit opzicht hebben de bouwers knap werk geleverd. Het is wellicht nuttig erbij te bedenken, dat de Sint-Jan nooit als kathedraal is opgezet, maar (waarschijnlijk) als kapittelkerk. Zo'n kapittelkerk kan rijk zijn, maar er was nog wel verschil tussen een welvarend stuk provincie en wat toen al machtig stadsgebied was.

De Grote Kerk van Breda

De Grote Kerk in Breda is provincie op haar allerbest en doet geen poging om wereldstadskerk te spelen op een plaats waar dat niet nodig is.

Voordat zij door de hervormden werd overgenomen en ingericht voor de gereformeerde eredienst, hetgeen zelden bij kerken van een dergelijk formaat een gelukkige onderneming is, was zij aan Onze Lieve Vrouwe toegewijd. Haar kapittel was ruim zestig jaar ouder dan dat van de Sint-Jan, maar het is wat later dan het Bossche college met een gotische nieuwbouw begonnen. In 1410 was het koor gereed en tegen het begin van de jaren zeventig van de vijftiende eeuw waren schip en transept voltooid. Ook de oude toren moest worden vernieuwd. Deze toren was tijdens de bouw van het schip ingestort en dat bood de bouwheren de gelegenheid om een nieuwe te laten bouwen. Toen die in 1509 af was stond er een monument, dat indrukwekkend genoeg zal zijn geweest. Maar zo zien wij de toren niet meer. In 1694 verbrandde de houten spits en deze werd in 1702 door de tegenwoordige vervangen. Het kerkgebouw zelf moet met zijn kapellen, kapittelzaal en bijvertrekken even voor het midden van de zestiende eeuw gereed zijn gekomen.

Koorbanken

De koorbanken stammen uit het midden van de vijftiende eeuw toen de bouw van het schip nog in volle gang was. Wij kunnen er de historie van de Heilige Maagd en van de heilige Barbara op gesneden vinden. Sint-Barbara was een zeer populaire heilige; de martelares behoorde tot de Veertien Noodhelpers, die in de herfsttij der middeleeuwen hartstochtelijk om hun bijstand in de vele noden en angsten van toen zijn aangeroepen. Haar taak was te beschermen tegen een plotselinge dood, met name door blikseminslag of brand. Vandaar heeft haar terrein zich uitgebreid tot het patronaat over allerlei gevaarlijke beroepen, zoals dat van kanonnier (het primitieve middeleeuwse geschut sprong maar al te gemakkelijk uit elkaar) en van mijnwerker. Tegen onverwacht sterven, maar dan vooral op reis, kon ook Sint-Christoffel bescherming verlenen. Aan de zuidwestkant van de kerk staat hij in een muurschildering reusachtig groot afgebeeld. Wat die koorbanken verder betreft: hun misericordes zijn gewoontegetrouw van karikaturen voorzien. De koorbanken zijn namelijk voorzien van opklapbare bankjes, die aan hun onderkant consoles dragen waarop de kanunniken bij het koorgebed wat steun konden vinden. Bij dat gebed moesten zij namelijk langdurig staan; dan werden de zittingen omhoog geklapt. Maar zo jong waren de kanunniken doorgaans niet meer, dat zij zonder bezwaar zo lang konden blijven staan. Vandaar die consoles aan de onderkant van de zittingen, met een klein plankje. Men zou ze zittinkjes van barmhartigheid kunnen noemen, want het Latijnse woord voor medelijden is *misericordia*. Vandaar hun naam. De laat-middeleeuwse humor vond op die plek kleine grapjes wel juist, en zo zijn de misericordes vaak voorzien van maskers, duiveltjes of gekke scènes uit het dagelijks leven van toen, en die grapjes konden drastisch genoeg zijn.

Het koorhek is van 1581. Aan dat jaartal is niet te zien, of het door rooms of

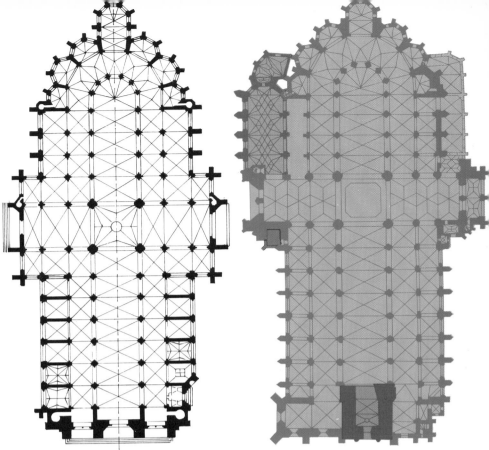

Koorzijde van de Grote Kerk te Breda (rechts). 2de helft 14de eeuw.

gereformeerd is geplaatst. Breda beleefde een bewogen tijd. Heren van Breda waren de Nassaus en Willem van Oranje had er veel geresideerd, maar in 1567 had hij de stad verlaten. Tien jaar later werd de stad op de Spanjaarden heroverd en aanvaardde zij de Unie van Utrecht. In 1581 herwon Parma de stad voor de Spaanse koning en in 1590 kwam het beroemde turfschip de stad binnen en moest de Spaanse bezetting wijken. Na het Twaalfjarig Bestand heroverde in 1625 de Italiaan Spinola, die in Spaanse dienst was, na een uitputtend beleg de stad. Breda had gruwelijk te lijden gehad. Ten slotte kreeg Frederik Hendrik in 1637 de stad definitief in handen. Na 1648 bloeide zij op, vooral ook door de begunstiging van de Oranjes.

De Prinsenbank

Na 1637 werd de kerk definitief het voornaamste hervormde bedehuis van de stad, waar ook de Nassaus ter kerke gingen als zij in de stad waren. De preekstoel tegen het koorhek aan is van omstreeks 1640. Daartegenover staat de prinsenbank van 1663. Ook de doden hadden er hun voorname plaatsen. Hun rijke grafborden zijn in de kooromgang en de kapellen te vinden. Eén tombe moet afzonderlijk vermeld worden, namelijk die van de in 1506 overleden Engelbert II van Nassau en zijn gemalin Cimburga van Baden, die in 1501 was gestorven. Het monument is in opdracht van Hendrik III van Nassau tussen 1536 en 1538 gemaakt. Het is te vinden in de vroegere Lieve Vrouwekapel. Op het voetstuk liggen de in albast uitgevoerde beelden van de doden. Op de vier hoeken knielen vier klassieke helden – wij zijn in de tijd van het humanisme! –, die vier deugden voorstellen, te weten Julius Caesar de dappere, Attilius Regulus de edelmoedige, Hannibal de volhardende en Philippus van Macedonië de voorzichtige. Ook deze beelden zijn van albast gemaakt. Zij dragen op hun schouders een zwartmarmeren plaat, waarop de stukken van de wapenrusting liggen. Wie dit meesterwerk heeft gemaakt is niet bekend. Het heeft navolging gevonden. In de Westminster Abbey in Londen is een grafteken te vinden, dat er direct op is geïnspireerd. Dit is de tombe van Sir Francis Vere in de kapel van Sint-Jan de Evangelist, die deel uitmaakt van het noordelijke transept. Sir Francis (1560–1609) was opperbevelhebber van Elizabeths Engelse troepen in de

Naar plattegrond is de Bossche Sint-Jan (links) een verkleinde navolging van de kathedraal van Amiens (uiterst links, 1220–1288).

Oirschot, parochiekerk, detail preekstoel, afkomstig uit de vroegere Sint-Pieterskerk te Den Bosch. Detail: Petrus door een engel uit de kerker bevrijd.

Nederlanden, die de Staten moesten helpen. Hij heeft zich onder andere in de Slag bij Nieuwpoort onderscheiden, waar prins Maurits de voornaamste leider was. Vere zal hem hebben gekend, hem in Breda hebben bezocht en in de kerk het monument hebben gezien.

Genoeg over de grote gotische kerken in Noordbrabant, voor zover zij in de Brabantse steden staan. Gezegd zij nog, dat daarmee wel onrecht wordt gedaan aan bijvoorbeeld Bergen-op-Zoom, waar de Sint-Geertruidskerk – eenmaal de langste kerk van ons land – op 10 april 1972 vrijwel geheel is verwoest. Albrecht Dürer heeft er op zijn reis door de Nederlanden in 1520 nog een tekening van gemaakt.

Sint-Petrus Banden

Maar de gotiek in Noordbrabant vraagt ook elders onze aandacht. De oude kapittelkerken Oirschot en Hilvarenbeek liggen hemelsbreed een twaalf kilometer van elkaar. Dat zij van andere allure zijn dan de gemiddelde dorpskerk is wel te zien. De kerk van Oirschot – Sint-Petrus Banden – met haar vorstelijke toren van 60 meter hoog is in 1944 geteisterd door oorlogsgeweld, waarbij de kerk uitbrandde en de bovenste geleding van de toren werd stukgeschoten. Maar de schade is hersteld en de kerk getuigt weer van de rijkdom van de gotiek in de Kempen.

Zij is vrij laat gebouwd. Laat in de vijftiende eeuw is met de bouw begonnen, nadat in 1462 haar voorgangster was verbrand. Hoewel er toch wel tientallen jaren aan gebouwd zal zijn, maakt zij toch de indruk van een eenheid. Alleen aan betrekkelijk kleine details kan men zien, dat het koor ouder is dan het schip. De kerk heeft eeuwenlang in het middenschip geen gewelven gehad, die zijn er pas bij een restauratie omstreeks de eeuwwisseling in aangebracht. Na de catastrofe van 1944 zijn zij opnieuw aangebracht. Er zijn ook geen luchtbogen die de middenbeuk zouden kunnen schragen, zoals men bij stenen gewelven toch meestal wel aanbracht. Oppervlakkig zou men kunnen zeggen dat het een monumentale dorpskerk is. Maar daar verwacht men dan geen koorbanken in en die zijn er, zelfs van grote kwaliteit. Men verwacht ook geen kapittelschool, de tegenhanger van de sacristie; beide vertrekken bevinden zich aan de oostkant van de twee transeptarmen. Een zichzelf respecterend kapittel behoorde een school te houden en er behoorden kanunniken te zijn die er les gaven.

Een kapittel was er niet alleen om voor het kerkgebouw te zorgen en om het koorgebed te onderhouden; van oorsprong waren de kanunniken priesters met parochietaken en daaronder viel ook het onderwijs.

De kerk van Sint-Petrus Banden is niet de enige in Oirschot die de moeite van een bezoek waard is. Een van de oudste kerkgebouwen in Brabant is er de tegenwoordige hervormde kerk. Het is oorspronkelijk een zaalkerkje, waarschijnlijk uit het begin van de twaalfde eeuw, en nog voluit romaans. Er is later een gotisch koor aangebouwd, maar daarvan heeft men in de vorige eeuw, in 1880, de veelhoekige sluiting afgebroken, de rest verlaagd en bovendien ingekort. Bijzondere vermelding verdient de dertiende-eeuwse bekapping die open is, met dicht op elkaar geplaatste ronde spanten, en met riet beschoten tot een rond gewelf.

De kerk was oorspronkelijk een Mariakapel. Daarvoor was in 1648 toen het land Generaliteitsland was geworden natuurlijk geen plaats meer. De boeren echter hadden boter te verhandelen en die moest gewogen worden. Zo werd de kapel een boterwaag en zij bleef dat totdat in 1801, het was in de jaren van de Bataafse Republiek, een daad van eenvoudige rechtvaardigheid de katholieken in het bezit van hun grote kerk stelde en de hervormden met de boterwaag genoegen moesten nemen. Het torentje aan de westkant is achttiende-eeuws werk, statig, zoals een ernstige preekstoel behoort te zijn, en zonder figuraal snijwerk, waarin ook de gereformeerde kerken van de zeventiende en de achttiende eeuw wel eens uitbundig konden wezen, zij het nooit zo uitbundig als roomse kansels uit die tijd kunnen zijn.

De oude dorpskerk in Helvoirt

Er zijn zoveel voorbeelden van Noordbrabantse dorpskerken uit de tijd van de gotiek te geven, dat iedere keuze willekeurig wordt. Dat moet de verontschuldiging zijn voor het noemen van de oude dorpskerk in Helvoirt: een hervormde kerk in een oer-Brabantse omgeving. Om een paar technische bijzonderheden te noemen: het is een kruiskerk in pseudo-basilicale vorm, dat wil zeggen dat het schip drie beuken telt, maar dat middenbeuk en zijbeuk door een dak bedekt worden en dat die middenbeuk geen licht ontvangt uit ramen boven de zijbeuken. Het schip telt twee traveeën. Daar sluit het dwarspand of transept bij aan en daaraan weer het koor. Ook het koor telt twee traveeën en een driezijdige afsluiting. De toren en het koor zijn het eerst gebouwd, in de vijftiende eeuw, wat later, tot in het begin van de zestiende het transept en het schip. Het geheel is met een houten tongewelf gedekt en bij de restauratie in de jaren tussen 1966 en 1969 bleek het gewelf boven de koorafsluiting met een schildering van het Laatste Oordeel getooid te zijn. De zijbeuken zijn niet afgetimmerd en men kan daar goed de dakconstructie bekijken. De oude dorpskerk in Helvoirt was eens kapittelkerk: een aardige, harmonische kerk in een aardig, harmonisch dorpsbeeld; maar het menselijke leven in verleden en heden is meestal niet zo harmonisch. De advocaat van de duivel – een typisch kerkelijke figuur – gaat naast ons staan en fluistert ons wat statistische gegevens in: Helvoirt is volgens de volkstelling van 1968 voor 95% katholiek, voor 4% hervormd, voor 1% onkerkelijk. Waarom moet dan de kerk in het midden van het dorp protestant zijn? Niemand zal de hervormde gemeente haar glorieuze gebouw misgunnen, bovendien zou het voor de hedendaagse katholieke dorpsgenoten toch te klein zijn geweest. Wellicht kunnen wij stellen: dat eeuwenoud gelegitimeerd onrecht nu eenmaal vanzelf verworven recht wordt – en dat is ook recht. Maar op die manier vertelt deze kerk ons wel iets van de geschiedenis van Noordbrabant.

N.H. kerk te Helvoirt, midden 15de eeuw. Beschildering van het houten koorgewelf: Laatste Oordeel, begin 16de eeuw en kijk op het schip.

VANDALENDADEN

In het kerkje van Helvoirt stond eens een juweel van een eikehouten oksaal, dat er begin 16de eeuw was geplaatst. Het sloot het koor van het transept af met zijn sierlijk hek, zijn twee deuren en daarboven een zangerstribune met nissen, bedoeld voor de beelden van Christus en de twaalf apostelen. Men kan dat pronkstuk nog gaan bekijken, alleen niet in Helvoirt maar in het Rijksmuseum in Amsterdam. De vandalendaad van de verwijdering van dit oksaal is evenwel niet specifiek protestants. Wat in de Sint-Jan in Den Bosch is gebeurd is nog erger. Daar had men in de negentiende eeuw een gotiek in het hoofd, die veel mooier was dan de echte gotiek ooit was geweest. Men had kennelijk het gevoel dat als het gebouw gotiek is, alles dan ook wel gotiek zal zijn. Vandaar, dat het vroeg-zeventiende-eeuwse hoogaltaar moest verdwijnen voor een onmogelijk neogotiek meubel en dat het marmeren oksaal van 1611 ten offer is gevallen aan de geestdriftige restauratiebarbarij van toen en is weggebroken. Ook dat oksaal is nog te zien. Het is in 1866 aan het Victoria and Albert Museum in Londen verkocht, waar het is opgesteld. Een fraaie curiositeit tussen de ontelbare fraaie en soms ook wel wat minder fraaie curiositeiten van die onvolprezen collectie.

Protestantse centraalbouw

Wat in Brabant is gebouwd na de zestiende eeuw tot aan het begin van de negentiende is een niet al te groot aantal protestantse kerken. Er is ook wel

Willemstad, N.H.kerk, 1597–1607; de aanbouw rechts is een onderstuk voor een niet gebouwde toren (boven). Raam met wapen en interieur en wapenschild uit dezelfde kerk.

kloosterbouw geweest, althans in streken die niet onder de jurisdictie van de Staten-Generaal van de Republiek vielen. Merkwaardigerwijs is de oudste kerk die voor de protestantse, in dit geval gereformeerde eredienst in de Nederlanden is verrezen, in deze provincie gebouwd, namelijk in Willemstad, in het noordwesten, aan het Hollands Diep.

Een strategisch punt in het begin van de Tachtigjarige Oorlog; de polder waarin Willemstad ligt was in 1564 ingedijkt en er was een dorpje ontstaan, dat Willem van Oranje in 1583, het jaar voor zijn dood, liet versterken en ombouwen tot een vesting. Naar de krijgskundige inzichten van toen, die door prins Maurits gedeeld werden, werd deze vesting volgens regelmatige plattegrond opgezet. Vrijwel in het centrum werd een kerk gebouwd, die na tien jaar werken in 1607 in gebruik genomen kon worden. Deze kerk was een voorbeeld van hoe het calvinisme zich de liturgie voorstelde (maar de vertaling in de architectonische vorm geschiedde waarschijnlijk mede door Coenraet van Norenburch, die een paar jaar later het oksaal in de

Bossche Sint-Jan maakte). Dat staat in Londen – in het Victoria and Albert Museum.

Hervormde kerk van Ravenstein

Gods Woord centraal in een niet-priesterlijke publieke religie: daarvoor is de kerk in Willemstad gebouwd. In Noordbrabant vinden wij nog een voorbeeld, namelijk in Hoge Zwaluwe. Deze kerk tussen 1639 en 1641 is verrezen naar een model dat ook in het Utrechtse Renswoude is toegepast bij de in diezelfde jaren gebouwde hervormde kerk. Traditioneler is de hervormde kerk van Ravenstein, die in 1641 als garnizoenskerk is verrezen. Wij zijn in een militair belangrijke hoek van het land: Grave, Cuyk en de velden daaromheen hebben heel wat legers langs zich heen zien trekken, en soms ook wel door hun puinhopen heen.

Boxmeer

Als de katholiek ruimte had om kerkelijk te bouwen in die eeuwen heeft hij het ook gedaan. In de noordoosthoek van de provincie zijn daar fraaie voorbeelden van te vinden. De staatkundige verhoudingen waren daar veel te ingewikkeld om ze in dit boek te bespreken. Genoeg, dat in Boxmeer Albrecht van den Bergh en zijn gemalin in 1652 het karmelietenklooster hebben gesticht (hun wapens staan boven de poort; ze komen ook voor in het gelukkig gespaarde oksaal van de in 1946 volledig gesloopte Sint-Pieterskerk, een werkstuk uit 1634, vervaardigd door de beeldsnijder Jan Werkens uit Venray). Ruim een halve eeuw later was het geheel klaar. Ook de

Boxmeer, poort karmelietenklooster, 2de helft 17de eeuw.

Inscriptie op de kapel (1739) van het karmelietenklooster.

karmelietessen kregen in Boxmeer een klooster. Dat was het landhuis Elzendael, dat hun in 1666 werd geschonken. Het groeide uit tot een compleet kloostercomplex rondom een kloostergang en met een kapel die bestond uit een ruime zaalkerk met een fraai barokaltaar. Ten slotte ga men bij een bezoek aan Boxmeer ook nog kijken bij het kasteel, dat tegenwoordig ziekenhuis is. Naast het kasteel staat een kapel uit 1739. Dit is de kapel van de heilige Joannes Nepomuk, een Boheems martelaar, die in Praag in 1393 omgebracht werd in een conflict tussen de koning en de aartsbisschop. Volgens de legende werd hij gedood omdat hij weigerde tegenover de koning zijn biechtgeheim ten opzichte van de koningin te schenden. Zijn verering heeft in de Oostenrijkse landen onder het beslag van de Contra-Reformatie een zekere rol gespeeld. In Praag is hij al vroeg vereerd. In 1729 is hij heilig verklaard en hij is de patroon van de biechtvaders. De biecht, fundament van de zielzorg, heeft in de zeventiende en de achttiende eeuw grote aandacht gehad. De geestdrift voor deze heilige in de keizerlijke gebieden zal naar Boxmeer hebben uitgestraald, zodat hij al tien jaar na zijn heiligverklaring dat kapelletje heeft gekregen.

Megen

Verder stroomafwaarts van de Maas, ten noorden van Oss ligt Megen. Hier kan men een klein MINDERBROEDERSKLOOSTER zien, dat omstreeks het midden van de zeventiende eeuw is gebouwd. Het heeft een kapel uit 1670 en daarin een groep van drie barokaltaren in het koor (een hoofdaltaar en twee zijaltaren) uit omstreeks 1680 en ander kerkmeubilair, de preekstoel, de biechtstoelen uit het laatste tiental jaren van de zeventiende eeuw. Het altaar is van hout, dat als marmer is geschilderd. De oorspronkelijke schildering zit er nog op. Er is nog meer te zien, zoals goede zeventiende-eeuwse geschilderde glazen in de kloostergang.
Wij zijn hier in het Land van Ravenstein en daar is veel te zien. Om te beginnen in Ravenstein zelf. De hervormde kerk is al genoemd. Belangrijker bouwwerk is de kerk van de H. Lucia, die van 1735 stamt. Het is een zuivere barokkerk, die vooral aan de Duitse barok schatplichtig is. Heer van het land was toen een Duits vorst,

Karl-Philipp van de Paltz-Neuburg, die graaf van Megen-Ravenstein was. Zijn wapen prijkt boven de ingang van de kerk. Ook hier is het voornaamste meubilair: altaar (helaas zonder de bijbehorende zijaltaren; die zijn verdwenen) en orgel, preekstoel, banken en biechtstoelen. Dit alles is nog uit de bouwtijd afkomstig.

Kapucijnenklooster Emmaüs

En dan is er het kapucijnenklooster Emmaüs in Velp bij Grave. Het is in 1645 gesticht, maar blijkens de muurijzers zijn de drie vleugels aan de kloostergang in 1718 gereedgekomen. De kapel is in 1733 vergroot tot de ruimte die nu te zien is. Ook hier een goed achttiende-eeuws altaar, bekroond door een groep beelden die de Christus met de Emmaüsgangers (men zie *Lucas* 24, 13–35) voorstellen. Ook hier de aanwezigheid van Duitse of aan Duitse geslachten geparenteerde heren, zoals blijkt uit een wapensteen van Karl-Philipp van de Paltz-Heuburg in de kapel. Het altaar is geschonken door de heer van Boxmeer Franz-Wilhelm von Hohenzollern en zijn gemalin Maria Catherina von Waldburg-Zeil. Maar voor ons is een kleine kapel in de kloostertuin boeiender dan al die adellijke hoogheid. Dit is de zogenaamde pestkapel. Zij herinnert ons eraan dat de pest toen in ons deel van de wereld nog altijd niet uitgeroeid was. Ook de bedelorden – de kapucijners zijn zonen van de heilige Franciscus – hebben het gevaarlijke werk van de verzorging van lijders aan de pest op zich genomen. Maar het besmettingsgevaar bleef groot en de verzorgers kregen een eigen kapel met aan weerszijden ervan een kloostercel. Het gebouwtje dateert van 1670

Triomfalisme

De grote tijd van de negentiende-eeuwse kerkbouw was evenwel de tweede helft. Toen sloeg de prikkel voor een nieuw katholiek zelfbewustzijn bij het herstel van de bisschoppelijke hiërarchie in ons land ook door de Brabantse vroomheid heen. Er is veel gebouwd in neogotische trant, te veel om op te noemen. Eén voorbeeld van Cuypers' kunst is zijn Catharinakerk in Eindhoven, gebouwd tussen 1860 en 1867, met haar twee torens van verschillende opzet, de slankste is de 'ivoren toren', naam voor de Heilige Maagd, de zwaardere is de 'toren van David', de eerste met een lelie, de tweede met een kruis gekroond. Er is afwisseling, maar het zijn wel altijd gebouwen met een ondertoon van het romantische katholieke triomfalisme uit de laatste helft van de vorige en de eerste helft van onze eeuw: gekenmerkt door stoerheid en speelsheid, maar steeds op de grond van de Rots der Eeuwen.

*Kruisgang, met ramen met
schenkersnamen en -wapens, 2de helft
17de eeuw uit het franciscanenklooster te
Megen.*

*Velp, Nbr., kapucijnenklooster Emmaüs,
zgn. Pestkapel (1670), voor huisvesting
van de verzorgers van pestlijders.*

Een van de aardigste voorbeelden van dat triomfalisme besluit deze inleiding op de Brabantse kerkbouw. Het betreft hier geen neogotische of neoromaanse bouwsels, maar een paar barokke, die met grote nadruk voor zover dat bij hun formaat mogelijk is naar Rome zelf verwijzen: ten eerste naar het voorbeeld van de Sint-Pieter, en ten tweede van de Sint-Jan van Lateranen.

Het Rome van Brabant

Daarom is Oudenbosch 'het Rome van Brabant'. Voor een goed begrip van de daar tentoongespreide geestdrift voor dat zestiende-eeuwse Rome is het nuttig te bedenken, ten eerste, dat met name het katholieke zuiden van ons land zich diep verknocht voelde met de paus die de bisschoppelijke hiërarchie in Nederland had hersteld en daarmee de Nederlandse katholieken uit de bevoogdingstoestand van missiegebied had verlost, en ten tweede was men ontroerd dat deze paus – het was Pius IX – in de jaren zestig van de vorige eeuw politiek zeer hachelijke tijden meemaakte.

Het was de tijd waarin Italië naar zijn politieke eenheid groeide. Maar de weg naar dat ideaal, gekoesterd door koning Victor Emmanuel II van Sardinië, zijn minister Cavour en de vrijheidsheld Giuseppe Garibaldi, werd door de Kerkelijke Staat geblokkeerd, zowel territoriaal (de Kerkelijke Staat besloeg een flink deel van Midden-Italië) als wegens het feit, dat Rome toch de hoofdstad van het nieuwe koninkrijk moest worden – en dat was in pauselijke handen. De paus dacht er niet over zijn wereldlijke soevereiniteit op te geven. Keizer Napoleon III van Frankrijk was het met hem eens en had hem Franse troepen ter beschikking gesteld, die in Rome waren gelegerd. Het conflict had een algemeen Europees politiek aspect.

Tot de militaire verdedigers van de Kerkelijke Staat behoorden de Zouaven. Het is hier niet de plaats om afkomst en geschiedenis van dit korps te verhalen; genoeg, dat zij in die kritieke jaren zestig in dienst van de Kerkelijke Staat waren en met name tussen 1867 en 1870 voor de paus hebben gestreden. Nederland, en met name het zuiden, heeft een groot contingent geleverd: tussen 1860 en 1870 zijn dat een vier- of vijfduizend man geweest. Oudenbosch was een belangrijk middelpunt van de werving; van het Instituut Saint-Louis is een aanzienlijk aantal leerlingen uitgetrokken om gehoor te geven aan de wapenkreet uit de Heilige en Eeuwige Stad. De kapel van genoemd instituut getuigt van die liefde voor Rome. Ze is gebouwd in de jaren 1865 en 1866 en aan het eind van de jaren tachtig afgewerkt; met een imitatie van de koepel van de Sint-Pieter in Rome werd zij bekroond.

Nog een Sint-Pieter

Maar dat is niet het enige. Er is nog een Sint-Pieter in Oudenbosch te bewonderen, namelijk de kerk van de heiligen Agatha en Barbara. Ook daarvoor stond de hoofdkerk van de rooms-katholieke geloofsgemeenschap model. Dat de koepel niet zo hoog werd als die in Rome, is te begrijpen. Men beschikte niet over de ruimte en nog veel minder over het geld om de schepping van Michelangelo in West-Brabant na te bouwen. Ook groeide het marmer de Brabantse katholieken niet op de rug. Met baksteen en vooral veel stucwerk kon men evenwel toch een bijna echt effect bereiken, zelfs toen de voorgevel van de Sint-Pieter waarschijnlijk moeilijk te verkleinen bleek. Men heeft er die van de Romeinse Sint-Jan van Lateranen voor gekozen. Die is ten slotte toch de eigenlijke bisschopskerk, de 'kathedraal', van Rome. Verkleining was trouwens niet alleen verkleining van schaal, maar van de vijf traveeën die de Sint-Jan van Lateranen in haar gevel heeft liet men de buitenste twee weg.

Oudenbosch. Boven: *parochiekerk van Sint-Agatha en Sint-Barbara. De koepel is een imitatie van de Romeinse Sint-Pieter, 1867–1892.* Daaronder: *Instituut Saint-Louis, 1865–1889.*

Het merkwaardige is, tenminste voor een hedendaags bezoeker, dat niet het 'bijna echt' zijn hoofdindruk bepaalt, maar een zekere zwier, een vrolijkheid, die aan zoveel barokke bouwwerken in Rome eigen is. Trouwens, is het te veel gezegd, dat de repliek in Oudenbosch plezieriger om te zien is dan de Romeinse Sint-Jan?

Zeeland

De naam van Zeeland is pas na 1200 in zwang gekomen. Daarvoor waren er twee gedeelten, namelijk Scaldemariland en Sunnonmariland. Scaldemariland liep van Cadzand tot aan de Grevelingen en omvatte zo de eigenlijke Zeeuwse eilanden (ook Cadzand was nog een eiland). Sunnonmariland liep van Oostvoorne tot aan Schouwen en verenigde dus de Zuidhollandse eilanden. Zeeuws-Vlaanderen, kleiner van oppervlak dan het tegenwoordige deel van de provincie Zeeland, maakte deel uit van het Vlaamse vasteland. In de Romeinse tijd is Zeeland bewoond geweest en had Walcheren een vlootbasis. Een toeval wil, dat wij althans over één aspect van de toenmalige Zeeuwse religie ingelicht zijn, en dat betreft een vermoedelijk Keltische godin, Nehalennia. Bij Domburg zijn in 1647 de resten van een tempel gevonden (ze waren in de achttiende eeuw bij laag water nog te zien) en een veertigtal altaarstenen, wijgeschenken van reizigers op de bange tocht over de Noordzee. Toen in de jaren 1970 en 1971 in de Oosterschelde bij Colijnsplaat werd gebaggerd, kwamen daar nog ruim honderd van dergelijke stenen te voorschijn en bovendien nog bouwfragmenten die er op wezen dat daar een tweede tempel van Nehalennia had gestaan.

Maar in de derde eeuw van onze jaartelling is de Zeeuwse archipel door overstromingen onbewoonbaar geworden. Vier eeuwen lang bleef het zo; toen zijn weer duinen ontstaan en was het land door aanslibbing weer hoog genoeg voor bewoning. Sindsdien is de geschiedenis van de Zeeuwse archipel niet veel anders dan die van de noordwestelijke kusten van het Frankische rijk: min of meer onder het gezag van de Karolingische vorsten, en van de eerste helft van de negende eeuw af verschenen de Noormannen er.

Zij verschenen ook op de Zeeuwse wateren en keizer Lotharius zag zijn voordeel door deze kerels in dienst te nemen tegen hun soortgenoten en ze met een stevig stuk land te belonen. Zo kwamen in 841 de Denen Rorik en Harald in het bezit van een gebied dat Walcheren tot middelpunt had en dat zich uitstrekte tot Dorestad, dat niet ver van Wijk bij Duurstede heeft gelegen. Een Nederlands Normandië is niet ontstaan. Een halve eeuw later lag het eilandengebied wat verweesd tussen

Twee verschillende hallekerken. Brouwershaven (links) en Edam. De enorme hallekerk van Edam meet 83 meter bij 35,50 meter.

De Gereformeerde kerk in Brouwershaven stamt uit de 19de eeuw.

Vlaanderen en Holland en zo is het een eeuw lang gebleven. Maar de ligging van Zeeland was voor beide buren aantrekkelijk en de strijd heeft dan ook lang geduurd.

Invloed Brabantse gotiek

Zeeland was een vruchtbaar land en lag economisch gezien bijzonder gunstig. In de dertiende eeuw profiteerde het land al van de toenemende handel. Het had commerciële connecties met Frankrijk (Middelburg was een stapelplaats voor Franse wijn), het Iberische Schiereiland, Italië; het voer op Engeland en Schotland (Veere was de stapelplaats voor Schotse wol); het zond zijn schippers en kooplui uit naar de landen van de Oostzee. Van die rijkdom getuigt menige stadskerk van Zeeland. Meestal stammen deze kerken uit de Bourgondische vijftiende eeuw, zoals dat trouwens ook in Brabant het geval is. De indruk van de Brabantse gotiek is trouwens in Zeeland sterk genoeg geweest. Enige willekeurig gekozen voorbeelden: de Sint-Petrus en Pauluskerk in Brouwershaven, hervormd, waaraan van begin vijftiende eeuw tot eind zestiende is gebouwd; de nu verdwenen Sint-Lievensmonster in Zierikzee, waarvan de enorme toren in 1454 in uitvoering werd genomen (en in 1535 is men ermee gestopt, toen de bouw halverwege de oorspronkelijk beraamde hoogte was); de grote kerk in Dreischor, oorspronkelijk aan de H. Hadrianus gewijd, in hoofdzaak een vijftiende-eeuws gebouw; de Onze Lieve Vrouwekerk van Tholen, vijftiende- en zestiende-eeuws; de kerk van de H. Maria Magdalena in Goes, tweede helft vijftiende, eerste helft zestiende eeuw; de Onze Lieve Vrouwekerk van Kapelle, wat ouder (het koor is van begin veertiende eeuw), maar er is wel nog in de vijftiende aan ge- en verbouwd; de Onze Lieve Vrouwe van Veere, uit het laatste kwart van de vijftiende en de eerste helft van de zestiende eeuw; en dan nog de Sint-Jacobskerk in Vlissingen, ook al in hoofdzaak vijftiende en eerste helft zestiende eeuw. Hoeveel kerken, kleiner wel, maar in verhouding toch ook kostbaar, zijn nog onvermeld gebleven; en afgezien is van Zeeuws-Vlaanderen.

Maar er kan ook van verzet worden gesproken: van rebellieën tegen verwaten rijken, onderdrukkers, uitbuiters... Al heel vroeg was daar de ketter Tanchelm, die Zeeland

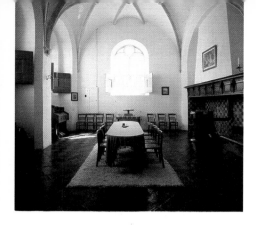

Consistoriekamer, vroegere sacristie, 16de eeuw. Daaronder: *doorzicht naar kooromgang van de N.H. kerk te Brouwershaven.*

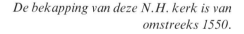

De bekapping van deze N.H. kerk is van omstreeks 1550.

en Vlaanderen rondtrok en velen meekreeg met zijn verkondiging van een ander christendom, waarin niet de rijke en machtige hiërarchische kerk in het middelpunt stond. In 1115 is hij door een priester gedood, misschien in Antwerpen, misschien ergens op een van de Zeeuwse wateren. Er ware meer te noemen. Zouden de geuzen met hun felle antikatholieke en soms in ieder opzicht antikerkelijke ideeën zo grif toegang gevonden hebben in sommige Zeeuwse kringen, als er geen bodem voor zulk protest was geweest? Zeeland was rijk, maar de lezer gelieve zich te herinneren wat hierboven gezegd is over de betekenis van zo'n uitdrukking in een middeleeuwse wereld, want rijkdom sluit bittere ellende aan de andere kant van de samenleving niet uit.

Een begeerd bezit

Die rijkdom en vooral ook de economische mogelijkheden maakten Zeeland voor Vlaanderen en voor Holland tot een begeerd bezit. Het eerstgenoemde land had er belang bij, omdat zijn noordelijke handelssteden, met name Brugge, via de Westerschelde op zee uitkwamen. Het was de Vlaamse tragiek, dat van de dertiende eeuw af het Zwin en trouwens ook de ten westen daarvan gelegen eilanden, nu samengegroeid tot westelijk Zeeuws-Vlaanderen, verlandden waardoor directe scheepvaart niet meer mogelijk was. Vlaanderen had weliswaar in 1357 het Brabantse Antwerpen verworven, en Antwerpen had toegang tot de zee. Maar in de Tachtigjarige Oorlog is gebleken, dat wie Zeeland bezat de haven van Antwerpen kon blokkeren. Hierdoor was Vlaanderen aan zijn noordkant bijzonder kwetsbaar. Het ambitieuze Holland heeft zich bereid getoond om Zeeland onder zijn hoede te nemen. Mede daardoor zijn de overheidsinstellingen in Zeeland nooit geheel uitgegroeid. Wel had het een hoge mate van zelfstandigheid en die is in en door de Tachtigjarige Oorlog alleen maar toegenomen.

Het christendom heeft zich in Zeeland genesteld zoals in de meeste gewesten van de noordelijke Nederlanden: door toedoen van de koningen van het Frankische rijk, die in de kerk een steun voor het rijk zagen. Heeft in de kerstening van de archipel ook Willibrord een aandeel gehad? Hij wordt wel genoemd, maar hij wordt op zoveel plaatsen genoemd. In ieder geval is er een basiliek die zijn naam draagt, namelijk de Sint-Willibrorduskerk in Hulst. Hoe dan ook, Vlaanderen heeft een belangrijk aandeel gehad in de ontwikkeling van het Zeeuwse kloosterwezen. Dat Zeeland voor zover het op het vasteland lag kerkelijk onder het bisdom Doornik viel en voor de rest onder Utrecht, heeft niet verhinderd dat Vlaamse kerkelijke instellingen ook in Zeeland gegoed waren.

De abdij in Middelburg

De belangrijkste handreiking van Vlaanderen aan kerkelijk Zeeland is de abdij in Middelburg geweest. Deze vestiging heeft zeer grote consequenties voor de Zeeuwse geschiedenis gehad. Ter plaatse was een Karolingische ronde burcht (nog in het stratenplan van Middelburg terug te vinden) en omstreeks 1100 moet daar een abdij gevestigd zijn geweest. In 1123 is dat een vestiging van augustijner koorheren uit de buurt van Ieper. Maar in 1128 blijkt de abdij norbertijns te zijn: stedelijke seculiere kanunniken hadden zich een paar jaar eerder regulier gemaakt en de abdij stond nu in nauwe verbinding met de Sint-Michielsabdij van Antwerpen, die in 1124 als premonstratenzerabdij was ingericht. De graven van Holland hebben deze Middelburgse abdij in hoge mate begunstigd en zo is zij uitgegroeid tot 'de' abdij bij uitstek van Zeeland. Dit is een der wegen van de verhollandsing van wat eens het niemandsland van de Zeeuwse archipel was geweest.

De abt van Middelburg was een zeer voornaam man; na 1559 moest de bisschop van Middelburg ook abt van de premonstratenzers in de abdij zijn. De abt had grote Zeeuwse goederen te beheren en hij had ook politiek een voorname functie. Zeeland werd namelijk in feite bestuurd door de drie leden van de Staten: de voornaamste geestelijke, de eerste edele, en een vertegenwoordiger van de belangrijkste steden. De voornaamste geestelijke was de abt van Middelburg, de eerste edele was de markies van Veere en Vlissingen (van 1581 af was dat Willem van Oranje) en de voornaamste steden waren eerst Middelburg en Zierikzee, later ook nog Goes, Tholen, Veere en Vlissingen.

Met de Tachtigjarige Oorlog veranderde in Zeeland het beeld van de kerk en haar instellingen drastisch. Het was al begonnen met de Beeldenstorm van 1566, waar Middelburg en Veere het middelpunt van de vernielingen waren. Zierikzee bleef ervoor gespaard. Als dan eind april 1572 de geuzen van Den Briel naar Vlissingen en Veere komen worden die steden middelpunt van hun activiteiten. In mei 1572 breekt het verzet in grote delen van Holland en Zeeland los. Maar ook hier geldt dat het verzet zeker niet algemeen is geweest. Er zijn zoveel plaatselijke factoren in het spel en soms kan de houding van een of twee vastberaden magistraatspersonen de doorslag voor of tegen de opstand geven. Middelburg en Goes hebben de geuzen de toegang dan ook geweigerd. Dat kwam die steden wel op een belegering te staan,

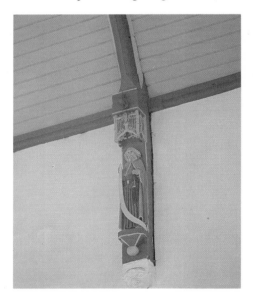

Kapelle, N.H. kerk 2de helft 14de eeuw. Herenbank, 1650, en apostelbeeld, 15de eeuw, zijn hier afgebeeld.

maar in het einde van het najaar 1572 hebben de Spanjaarden de blokkade weten te verbreken. Zo kon Middelburg zich nog enige jaren verheugen in de staat van bisschopsstad. In 1574 was het echter uit: toen werd de stad Staats en moest de bisschop verdwijnen. De rebellie greep steeds meer om zich heen.

Zeeland werd ten slotte overwegend gereformeerd, het calvinisme had er (zij het met grote katholieke enclaves, met name op Zuidbeveland) felle aanhangers.

Stoere calvinisten

Hun stoerheid hield ook in, dat er onder hen waren voor wie noch overheid noch synode het laatste woord had inzake een geweten dat aan de Heilige Schrift gebonden was. Dat laatste woord kon alleen dat geweten zelf hebben. In andermans ogen komt dat vaak op eigenzinnigheid neer en daarmee hebben de wereldlijke en kerkelijke autoriteiten in Zeeland veel te stellen gehad. Zo bijvoorbeeld in het geval van de predikant van Sluis, Jacobus Koelman, die in 1675 uit Staats-Vlaanderen

N.H. kerk te Tholen, 15de eeuw.

werd verbannen en van de overheid ook niet meer in Zeeland mocht preken. Hij vond namelijk, dat hij de officieel aanvaarde liturgische formuliergebeden, door een bezorgde kerkelijke leiding aanvaard om de leer in het officiële spoor te houden, niet behoefde te gebruiken. Die waren er voor wat hij de onervarenen noemde. Een christenmens behoorde zich bewust te zijn van de strekking van het geloof in gemoedsleven en in de dagelijkse praktijk van het bestaan en hij mocht geen genoegen nemen met alleen maar ja en amen te zeggen op wat de leer behelsde zonder dat het hart erin was betrokken. Niet alleen Koelman dacht zo. Er waren nog anderen, strikt orthodox, maar met een afkeer van kerkelijk leven dat niet tot op de bodem van de ziel ging. Kortom, hier was het piëtisme in het geding. In het eerste hoofdstuk is daarover al iets gezegd. In Zeeland heeft zich de beweging wijd verspreid en in sommige gevallen heeft zij geleid tot kerkscheuring. Wij worden dat in de kerkbouw niet gewaar vóór de negentiende eeuw. Pas dan ontstaat de materiële en juridische mogelijkheid om tot afzonderlijke groepsvorming en kerkstichting te komen en vindt dit dan al eeuwenoude piëtistische calvinisme van Zeeland zijn architectonische uitdrukking – een goede waarschuwing om in officiële monumenten als kerkgebouwen niet maar meteen de uitdrukking te zien van wat onder de gelovigen leeft.

Er zijn afscheidingen en groepsvormingen genoeg.

Het is al gezegd dat de tweede helft van de zeventiende eeuw voor Zeeland economisch niet zo'n heel grote tijd was. Men moest van de zeer voordelige oorlogseconomie terug naar een vredeseconomie, toen met de Vrede van Munster de kaapvaart wegviel of tenminste sterk terugliep. Velen zullen dat hebben gevoeld. Het land was nog welvarend genoeg, maar de grote winsten waren voorbij – en een dergelijke recessie wordt altijd en overal als pijnlijk ervaren. De grote heren bleven grote heren, maar de kleineren hadden minder te verteren. Toen bleek dat dat officiële christendom van de grote heren ook maar een reus op lemen voeten was, naar het beeld uit *Daniël* 2, 31–35. Kortom, kerkelijke emancipatie en sociale problemen kunnen samengaan. Maar dat komt niet in de kerkelijke architectuur aan het licht. Want voor kerkbouw is veel geld nodig en dat zit in de kas van de overheid die, zelf rijk en sterk, geen boodschap heeft aan de ontevredenen in de kerk. Dat is pas in de negentiende eeuw anders geworden. Het lang in de schaduw gebleven verzet van het piëtisme van gereformeerden huize gaat zich dan afzonderlijk organiseren, ook in Zeeland. De gevestigde, officiële kerk zal te zwak blijken om de illusie van de eenheid overeind te houden en de overheid zal na het midden van de negentiende eeuw geen gevestigde kerk openlijk een voorkeursbehandeling geven. Dan zal wat in de zeventiende en de achttiende eeuw is ontwaakt en sterker geworden zich ook in eigen gebouwen uiten. Niet alleen de grote bouwsels van de middeleeuwen en de monumentale representatieve kerken van de zeventiende en de achttiende eeuw, maar ook de vaak zo onooglijke dorpstimmermansgebouwtjes van de negentiende eeuw verdienen de aandacht van wie naar de wortels van ons hedendaags bestaan op zoek is.

Schelde-gotiek

Zo oude kerken als Limburg of de noordelijke provincies kennen zijn in Zeeland niet te vinden. De eeuwige overstromingen, de steeds voortdurende wijzigingen in de vormen van land en water, oorlogen, noodweer, menselijke cultuur, hebben van het weinige dat in de tijden van voor de dertiende eeuw is gebouwd, niets noemenswaardigs overgelaten.

Het gewest is naar vorm en bebouwing nog het minste veranderd in Zeeuws-Vlaanderen. Daar is op het oude vasteland van de Romeinse tijd af een

De in de vorige eeuw verdwenen Sint-Lievens Monster, te Zierikzee, 2de helft 15de eeuw. Alleen de toren is nog te zien.

*Het schip van de N.H. kerk te
Aerdenburg. Voorbeeld van
Schelde-gotiek.*

constante bewoning geweest. Voor Zeelands doen vinden wij daar dan ook zeer oude kerkbouw, zoals in Aardenburg de vroege gotiek uit Vlaanderen afkomstig, die bekend staat als Schelde-gotiek.

In Aardenburg heeft al in 959 een voorganger van de tegenwoordige, nu hervormde kerk gestaan, toegewijd aan de Heilige Bavo. Hij was uit Brabant afkomstig en had in het midden van de zevende eeuw missiewerk verricht in Noord-Frankrijk en Vlaanderen. Ten slotte had hij zich als heremiet gevestigd in de buurt van het klooster te Gent, dat eerlang zijn naam zou dragen. Omstreeks 653 is hij er in reuk van heiligheid gestorven. Dat oudste kerkje was al niet onverlet gebleven, maar tegen 1220 ging men over tot een grootscheepse herbouw in de stijl van de Schelde-gotiek, waarin nog duidelijke herinneringen aan de rijpe romaanse bouwtrant meeklinken, zoals de smalle hoge ramen in de lichtbeuk en het nog altijd sterke horizontale accent. Een eeuw later werd het koor afgebroken en op groter schaal nieuw gebouwd. Het werd breder en met even hoge zijbeuken als de middenbeuk was: een koor van een hallenkerk. Het schip bleef ongewijzigd. Daarmee is niet gezegd, dat het gebouw verder een vreedzaam bestaan heeft gehad. Dat geldt voor geen enkele Zeeuwse kerk. Enige malen heeft de Tachtigjarige Oorlog verwoestingen gebracht: tweemaal in de zeventiende eeuw zijn zij hersteld. Er zijn onderdelen bijgebouwd zoals een consistorie in 1630 en een westportaal in 1650. In 1944 is de kerk zeer zwaar beschadigd. De restauratie bracht verrassende vondsten. Er werden stenen graven met beschilderingen gevonden met aan het hoofdeinde meestal een kruisigingsgroep en aan het voeteneinde een Madonna, soms met een heilige erbij, met verder engelen en wierookvaten aan de zijkanten. Het zijn graven die in Westvlaanderen meer voorkomen (en daar in de veertiende eeuw worden gedateerd), en die ook in andere Zeeuws-Vlaamse kerken zijn gevonden. Ten noorden van de Westerschelde zijn ze ontdekt in Middelburg en op Zuidbeveland, in Kloetinge en Kapelle.

Hulst

Ook de rijpe Brabantse gotiek kan men in Zeeuws-Vlaanderen aantreffen. Daarvoor moet men naar Hulst, waar de kerk van de Heilige Willibrordus een goed voorbeeld van deze stijl is.

De aanvang van de bouw is te zoeken bij de vieringtoren en zal ongeveer 1400 gedateerd moeten worden. Maar de verdere verbouwing van een romaanse kerk tot een gotische is niet spoedig tot stand gekomen. Het koor is uit 1462. Het oude schip brandde in 1469 af toen een goed deel van het stadje in vlammen opging. In 1481 was men zover, dat men met de herbouw van het schip kon beginnen. Pas in 1562, een eeuw na het koor, was de kerk klaar. Het was een fraai gebouw, ook door een westelijk portaal – maar helaas, vier jaar na de voltooiing brak de Beeldenstorm ook over Hulst los. In 1841 heeft men de resten van het portaal gesloopt.

Hulst lag op de frontlinie tussen Spaansen en Staatsen en is pas tegen het einde van de Tachtigjarige Oorlog Staats geworden. In 1645 werd de kerk ingericht voor de hervormde eredienst. Zij bleef het anderhalve eeuw. Maar in 1795 werd Staats-Vlaanderen, door de Fransen beschouwd als deel van Vlaanderen en daarmee van de Oostenrijkse Nederlanden en daarmee weer als onderdeel van het door hen veroverde gebied, bij Frankrijk ingelijfd. In 1806 bepaalde de allesregelaar Napoleon dat de kerk best voor dubbel gebruik geschikt te maken was. De katholieken kregen koor en transept, de hervormden het schip. De scheiding werd deugdelijk verzorgd: het schip werd van de rest afgesloten door een dubbele muur waar turf tussen werd gestort tegen geluidsoverlast. Zo konden de ketterse psalmen devote katholieken niet storen en de wufte zangen van de paapse mis behoefden geen

Nieuwerkerk. Het koor is uit de 15de eeuw; de rest van de kerk is in de 17de eeuw afgebroken.

De N.H. kerk te Wemeldinge is vermoedelijk uit de 15de eeuw.

oren van stoere calvinisten te kwetsen. De situatie bleef zo tot 1929, toen de hervormden hun deel van de kerk aan de katholieken overdroegen (maar wel hun preekstoel meenamen naar hun nieuwe bedehuis). Een grote restauratie, die in 1933 klaar was, volgde. In 1944 werd de bovenkant van de vieringtoren door oorlogsgeweld vernield. Die was na een brand in 1876 door P.J.H. Cuypers vernieuwd. Nu staat er een betonnen bekroning op, daar in 1953 aangebracht.

Grote bloei in de middeleeuwen op de eilanden

De grote bloei van Zeeland lag in de middeleeuwen noordelijker, op de eilanden. Daar zijn een aantal grote kerken verrezen, die nauw verwant zijn met de Brabantse. Ook Zeeland heeft een aantal kapittels gekend en het was ook de Zeeuwse kanunniken een behoefte hun kerken ruim te bouwen. Heel vroeg was Iersekse; het kapittel is daar in 1355 opgericht. In 1413 is het naar Goes overgebracht. Dan volgt Zierikzee, dat van 1378 af een kapittel bezat. Tholen kreeg er een in 1404, Sint-Maartensdijk in 1429, Veere in 1472, Nieuwerkerk op Duiveland in 1490 en Kapelle in 1503. Vandaar dat wij er in verhouding tot de plaatselijke behoefte zeer grote en kostbare kerken kunnen vinden. Van de koorbanken die deel van het noodzakelijk meubilair van een kapittelkerk uitmaken, is vrijwel niets over; alleen in Nieuwerkerk zijn er nog twee te zien.
Hier geldt, dat de Reformatie (die elders de koorbanken liet staan, zoals bijvoorbeeld in Dordrecht) radicaal was.
Er is heel wat geschiedenis over de Zeeuwse kerken heengegaan, die van Sint-Maartensdijk, in welker koor Jacoba van Beieren met Frank van Borssele trouwde in 1434, tot aan het orgel in de Grote Kerk van Goes dat dateert uit 1643. Het was meteen in 1641 besteld, toen de Dordtse Synode van dat jaar eindelijk het orgel weer toestond. Liever nog wijs ik op een monumentje van Volksvroomheid in de hervormde kerk van Wemeldinge, eenmaal aan Sint-Maarten gewijd. Daar is in het koor een grafzerk uit 1553 te zien van Jacopmine Huyghendochter. Op dit grafzerk komt een wonderbaarlijke heilige voor, Sinte-Ontkommer. Dat is de heilige Wilgefortis, wier verering, die waarschijnlijk in de veertiende eeuw in Vlaanderen is ontstaan, zich heeft verbreid ten zuiden van de lijn Kleef-Steenbergen en tot aan de Maas, door België en Noord-Frankrijk heen tot aan Rouen en Beauvais, met uitschieters naar Canterbury en zelfs naar Beieren. Zij zou een Portugese koningsdochter zijn geweest, die door de koning van Sicilië ten huwelijk werd

gevraagd. Zij wees hem echter af, omdat hij een heiden was. Haar vader, zelf ook nog heiden, sloot haar op en zij bad God haar onaantrekkelijk voor mannen te maken, waarop haar een baard onder de kin ging groeien. Dat vertoornde haar vader zozeer, dat hij haar aan touwen liet kruisigen en zo ter dood bracht. Zij was de beschermster van alle vrouwen die lastige echtgenoten hadden en deze werden door haar van hun kommer bevrijd; vandaar de naam Sinte-Ontkommer.

De abdijkerken van Middelburg

Maar één kerk mag hoe dan ook niet worden overgeslagen, of liever het zijn twee kerken, de beide abdijkerken van Middelburg.

Zij zijn niet ouder dan de veertiende eeuw, maar hebben wel enige oudere vervangen. Van belang voor de bouwgeschiedenis is dat sinds 1266 de abdijkerk ook als parochiekerk dienst moest doen, en dat werd bezwaarlijk. Zo ontstond het plan van twee kerken tegen elkaar aan, met een koor tussen beide in. De oude koorpartij werd de kerk voor de monniken (in het Groningse Ter Apel is een soortgelijke oplossing gevonden) en het vroegere schip werd vergroot tot parochiekerk (zij was aan Sint-Nicolaas gewijd), waarbij van de koorkerk het meest westelijke deel als koor voor de Nieuwe Kerk ging fungeren: op die manier kwam het middenkoor tot stand. Aan de zuidzijde daarvan staat de toren, waarvan de romp vermoedelijk uit de tweede helft van de veertiende eeuw afkomstig is. Dat is de beroemde Lange Jan, die zowel door zijn plaatsing als door zijn achtkantige plattegrond zeer opmerkelijk is; de geschiedenis van zijn oorsprong is duister.

De geschiedenis van de kerken en hun toren is wat men kan verwachten. In 1568 wordt het geheel door een zware brand beschadigd (nadat in 1566 al de Beeldenstorm er had gewoed), en bisschop Nicolaas de Castro laat een restauratie beginnen. In 1572 begint een twee jaar durende belegering van Middelburg door de troepen van Willem van Oranje, en als de stad wordt overgegeven aan de Staatsen, wordt de abdij opgeheven. De kloostergebouwen worden zetel voor het bestuur van de Staten van Zeeland. De kerken worden gereformeerd, wat aan de oude katholieke religie herinnert wordt weggedaan, de torenspits verbrandt (dat was in 1712: het was de spits die er in 1590 op was geplaatst na de brand van 1568). De toren was over heel Walcheren te zien bij goed weer. Maar in de meidagen van 1940 brandde Middelburg en de brand spaarde abdij noch Lange Jan noch Nieuwe en Koorkerk, al had de Nieuwe Kerk het meeste te lijden. Wat gerestaureerd kon worden is hersteld en hoewel veel van de oude kostbare inrichting verloren is gegaan, is er toch weer veel te zien. In de Nieuwe Kerk bevindt zich de orgelkas uit de Oude Lutherse Kerk in Amsterdam, de Spuikerk. Die was sedert de negentiende eeuw in het Amsterdamse Rijksmuseum te vinden. De Koorkerk heeft een ander kostbaar stuk uit datzelfde museum: het oudste (helaas niet meer speelbaar te maken) orgel van Nederland. Het is afkomstig uit de Klaaskerk van Utrecht en is tussen 1478 en 1481 vervaardigd. De preekstoel in de koorsluiting van de Koorkerk komt uit de Amsterdamse Zuiderkerk. In het middenkoor vindt men het praalgraf voor de Zeeuwse admiraals Jan en Cornelis Evertsen (zij zijn beiden gesneuveld in de Tweede Engelse Zeeoorlog in 1666), gemaakt door Rombout Verhulst in de jaren 1680 tot 1682. Dat monument heeft er niet altijd gestaan; het is afkomstig uit de in 1833 afgebroken Noordmunster in Middelburg. Ten slotte kan men in een nis in de Koorkerk nog een herinnering aan de middeleeuwse geschiedenis van Holland vinden. Hier staat een beschadigde tombe, die vermoedelijk uit de veertiende eeuw stamt. Het is het graf van Rooms-koning Willem II, die op de nominatie heeft gestaan om keizer van Duitsland te worden, maar in 1256 tegen de Westfriezen sneuvelde bij Hoogwoud. Graaf Willem II heeft veel gedaan voor de bloei van de

Plompe Toren, 14de eeuw, rest van het in zee verdwenen dorp Koudekerke op Schouwen-Duiveland.

De waterstaatskerk te Wolphaartsdijk, 1861.

Zeeuwse abdij. In 1255 heeft hij haar vergroot met wat tegenwoordig het Abdijplein is.

Protestantse nieuwbouw

Gelijk overal in Nederland is de protestantse nieuwbouw in de zeventiende en de achttiende eeuw niet in overeenstemming met de macht die de gereformeerde religie in en na de Tachtigjarige Oorlog heeft ontwikkeld. Er is wel nieuw gebouwd en dan ook wel naar de beginselen van de gereformeerde eredienst, zoals de Oostkerk in Middelburg (1647–1667), nodig door de sterke vermeerdering van de bevolking, in de eerste helft van de zeventiende eeuw. Deze kerk is zowel van buiten als van binnen zeer representatief. In de kerk kan men een fraai geheel zien van preekstoel en orgel in één front.

De lutherse kerk van Groede is niet bijster belangrijk (zij stamt uit de tweede helft van de achttiende eeuw), maar het verhaal van de gemeente is het wel. In 1733 bedacht de bisschop van Salzburg, dat alle lutheranen uit zijn gebied moesten verdwijnen. Een klein aantal van hen, 59, door de steun van de lutheranen in Middelburg, Vlissingen en Veere onderhouden, bleken de voortrekkers van een groot aantal anderen. De magistraat van het Vrije van Sluis had namelijk groot gebrek aan arbeidskrachten en besefte deswegen, dat men de herbergzaamheid niet moest vergeten, want daardoor hebben sommigen volgens *Hebreeën* 13,2 wel eens engelen geherbergd. Zo vertrokken in november 1732 een kleine achthonderd lutheranen onder leiding van hun predikant J.G. Fischer uit Dürnberg naar Groede. Het was een barre tocht in de winter. In maart 1733 kwamen zij er aan. Gemakkelijk hebben zij het niet gehad. Een aantal is teruggegaan en de destijds beruchte Zeeuwse koortsen – malaria – velden velen. Ruim een jaar later waren er nog maar 224 over en in 1740 telden de Zeeuws-Vlaamse Salzburgers nog maar 172 man. Het is altijd nuttig om zich zulke cijfers voor ogen te houden bij de beschrijving van de achttiende eeuw. Men kerkte in de gereformeerde kerk van Groede, maar de lutherse dominee van Vlissingen meende zijn gemeente op zeker moment voor gereformeerde nonsens te moeten waarschuwen, en prompt was het uit met de ontroering over het lutherse lijden. Om kort te gaan, men stichtte in Groede een eigen lutherse kerk, die in 1743 in gebruik kon worden genomen. Het geld voor dat gebouw kwam hoofdzakelijk van de Amsterdamse lutheranen.

Zierikzee, Ev.Lutherse kerk, eerst Schotse kerk, in 1714 aan de luthersen afgestaan. In 1735 vergroot.

De charmante lutherse kerk van Vlissingen is juist in die tijd in 1735 gebouwd. In 1778 heeft een ingrijpende verbouwing plaatsgevonden. De (grote) lutherse kerk in Middelburg is van 1742. De historie van de lutherse kerk in Zierikzee is wat ingewikkelder. Daar kregen de lutheranen in 1714 de Schotse kerk (het gebouw behoorde oorspronkelijk tot het adellijke hof van Ravenstein), maar pas in 1728 kreeg men een geschoold predikant. Dit was een Duitser en in 1747 trad voor het eerst een Hollandse predikant op. De gemeente groeide en in 1756 is de kerk vergroot.

Daarmee is het overzicht van de tijden voor de negentiende eeuw beëindigd. En de negentiende eeuw? Alleen zij gememoreerd de Waterstaatskerk in Wolphaartsdijk, die in 1861 is gebouwd. Maar men lette vooral op de kleine, vaak onooglijk geworden, vaak ternauwernood herkenbare kerken en kerkjes van de gereformeerde groepen buiten de kerk: zij waren eenmaal het zout der aarde.

Kerken van Utrecht, Gelderland en Overijssel

Ziet gij die torenspits door 't woedend volk omringd,
En de eedle Schaffelaar, die zich te bersten springt?

Sint-Catharinakerk te Utrecht.
Omstreeks 1470 begonnen als
karmelietenkerk, sinds
1853 r.-k.kathedraal, in 1860 en 1861
sterk in neogotische trant verbouwd.

De gewesten ten noorden van de grote rivieren hebben van het einde der zevende eeuw af, toen het christendom er doordrong, tot aan 1559 maar één bisdom gekend: Utrecht. Dat strekte zich uit van Zeeland tot Groningen en omvatte voorts Holland, Gelderland, Overijssel, Drenthe, Friesland en de stad Groningen. De Ommelanden behoorden, evenals een paar stukken van de Gelderse Achterhoek, tot de bisschop van Munster. In Westerwolde vielen de gelovigen onder de bisschop van Osnabrück. De rest ressorteerde onder de Utrechtse bisschop.

De bisschop was ook wereldlijk vorst over Utrecht en Overijssel, tenminste na het midden van de twaalfde eeuw. Daarvóór waren beide gewesten verbonden door de Veluwe, maar daar hebben in die tijd de vorsten van Gelre hun gezag gevestigd. Zo was Utrecht, het Nedersticht – Sticht betekent stichting van geestelijke aard, en later ook bisdom, en omdat er maar één bisdom in genoemde streken was, kon men spreken van 'Het' Sticht – gescheiden van Overijssel, dat toen nog Oversticht heette. Die strijdlustige bisschoppen zijn vooral een tiende-eeuwse creatie van de Duitse keizers.

Ook de bisschop van Utrecht is door de Duitse keizer groot geworden. Zijn bisdom dateert uit de tijd, dat uit Engeland afkomstige missionarissen onze streken doorkruisten. Zij zouden later in Utrecht hun kerkelijk middelpunt vinden. Op 22 november 695 had paus Sergius in Rome een monnik Willibrord gewijd (en hem bij die gelegenheid de fatsoenlijke Latijnse naam Clemens gegeven). Willibrord was afkomstig uit het klooster Ripon in Yorkshire. Pippijn II van Herstal, de leider van het Frankische rijk, zag iets in de man. De Merovingische hofmeier was erin geslaagd de Friezen tot over de Rijn (dat was toen nog de Kromme Rijn) terug te slaan. Nu lag aan die rivier een fort uit de Romeinse tijd, genaamd Trajectum hetgeen overgang betekent. Dit fort was onderdeel van een gordel van versterkingen die de noordgrens van het Romeinse rijk moesten bewaken. Het lag op een eiland tussen twee rivierarmen en men kon er naar de overzijde van de rivier komen. *Trajectum* werd *Trecht* (dat *-trecht* in Utrecht is hetzelfde als *-tricht* in Maastricht). In dit fort kon Willibrord zich vestigen en van daaruit kon hij de kerstening van de Friese heidenen, ook door de Frankische machthebbers gewenst, tot stand brengen. In de hem toegewezen grenspost vond onze missionaris weinig christelijks, hooguit de resten van een kerkje uit de tijd van de Merovingische koning Dagobert, die van ongeveer 625 tot 639 zijn Franken regeerde. Dat kerkje was al aan de beschermheilige van de Merovingen, Sint-Maarten, gewijd. Deze Sint-Maarten, de heilige Martinus van Tours, was in het midden van de vierde eeuw een bisschop in het Gallische Tours.

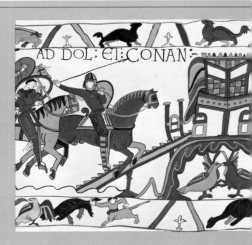

VECHTENDE BISSCHOPPEN

Wereldlijk vorst zijn betekende in de middeleeuwen steevast generaal zijn en er met een leger op uit kunnen trekken. Een bisschop, die met evenveel gemak zijn helm als zijn mijter opzet, kan ons verbazen. Die verbazing is trouwens niet alleen onze verbazing. Een Byzantijnse prinses uit de eerste helft van de twaalfde eeuw verbaasde zich eveneens. Deze prinses maakte aan het hof van haar vader, de keizer van Constantinopel, kennis met de onbehouwen vlerken van kruisvarende edelen uit het Westen en trof daar tot haar onbegrensde ergernis ook hoge kerkelijke prelaten aan. Wel was het zo dat een bisschop geen zwaard mocht voeren. Maar met een strijdknots kan men ook bevredigende resultaten in de slag bereiken. Zo zien wij op het beroemde tapijt van Bayeux, een heel lange linnen strip waarop de verovering van Engeland in 1066 door de Normandiër Willem de Veroveraar wordt afgebeeld, een bisschop vechten maar wel met het laatstgenoemd wapen.

Gevelsteen uit het Sint-Maartenshofje te Maastricht 1715. De gevelsteen stelt voor Sint-Maarten en de bedelaar.

Ontstaan van de woorden kapel en kapelaan

Het bekendst is het verhaal van de mantel, die hij in de stadspoort van Amiens midden in de winter met een bedelaar gedeeld had. Welnu, een stuk van die mantel was de belangrijkste reliek in het bezit van de Merovingische koningen: de *cappa*, die in een afzonderlijke *capella* door een *capellanus* bewaard werd. Daar heeft men de oorsprong van de woorden 'kapel' en 'kapelaan'. Willibrord herbouwde dat kerkje van Sint-Maarten, maar hij bouwde in Trecht nog een kerkje dat aan de heilige Verlosser Sint-Salvator gewijd was. Dat maakte hij tot de bisschopskerk. Helaas, de nederlaag van de Friezen was niet afdoende geweest. In het jaar dat Pippijn stierf, 714, heroverde een Fries opperhoofd, Radbod, de vesting Trajectum en verwoestte naar oud en nog lang in stand gebleven gebruik het oord met inbegrip van Willibrords kerkjes. Willibrord zelf verdween tijdelijk naar het klooster Echternach, maar in 719 was hij met steun van Pippijns opvolger, Karel Martel, in Utrecht terug (deze vorst zou dertien jaar later in 732 zijn beroemdste veldslag leveren tussen Tours en Poitiers, waar hij de opdringende Sarracenen vernietigde). In datzelfde jaar 719 stierf Radbod. Karel Martel verjoeg de Friezen tot ver benoorden de Rijn, waarschijnlijk tot aan de oevers van de Zuiderzee en toen kon Utrecht enige eeuwen de bisschopsstad blijven van het noordelijk grensgebied der Franken.

De Saksers

Het was een drukke tijd voor de kerstening aan de noordkant van het Frankische rijk. Dat vond ook in de missie een instrument voor zijn expansie. Zo vinden wij in de jaren zeventig van de achtste eeuw missionaire activiteiten aan de IJssel en aan de overkant van de rivier. Daar woonden de Saksers. Onder hen toog een man aan het werk, die zich gedekt wist door de machtige Frankische koning. Deze koning was de juist opgetreden Karel, die al spoedig de bijnaam van De Grote zou krijgen. De desbetreffende missionaris was alweer een Engelsman; ook hij was afkomstig uit het klooster Ripon in Yorkshire. Zijn naam was Liafwin, in een wat naar het Latijn gefatsoeneerde vorm Lebuïnus. Zijn eerste kerkje in die contreien heeft hij gebouwd in De Wilp, aan de Veluwekant van de IJssel tegenover Deventer. Deventer moet in die tijd Daventre hebben geheten en het was een *portus*, dat wil zeggen een handelscentrum voor de buurt met een rivierhaventje. Ook bij die *portus* verrees een kerkje. Lang hebben deze gebouwtjes niet gestaan. In 772 zijn ze verwoest door Saksers uit het achterland.

Het bronzen ruiterstandbeeldje van Karel de Grote, afkomstig uit de schatkamer van de kathedraal van Metz en daterend uit de 9de eeuw.

Karel de Grote was er de vorst niet naar om zich door een strooptocht van een stel heidense Saksers van zijn hoge roeping als christelijk vorst te laten afbrengen. Onmiddellijk begon hij de oorlog tegen alle Saksers, niet alleen tegen dat handjevol in Salland en Twenthe. Het is een van de langdurigste en meest moorddadige oorlogen geworden die Karel de Grote heeft gevoerd. Hij begon in 772 met oorlogvoeren en in 804 hield hij zijn expedities wel voor gezien. Het Saksische gebied was volledig ontreddered en gedecimeerd; in de Nederlandse Saksische gewesten en in Westfalen konden de Franken het leven opnieuw opzetten. De overgeblevenen werden tot de doop gedwongen: zij hadden de keuze tussen het eeuwige leven van het doopwater of de eeuwige dood plus de tijdelijke van het zwaard en na 32 jaar was die keuze niet moeilijk. Er kwamen in het gebied een aantal nieuwe bisdommen, waarvan voor ons Munster en Osnabrück van belang zijn. De afpaling tegenover het Utrechts diocees bracht de latere Groninger Ommelanden bij Munster. Twenthe kwam bij Utrecht. Daar had in de tijd van Willibrord de heilige Plechelmus gewerkt. Bisschop Balderik van Utrecht heeft in de tiende eeuw de relieken van Plechelmus naar Oldenzaal gebracht (waar zij nog zijn) en aldus de Saksers het ware geloof en de ware achting voor de keizer voor ogen gesteld, want Balderik was de vertegenwoordiger van de Duitse keizer en deed wat men in geestelijke en wereldlijke zaken van hem mocht verwachten.

Het Deventer kerkje was allang weer hersteld. Toen was Lebuïnus al gestorven (773). Maar een jonge Utrechtenaar, die in Engeland was opgeleid, nam zijn taak voorlopig over. Deze Ludger was omstreeks 744 geboren en was door de grote Alcuinus in York geschoold. Hij kreeg in 775 de opdracht om in Deventer het door Lebuïnus begonnen werk voort te zetten, wat hij met succes deed. Daarna is hij naar Friesland overgeplaatst met Dokkum als centrum. Ook heeft hij in opdracht van Karel de Grote als missionaris gewerkt onder de gepacificeerde Saksers. Daar werd hij in 795 de stichter van een Westfaals klooster, een *monasterium*, dat al spoedig de bisschopsplaats zou worden. Deze plaats is ons beter bekend als Munster, waar hij in 803 de eerste bisschop van werd.

IJsselkade met de Grote (Lebuïnus)kerk in Deventer.

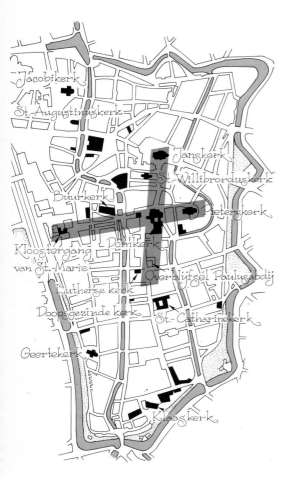

De plattegrond van Utrecht. De kerken op het kruis vormen het zgn. Bernulphuskruis, oorspronkelijk bestaande uit de Dom en de afgebroken daarnaast gelegen kerk van Sint-Salvaten als middelpunt en op de Noorderhoek de Sint-Jan, de Oosterhoek de Sint-Pieter, de Zuiderhoek de abdij van Sint-Paulus (verdwenen: nu Paleis van Justitie) en de Westerhoek de eveneens afgebroken Mariakerk, waarvan alleen een deel van de kloostergang over is. Deze kerken waren kapittelkerken, dus niet allereerst voor de parochiediensten bestemd. De andere kerken op het kaartje zijn later gebouwd als parochiekerken.

De Noormannen

De kerstening leek goed te vlotten. Maar in de negende eeuw deden zich nieuwe gevaren voor in de vorm van de Noormannen. Het Frankische rijk bleek sedert de jaren dertig van de negende eeuw niet bij machte de geregeld herhaalde plunderingen te keren. Utrecht is geplunderd en vernield in 857 en wel in zo hevige mate dat de bisschop in veiliger oorden zijn residentie moest zoeken. Die vond hij in Deventer en die stad is twee generaties lang de Noordnederlandse bisschopsstad geweest. Maar in de eerste tientallen jaren van de tiende eeuw loopt de activiteit van de Noormannen ten einde. In 920 heeft een Betuwse graaf, vader van de dan nog jonge bisschop Balderik, hen uit Utrecht verjaagd. Sindsdien kon de bisschop zijn standplaats weer van Deventer naar Utrecht verleggen.

Met bisschop Balderik krijgt Utrecht vastere contouren. Hij is heel lang, van 918 tot 976, bisschop geweest en hij heeft aan zijn bisdom de nieuwe stijl gegeven die bij de nieuwe politieke omstandigheden paste. De eerste keizers hebben Balderik zeer begunstigd met goederen en machtstitels en zo werd hij de gelijke van de andere potentaten in onze streken, zoals de graaf van Holland.

Niet dat zo iets nu heel veel voorstelde in vergelijking met andere streken in Europa. Onze gewesten waren een dunbevolkte, moerassige of zandige uithoek van de toenmalige wereld en een verweesde grensstreek van Duitsland.

De bisschop van Utrecht

De bisschop van Utrecht vertegenwoordigde er het keizerlijk gezag. Soms kon hij dat met straffe hand doen, maar soms ook had hij er de middelen of de talenten niet voor. In het tot zijn geestelijk ambtsgebied behorende Friesland heeft hij wereldlijk nooit veel te zeggen gehad. In Drenthe en in de stad Groningen was dit alleen maar af en toe het geval en toen eenmaal Gelre was doorgedrongen tot aan de Zuiderzee was in veel gevallen een effectief direct bestuur van het Oversticht nagenoeg onmogelijk. Aan de westzijde van Utrecht gedroeg de graaf van Holland zich heel onafhankelijk. In de elfde eeuw heeft de bisschop zijn wereldlijke macht nog in Holland laten voelen. Daarna is het naar die kant uit, al blijven de oorlogjes in Amstel- en Rijnland voortduren. De zeer grillige grens tussen de tegenwoordige provincies Utrecht enerzijds en Noord- en Zuidholland anderzijds herinnert er nog aan. Na de elfde eeuw verliest die keizerlijke vertegenwoordiging veel van haar glans. De bisschop wordt een van de potentaatjes in onze gewesten en is niet eens een van de sterksten.

Zijn geschiedenis behoeft hier niet beschreven te worden. Zij zou toch maar het gewone verhaal zijn van zo'n gewest in de tweede helft der middeleeuwen: naar buiten afbrokkelende macht ten opzichte van Holland, Gelre, Brabant en ten slotte een verlengstuk van het rijk der Bourgondische hertogen. Die hebben hun heerschappij steeds verder in onze streken gevestigd en er hun centralisatie ingevoerd, totdat ten slotte de te lang te water gegane kruik van hun heerschappij op het particularisme van de Nederlanden stukbrak en de Tachtigjarige Oorlog begon. Naar binnen is er in die tweede helft de groei van de handel en de steden, en in de domstad de ook al weinig uitzonderlijke conflicten tussen geestelijkheid, adel en gilden met de bisschop. Hij krijgt te maken met Lichtenbergers en Lokhorsten en met de Hollandse partijen van Hoeksen en Kabeljauwen. In 1559 is het helemaal uit met zijn wereldlijke vorstelijkheid. Bij de nieuwe inrichting van de Nederlandse bisdommen wordt Utrecht een aartsbisdom. Daarna voegt zich de geschiedenis van Utrecht in die van de Verenigde Provinciën. De stad Utrecht wordt in 1566 getroffen door een beeldenstorm, waarbij echter de kapittelkerken gespaard zijn gebleven. Elf jaar later trekt het gevreesde Spaanse garnizoen weg (en wordt die

Dank zij een prachtig schilderij van Pieter Saenredam weten wij nauwkeurig hoe de St.-Pieter te Utrecht er heeft uitgezien.

Bastille-avant-la-lettre; het Vredenburg, omvergehaald). Voor een roomse bisschop blijkt geen plaats meer in het protestantse Israël van de Republiek en de roomsgezinden, die in het gebied van het oude middeleeuwse diocees nog zeer talrijk zijn gebleven, moeten het zonder bisschop stellen. In 1672 neemt Lodewijk XIV Utrecht in en keert de Domkerk nog eenmaal tot haar oude bestemming voor de roomse eredienst terug, maar dat is het jaar daarop weer voorbij. In 1853 wordt Utrecht bij het herstel van de bisschoppelijke hiërarchie weer de zetel van een aartsbisschop. Hij krijgt vrijwel zijn gehele middeleeuwse ambtsgebied terug, met uitzondering van Holland, dat onder de bisschop van Haarlem gaat ressorteren. Maar nu krijgt hij de Groninger Ommelanden erbij, evenals de Gelderse Achterhoek. Die hadden immers behoord tot bisdommen die in de negentiende eeuw buitenland waren geworden: Munster en Osnabrück. Pas in 1955 is door de oprichting van het bisdom Groningen de omvang van het oude aartsbisdom beter hanteerbaar geworden.

Utrecht, een stad van kerken

Hetgeen hier is geschreven over de geschiedenis van het bisdom Utrecht kan duidelijk maken, waarom de stad nog altijd een stad van kerken is. De geschiedenis van een middeleeuwse stad laat zich aan Utrechts kerken voorbeeldig aflezen. Daar is eerst, in Merovingische en Karolingische tijd, de vesting met zijn administratieve en kerkelijke bevolking. Daarbinnen verrezen de vijf belangrijke kerken: de kathedraal en de vier collegiale kapittelkerken. Dan is er de 'burgerlijke' uitbreiding.

Buiten dat oude territoir van Trecht ontstaan nieuwe parochies. Deze parochies verschijnen het eerst om wat nu de Buurkerk is, die als een parochiale Mariakerk begonnen is. Wat Buiten-Trecht was, Uut-Trecht, is Utrecht geworden. Zo wordt de naam van een buitenwijk de naam van de stad en daarna ook van het gewest. Niet de bisschop, maar de burgers zoals de koopman, de ambachtsman en de edele bepalen ten slotte de geschiedenis. Maar Utrecht is niet het enige oord waarin de nieuwe activiteiten van de maatschappij uit de tweede helft der middeleeuwen zich manifesteren. Er ontstaan een aanzienlijk aantal steden, in het Nedersticht, in Gelre, in het Oversticht. Het zijn voor die tijd belangrijke, zelfs internationale handelssteden, maar op het platteland zelf groeien de marktvlekken en ook wel eens de vestingen uit tot de landstadjes die wij nog kennen, vaak met forse kerken.

Tot de middeleeuwse ontwikkeling behoort ook dat de bisschop niet de enige politieke machthebber in onze noordelijke gewesten was, die een meer dan lokale betekenis had. Hij heeft met de graven van Holland en van Gelre te maken gekregen.

Gelderland

Het tegenwoordige Gelderland is gegroeid uit een aantal delen. Er waren bij de grote rivieren vruchtbare streken waarop zich aan het water nederzettingen hebben gevormd. Deze nederzettingen groeiden uit tot handelscentra als Nijmegen, Arnhem, Rhenen, Tiel, Culemborg en Zaltbommel. Dan waren er armelijker en veel minder dichtbevolkte streken, met name de Veluwe, en delen van de Achterhoek. Er waren daar echter ook redelijke landbouwgebieden. Allerlei personen en instellingen waren er gegoed, zoals bijvoorbeeld Duitse kloosters en plaatselijke heren.

De politieke geschiedenis van het gewest begint in de elfde eeuw bij een van de heren in de streken tussen de Maas en de Rijn. De rivieren waren in die tijd feitelijk de beste en meestal ook enige verkeerswegen en hebben altijd de ruggegraat van Gelre uitgemaakt. De bedoelde heer was Gerard de Rode, in deftiger Latijn bekend als Gerardus Flamens, bewoner van het slot Wassenberg bij Roermond en later van het slot Geldern, waarbij het Duitse stadje van die naam aan de Niers is ontstaan. Hij geldt als de stamvader van het latere grafelijke geslacht van Gelre. Zijn nakomelingen hebben zich steeds meer goederen in de Betuwe en op de Veluwe weten te verwerven. Een van hen trouwt met de dochter van de graaf van Zutphen en als het geslacht van die graaf uitsterft, verwerven de afstammelingen van de rode Gerard diens gebied.

Daarmee was dit geslacht van Wassenberg-Gelre machtig geworden. Het beheerste het rivierengebied in Midden-Nederland. Voortaan was de bisschop van Utrecht niet meer de enige vertegenwoordiger van de keizer; de graven van Gelre waren het ook. Zij waren door hun nieuw verworven positie gedwongen tot voortgaande expansie. Naar het zuiden (ten slotte lag hun stamland in de omgeving van het tegenwoordige Noord- en Midden-Limburg), stuitten zij op de bisschop van Luik en de hertog van Brabant. Brabant won die strijd. Verder naar het noorden en oosten kregen zij te maken met de Utrechtse bisschop. Die uitbreiding wonnen zij, zeker naar het noorden en de Achterhoek in. Een belangrijke aanwinst was kort voor het midden van de dertiende eeuw de oude keizerstad Nijmegen, waardoor de aansluiting bij de zuidelijke goederen in het verschiet kwam. Nijmegen was evenals Aken een oude rijksstad, en had eigen rechten. De rooms-koning, dat wil zeggen de als toekomstig keizer aangewezene, was in die tijd de graaf van Holland, Willem II. Hij had geld nodig en gaf daartoe de stad als pand aan graaf Otto II van Gelre. Maar hij noch de latere keizers hebben ooit dat pand ingelost en zo bleef Nijmegen bij Gelderland.

Otto II begreep even goed als zijn Brabantse collega dat de bloei van de steden in zijn

Het hoogaltaar van Mengelberg en detail van het zijaltaar in de St.-Callixtuskerk te Groenlo (1907).

De oude Callixtuskerk (Nh) te Groenlo. In 1234 in tufsteen opgetrokken. Onder: de Cunerakerk (Nh) te Rhenen, 15de eeuw, begin 16de eeuw.

belang was. Geld moest men halen waar het te vinden was. Dat was in de steden en niet in de agrarische sectoren van het wereldje waarover hij heerste. Bovendien is het oude staatsmanswijsheid, dat de machtigste zich met de onderste groepen in de maatschappij (mits zij aan economische middelen iets te bieden hebben en politieke macht zoeken) moet verbinden tegen de tussenliggende groep, in dit geval de lagere adel en de kleinere grondeigenaars. Het is een patroon dat men ook elders vindt: de koning of de heer van het land die in de steden zijn steun zoekt en de steden die de vorst steunen, omdat een krachtig vorst de handelsroutes kan beveiligen en stedelijke regelingen kan geven of goedkeuren. Zo komen de steden Arnhem, Nijmegen en Zutphen in Gelre tot bloei. Maar ook kleinere plaatsen krijgen stadsrechten en worden betrokken in het circuit van de handel. Het kon voor de graaf geld betekenen, en geld had hij nodig. De strijd om de expansie naar het zuiden is voor Gelre verloren gebleken, maar dat betekende ook dat de zeer hoge oorlogsinvesteringen door de veroveringen niet goedgemaakt konden worden. Het einde van de dertiende eeuw was voor Gelre niet al te vrolijk; want het hele graafschap moest aan de graaf van Vlaanderen in pand worden gegeven.

De Grote (Walburgs)kerk te Zutphen.

Gelderland is in de veertiende eeuw op zijn hoogtepunt gekomen. Maar de binnenlandse macht van de hertog dreigde geringer te worden. Na Reinald II hebben zich vele verwikkelingen voorgedaan: successiestrijd, twisten tussen de adel met hun aanhang zoals de strijd tussen de Heekerens en de Bronkhorsten, de eeuwige geldnood van de hertog, zijn steeds groter afhankelijkheid van de steden. Bij dat al komt het expansionisme van Bourgondië sedert het begin van de vijftiende eeuw. De Bourgondische hertogen willen hiermee hun noordelijk bezit afronden, en afronden betekent, als het niet door huwelijken gaat, er nog het een en ander bij veroveren of er bijvoorbeeld door leningen voor betalen. Ten slotte zal Gelderland in pand komen bij Karel de Stoute. De volledige Bourgondisering van de noordelijke gewesten lijkt een aanzienlijke stap dichterbij te zijn gekomen.

Er komt bijna een driekwart eeuw respijt, als Karel de Stoute in januari 1477 voor Nancy sneuvelt. De Bourgondische bezetting wordt uit Gelderland verjaagd en aan het einde van de vijftiende eeuw is er een laatste opflakkering van het Gelderse vuur, wanneer Karel van Egmond hertog van Gelre wordt. Hij is in de Sint-Eusebiuskerk te Arnhem begraven. Zijn gebeente rust in een renaissancetombe, die bij de verwoesting van de kerk in 1944 gespaard is. Dicht daarbij is nog de *Man in het kastje* te zien. Het kastje hangt tegen een pijler en bevat het harnas van de hertog, dat in geknielde vorm is neergezet en getooid is met losse houten kop en handen. Het kastje zelf is nieuw en bestaat uit een vloer en een baldakijn. Het wordt door vier gedraaide zuilen gedragen. Het is een kopie van het oorspronkelijke uit 1636, dat in 1944 verloren is gegaan. Maar het harnas is echt.

Maarten van Rossum

Wij zijn echter nog niet aan de dood van Karel van Egmond toe. Vanaf 1492 toen hij aan het bewind kwam, tot aan zijn dood in 1538 heeft hij het vooral de Bourgondiërs moeilijk gemaakt. Dat deed hij door middel van zijn legeraanvoerder Maarten van Rossum. Karel V was toen zijn vijand. Dat eerder vermelde woord 'opflakkering van het Gelders vuur' moet men in elk geval ook letterlijk nemen. Er heeft op aanwijzing van Maarten van Rossum nogal wat gebrand in Friesland, Groningen, Overijssel en Holland. Maarten is in het jaar 1528 tot in Den Haag doorgedrongen. In 1507 hadden hij en zijn vorst zelfs de brutaliteit gehad om Amsterdam op te eisen, allicht zonder resultaat.

Zijn naam is geducht gebleven. Als de Antwerpse dichteres Anna Bijns, die vurig katholiek is, in die tijd overdenkt wie de ergste is, Maarten van Rossum of Maarten Luther, dan kiest zij na aarzeling voor de laatste. Maar de eerste is toch wel de eer

Het handschrift van Thomas van Kempen van de Navolging van Christus, opengeslagen op de inhoudsopgave (links) en de eerste tekstpagina.

Gewelfschilderingen, omstreeks 1500
in de Grote Kerk van Deventer en een kijk
op het crypt (11de eeuw).

waard om met de tweede, de baarlijke duivel zelf, vergeleken te worden. Het Arnhemse Duivelshuis, nu onderdeel van het stadhuis, is trouwens Van Rossums Arnhemse woning geweest.

Al dat geweld heeft ten slotte niet kunnen verhinderen, dat Gelderland sedert 1543 tot de Bourgondische erflanden van Karel V is gaan behoren en in die functie betrokken is geraakt in de opstand tegen Philips II.

Waren Gelre en het Oversticht rijp voor de overgang tot het protestantisme? Nog altijd zijn er grote katholieke streken. Zij hebben nooit het protestantisme aangenomen. Maar dat er beweging zat in het religieuze leven in de veertiende en de vijftiende eeuw is waar. Vooral de IJsselstreek is van aanzienlijk, zelfs internationaal belang geweest. Dat is bovenal te danken aan de zusters en broeders van het Gemene Leven. De geest en de vorm van hun gemeenschappelijk leven (dat betekent de naam) is in de eerste plaats geïnspireerd door het werk van Geert Groote. Uit deze kring is een van de beroemdste stichtelijke boeken uit de Europese literatuur voortgekomen. Het is de *Navolging van Christus,* een bundeling van een viertal verhandelingen over het devote, vooral kloosterlijke leven, van de hand van de prior van het klooster op de Agnietenberg bij Zwolle, Thomas van Kempen.

Geert Groote

Geert Groote stamde uit een notabel Deventer geslacht. Zijn vader was schepen in die stad en hij liet hem een gedegen opleiding geven. Eerst ging hij naar de toen al vermaarde Deventer kapittelschool die bij de kerk van Sint-Lebuïnus behoorde, en daarna naar de universiteit van Parijs. De aanzienlijke jonge geestelijke begon zijn loopbaan voorspoedig, zoals men van zo'n man mocht verwachten. Weldra was hij dan ook in het bezit van een aantal prebenden, dat wil zeggen van inkomsten uit verschillende kerkelijke bronnen, meestal van parochies, die dan verder door plaatsvervangers werden verzorgd. In 1374 toen hij 34 jaar oud was, kwam er een wending in zijn leven. Zijn inkeer bracht hem in het kartuizer klooster Munnikhuizen in Arnhem, aan de kant van Velp. De contemplatieve zijde van het monnikenbestaan was evenwel niet zijn roeping en na drie jaar trok hij weg om voortaan als boeteprediker op te treden onder allen die hij maar kon bereiken. Scherp heeft hij gefulmineerd tegen de onregelmatigheden in de kerkelijke praktijk van zijn dagen zoals geestelijken die het celibaat niet hielden, handelaars in geestelijke ambten en kloosterlingen die ondanks hun belofte van persoonlijke armoede toch nog eigen bezit aanhielden. De weelde van de kerk was hem een doorn in het oog; en weelde was de Utrechtse Domtoren. Deze kerk werd juist in zijn dagen gebouwd (er is van 1321 tot 1382 aan gewerkt). De constructie ervan heeft schatten verslonden, zodat de beraamde nieuwbouw van de kathedraal zelf maar uiterst traag kon verlopen. Tegen dat in zijn ogen veel te dure pronkstuk heeft Geert Groote fel geprotesteerd. Dat soort kerkelijke weelderigheid had hij gekend (hij was ten slotte zelf in Utrecht kanunnik geweest) en zijn nu naar ootmoed en ascese hakende ziel walgde ervan. Gelukkig voor ons hebben de bouwheren van deze hoogste oude toren van Nederland niet naar hem geluisterd.

Zijn prediking sloeg elders wel aan. Zozeer zelfs, dat bisschop Floris van Wevelinkhoven, een groot en tamelijk werelds bestrijder van de roofridders die zijn Oversticht onveilig maakten, op aandrang van zijn getergde clerus in 1383 aan alle niet-priesters het preken verbood. Uit ootmoed en schroomvalligheid had Geert Groote geen hoger wijding dan die van diaken begeerd. Hij heeft zich het jaar dat hij nog te leven had oprecht aan het verbod gehouden, maar hij heeft verder gewerkt door persoonlijke contacten en door zijn correspondentie.

In 1374 had hij zijn patriciërshuis in Deventer ter beschikking gesteld aan

Meester van Alkmaar, Werken der barmhartigheid, 1504: hongerigen worden gespijzigd. Christus staat met ongedekt hoofd tussen de hongerigen.

godvruchtige onvermogende vrouwen, die er in beschermd milieu naar hartelust vroom konden zijn. Zijn vriend en leerling Florens Radewijns deed iets dergelijks voor mannen. Hun stichtingen in het Meester Geertshuis en het Heer Florenshuis waren niet kloosterlijk van opzet; belofte voor het leven werd niet gevraagd en de vrouwen mochten wel eigen bezit hebben. Maar men leefde wel in een verband, ieder in eigen huis. De inkomsten kwamen uit handwerk, dat wil zeggen uit het afschrijven van boeken. Toen een eeuw later de drukkunst in zwang kwam, konden de afschrijvers de concurrentie niet meer volhouden. Een gedrukt boek was naar onze maatstaven nog wel kostbaar, maar de prijs was slechts een fractie van wat een arbeidsintensief werk als het kopiëren van een boek en bij pronkwerken materiaal als perkament en goudverf moesten kosten. In sommige gevallen hebben de broeders van het Gemene Leven daarom een nieuwe activiteit ontwikkeld in de vorm van het houden van scholen. Vroeger hadden zij dat niet gedaan, maar er was een bezigheid geweest die er wat van weghad. Zij hadden arme jongens opgenomen die geestelijke wilden worden en hadden hen bij het huiswerk geholpen. Nu ontstonden geregelde scholen. Al eerder zijn een paar – ondankbare – leerlingen genoemd: Luther en Erasmus. Zulke ondankbaarheid is niet geheel onbegrijpelijk. Het was de mensen van het Gemene Leven niet te doen om geleerdheid en een naar humanistische kennis smachtende geest als van Erasmus moet zich doodongelukkig hebben gevoeld bij het bekrompen, zo nodig de ootmoed en de devotie er met de zweep in slaande onderwijs. Ootmoed, geen geleerdheid; praktijk, geen theorie; op de knieën voor crucifix of Madonna; organiserende en zo nodig op de preekstoel, maar niet achter de boeken of aan de lessenaar om er wetenschap te ontwikkelen!
Nodig was een eigentijdse devotie, wat men toen noemde *devotio moderna,* geen savante pedanterie.

Windesheimer congregatie

Na Geert Groote is de beweging weldra gereorganiseerd tot de orde van de augustijner koorheren. Dit waren reguliere kanunniken. Zo is de Windesheimer congregatie ontstaan. In Windesheim, even ten zuiden van Zwolle op weg naar Deventer, werd in 1387 hun klooster gewijd. Wat daarvan nog bestaat is een gebouw dat op het ogenblik als hervormde kerk dienst doet; het kan oorspronkelijk de brouwerij zijn geweest. Dat klinkt luxueuzer dan het is. Ook in de veertiende eeuw was het oppervlaktewater meestal ongezond en onbetrouwbaar en schraal bier was daarom ook voor kloosterlingen de normale drank. Bij Windesheim sloten zich nog andere stichtingen aan zoals het Gelderse Mariënborn bij Arnhem (waarvan niets meer terug te vinden is).
Ootmoed, armoede, verlangen om innig verbonden te zijn met Christus in zijn lijden en sterven, als wij daarbij het stedelijk milieu tellen, dan lijken er verwantschappen te bestaan met geestelijke bewegingen die dan al een tweetal eeuwen door Europa gaan. In de twaalfde eeuw is er onrust in de westerse christenheid, die economisch en sociaal grote veranderingen ondergaat. De steden worden belangrijk en zij eisen hun plek in het bestel. Daar is de aan goederen onvoorstelbaar rijke kerk, daar zijn de hoge heren op het platteland, en rondom de koning zijn er de hertogen, de graven en de baronnen. Maar geld blijkt nu een economisch machtsmiddel en niet alleen een instrument voor de pronk van de rijken, die het met handenvol kunnen wegsmijten. De stedelingen weten de macht van de adel te beperken door met de koning samen te gaan. Maar de kerk? De wrevel wordt groter. Wat moet de kerk met die enorme rijkdom aan land en aan inkomsten van het land, waarmee zij haar macht handhaaft ook tegenover de steeds zelfbewuster wordende stedeling? Zo ontstaan de bewegingen, die pleiten voor de armoede, gelijk de apostelen hadden gekend.

Ontstaan van de bedelorden

In Zuid-Europa in de jonge handelssteden van Noord-Italië en Toscane en in het zuiden van Frankrijk, weldra ook noordelijker in riviercentra als Keulen en in de vroege industriegebieden van Noord- en Noordoost-Frankrijk kan het fel toegaan. Dit openbaart zich in de ketterij, de scheuring, de afval van de traditionele katholieke kerk, maar ook in een extatisch en visionair ervaren van de hemelse armoede. Niet buiten de kerk, vurig katholiek, maar wel met felle kritiek op de weelderigheid van de gevestigde kerkelijke machten als de bisschoppen, de aartsdiakens, de kanunniken en de abten van de oude kloosters. Zo zijn de bedelorden ontstaan. Dit was een stedelijk verschijnsel, dat geboren was uit stedelijke onvrede en tegelijk ook uitgroeide tot het antwoord dat de kerk erop gaf. Rome zelf heeft al onmiddellijk de betekenis van de kerkelijke armoedebewegingen ingezien en de nieuwe groeperingen van strijdbare asceten rondom mannen als Franciscus van Assisi en Dominicus, om alleen die twee te noemen, erkend.

Zo hoog gingen de golven van de moderne devotie en de broeders en zusters des Gemenen Levens niet. Ten eerste zijn de bedelorden hun oorspronkelijk elan uit de dertiende eeuw al voor een aanzienlijk deel kwijt. Zij zijn de geleerde orden geworden, die de theologie en de wijsbegeerte op universitair niveau bedrijven, al blijven zij ook voor het volk preken. Wij hoorden al van de afkeer, die de moderne devoten inzake geleerdheid hadden. Ten tweede moeten wij bedenken, dat ondanks

De N.H. kerk te Windesheim was oorspronkelijk een kloosterbrouwerij. Gebouwd eind 14de of 15de eeuw.

De voormalige Broederenkerk te Zutphen, begin 14de eeuw. Rechts: de Bovenkerk te Kampen, 14de en 15de eeuw.

alle economische groei van de gebieden rondom de Noordzee en de Oostzee de aan dat handelscircuit deelnemende steden en landen toch nog minder belangrijk waren dan de centra rondom de toenmalige wereldzee, de Middellandse Zee. Het ging hier minder fel toe, minder kleurig en in gedempter tonen. Het was een protest van een stedelijk geweten tegen de rijkdom en de macht van de kerk en tegelijk een verinnerlijking. Dit typeert ook de spanning die zich in het leven van Geert Groote voordoet. Enerzijds een drang om naar buiten te werken, om te preken, om misstanden aan de kaak te stellen, om de samenleving te verbeteren, en anderzijds het verlangen naar de innerlijkheid, die zijn tehuizen heeft gekenmerkt.

Johannes Brugman

Ook andere predikers hebben in Utrecht, Gelderland en Overijssel gewerkt. De beroemdste onder hen was een bedelmonnik, de minderbroeder Johannes Brugman.

Reliëfs uit de 12de eeuw in de Pieterskerk te Utrecht. Het bovenste reliëf stelt de kruisiging voor, het onderste het ledig graf. Zie ook de volgende blz.

Hij moet omstreeks 1400 geboren zijn; een late overlevering zegt, dat Kempen zijn vaderstad was. Kempen, dat een twintig kilometer ten oosten van Venlo in Duitsland ligt, was toen nog gebied onder de hertog van Gelre. Even voor het midden van de vijftiende eeuw is hij als volksprediker actief in de noordelijke Nederlanden, onder andere in de IJsselstreek. In 1454 heeft hij eens in Kampen bijna zes uur achtereen op het raadhuis voor het stadsbestuur gepreekt. Dit staaltje van zijn kunnen vond de stadsschrijver belangrijk genoeg om op te tekenen. Brugman trad bij die gelegenheid alleen op voor het stadsbestuur. Dat stadsbestuur heeft zich na afloop moeten restaureren met weitebrood, malvezij en zoete wijn. Jan Brugman heeft er de broederkerk nog niet kunnen zien. Deze is een twintig jaar later van 1473 tot 1490 gebouwd. Het is een fors gebouw geworden, een echte preekkerk. Zo is zij ook gebruikt, toen Kampen in 1578 eenmaal geus was geworden en de gereformeerden de kerkelijke lakens gingen uitdelen. Het bijbehorende minderbroedersklooster werd de Latijnse School; een poortje uit 1630 is daar nog een overblijfsel van.

De stroomversnelling is pas de volgende eeuw gekomen, toen de protesten opstaken tegen de gevestigde katholieke kerk met haar leer of leugen, haar gebruiken of misbruiken, haar devoties of superstities, haar rijkdom en haar politieke verbindingen met de heersers. Van de jaren twintig der zestiende eeuw af was het onrustig in Duitsland, Frankrijk, Engeland en de Nederlanden. De katholieke overheid sloeg terug; keizer Karel v zag in de ongeschondenheid van de kerk de garantie van de integriteit van zijn politieke macht. Dat leidde tot verscherpte waakzaamheid tegenover andersdenkenden. De kerkelijke inquisitie vervolgde hen, geschraagd door de burgerlijke rechtbanken van de overheid.

In de eerste helft van de zestiende eeuw heeft de inquisitie in het bisdom ten aanzien van Utrecht, Gelderland en Overijssel niet altijd even hard toegeslagen; in Friesland was zij vrijwel niet actief. Niet dat haar hand niet voelbaar was. Begrijpelijk, er is nogal wat gepreekt naar de aard van de nieuwe reformatorische ideeën, onder andere in Harderwijk en Elburg, maar ook op de Veluwe zelf in Garderen.

Pastoor Jan Gerritsz Versteghe

Pastoor Jan Gerritsz Versteghe heeft wel de toren van de tegenwoordige hervormde kerk in die parochie gekend; die dateert van de veertiende en de vijftiende eeuw. Het tegenwoordige neogotische kerkgebouw dat er tegenaan staat is uit 1859.

Versteghe was omtrent 1520 in het nabije Stroe geboren. In 1544 werd hij pastoor te Garderen. De jonge priester was vervuld van de nieuwe tijd en preekte voor zijn Veluwse boeren naar de ideeën van een humanisme dat de bijbel in het middelpunt zette en er bovenal in las, dat Christus voor alle mensen was gestorven, dat dus iedereen wedergeboren kon worden en zich dan ook diende te richten naar zijn gebod om gehoorzaam en ingetogen te leven. Tegen die ideeën kon niemand veel bezwaar hebben, maar wel was het te bekritiseren, dat hij ze eerder bij de reformatorisch gezinden dan bij het oude katholicisme vond.

De Leuvense hoogleraar Franciscus Sonnius (hij was Frans van den Velde, geboren in Son in 1507), die als inquisiteur met pastoor Versteghe te maken kreeg, verhoorde hem in 1550 in Arnhem. Blijkbaar wilde hij de jonge priester, die in ieder geval een ijverig herder van zijn kudde was, niet te hard aanpakken. Dit kan in die dagen wel eens anders zijn en het was dan ook mild, dat hij na herroeping van zijn dwalingen voor drie jaar in Hattem werd opgesloten en daarna naar Leuven moest om theologisch op het rechte spoor te komen. De herscholing was aan Versteghe echter niet besteed. Hij ontsnapte aan 's lands universiteit en ging vermoedelijk naar Straatsburg.

Vrouwen bij het graf (boven) en Pilatus, reliëfs uit de Pieterskerk te Utrecht.

Zijn boekje *Der leken Wechwyser* verscheen in 1554 onder het pseudoniem *Anastasius Veluanus,* de weder opgestane man van de Veluwe: na de val der verloochening in 1550 was hij herrezen als de verkondiger van de nieuw ontdekte evangelische waarheden. Garderen heeft hij niet weer gezien. Hij is in 1561 gereformeerd predikant in Bacharach aan de Rijn; in 1570 is hij gestorven. Hij was een bescheiden hervormer van het tweede plan, maar Hugo de Groot en Uyttenbogaert hebben hem nog met vrucht en stichting gelezen en in hem een voorloper van hun eigen overtuiging ontdekt, namelijk die van de remonstranten. Een andere Geldersman die wij hier vermelden is Petrus Canisius. Hij zou in de katholieke beweging tegen de Reformatie een zeer grote plaats innemen. Zijn vader was de Nijmeegse burgemeester Jacob Kanis. De zoon, in 1521 geboren, kwam tijdens zijn studie in Keulen onder de indruk van het nog jonge gezelschap der jezuïeten. Deze orde was in 1540 door de paus goedgekeurd en hij sloot zich bij hen aan in 1543. In 1546, Luthers sterfjaar, ontving hij in Rome de priesterwijding in tegenwoordigheid van de stichter van de orde, Ignatius van Loyola. Canisius' carrière verliep verder in het buitenland: in Bologna werd hij doctor in de theologie, in Duitsland heeft hij onvermoeibaar verder gewerkt, tegen de Reformatie in. De Reformatie was voor hem alleen mogelijk door een schromelijk gebrek aan kennis en onderwijs, en het onderwijs moest het instrument zijn om de vloedgolf van de anti-roomse beweging te stuiten. Daarin voorzag hij.

Pro en contra de Reformatie

Petrus Canisius is de belangrijkste bijdrage van Gelderland aan de Contra-Reformatie. Maar hij heeft de overgang van zijn gewest naar het calvinisme, dat de openbare religie beheerste, niet kunnen tegenhouden. Ondanks de steeds scherper wordende maatregelen van keizer Karel v en zijn vertegenwoordigers; ondanks de kerkelijke reorganisatie der bisschopsstoelen in 1559 – waarin Sonnius een groot aandeel heeft gehad –; ondanks de tegenstand van gezeten burgers, de sociale ruggegraat van het Sticht en de handelssteden in Gelderland en Overijssel, die bepaald niet zaten te snakken naar een radicaal calvinisme en het hooguit de vrije hand lieten als zij geen andere uitweg meer zagen; ondanks het verlangen naar een grondige reorganisatie van de traditionele kerk, mits dat geen omverwerping van de gevestigde kerk betekende, ondanks dat alles hebben de gereformeerd gezinden de overwinning behaald. Ach, een aantal factoren van die ontwikkeling is te overzien. Er was een verarmde ridderschap, die in het avontuur van Willem van Oranjes opstand wel iets zag. Er was voorts de verharding van de inquisitie en de vervolgingen in de jaren vijftig en zestig der zestiende eeuw, die ook katholieken ergernis gaf. Verder was er nog de wrevel over de heerszucht van de verre Spaanse vorsten, die de kerk voor hun belangen mobiliseerden, en vooral niet te vergeten, de altijd loerende spanningen bij de onderste lagen van de samenleving. Deze laatste groep werd het eerste getroffen door de economische crisis van die tijd, inflatie, duurte, werkloosheid, slechte oogsten, oorlogshandelingen. Ten slotte is er nog de vaak bedroevende toestand van de geestelijkheid. Maar er waren ook tegenkrachten. Genoemd is al een burgerij die geen revolutie in religieuze zaken wilde. Genoemd kan verder worden het verzet van sommige geslachten van de landadel, die katholiek waren en niet bereid dat prijs te geven op hun goederen en in de parochies waar zij heer en meester waren. Genoemd kan ook worden de afkeer van de harde rechtlijnigheid der vertegenwoordigers van Willem van Oranje in de jaren zeventig zoals Jan van Nassau, die in het Kwartier van Arnhem zijn strakke calvinistische overtuiging doorzette door waar hij maar kon het katholicisme het leven onmogelijk te maken en het protestantisme in te voeren, en de zwager van Willem van Oranje, graaf Willem van den Bergh, die in de zomer van 1572 met zijn soldaten daar waar hij geen geestdriftige ontvangst vond (een aantal edelen in Twenthe en de Graafschap sloot zich graag bij hem aan) moorddadig te keer ging in de Gelderse gebieden. De terreur kwam niet van één kant alleen.

Grote stadskerken blijven gereformeerd

Daarom is het moeilijk om te zeggen, dat het protestantisme wel moest komen in Utrecht, Gelderland en het Oversticht. Maar het is althans in de politieke leiding van deze gewesten gekomen. Een algehele overgang tot de gereformeerde religie heeft niet plaatsgehad. Maar het katholicisme heeft in de grote steden geen kans gehad om openbare religie te blijven. Alle grote stadskerken van deze gewesten in de steden langs de rivieren, maar ook de meeste kerken in de kleinere plaatsen zijn voor de gereformeerde religie ingericht. Alleen op de dorpen, onder de bescherming van katholieke landedelen, kon de oude religie zich hier en daar niet alleen in de harten van de dorpelingen handhaven, maar ook in hun openbare leven.
De verdere geschiedenis van deze gewesten behoeft ons niet bezig te houden; zij is die van alle gewesten inzake het christendom. Er is na de vijftiende eeuw weinig meer gebouwd in vergelijking met wat voor die tijd tot stand is gekomen. De zeventiende en de achttiende eeuw vertonen er ongeveer hetzelfde beeld als elders te vinden is: wat barok en classicisme en in de achttiende eeuw een zekere toeneming van kerken voor andersdenkenden, vooral lutheranen en doopsgezinden. In de negentiende eeuw krijgt iedere gezindte, maar vooral de rooms-katholieke, met nieuwbouw te maken. In de eerste helft van de eeuw is dat in Waterstaatstijl, in de tweede de neogotiek en andere neostijlen. Ook daarvan zijn in Utrecht, Gelderland en Overijssel voorbeelden te vinden.
Maar gezien als historische monumenten vertellen zij toch niet veel meer dan dat de geschiedenis van het gehele land ook de geschiedenis van de afzonderlijke gewesten is geworden.

De koorzijde van de Pieterskerk te Utrecht.

Utrecht

Utrecht wordt hier het eerst besproken. De stad is met haar kerken als het ware de samenvatting van de geschiedenis van het christendom in de noordelijke Nederlanden. Dat het een samenvatting van fragmenten is en dat heel wat van die kerken onherkenbaar zijn veranderd in de loop der eeuwen doet daaraan niet veel afbreuk.
Het aanzienlijkste fragment is de Domkerk. Deze bestaat uit het koor en het transept van de oude, trouwens ook nooit voltooide, kathedraal, waarvan het schip tijdens de orkaan van 1 augustus 1674 omver werd geblazen. Maar het intact gebleven overblijfsel en de Domtoren zijn van een internationaal peil, dat vrijwel nergens in de Noordnederlandse gotiek is gehaald. Het was de kathedralenbouw in Noord-Frankrijk, die kapittel en bisschop aan het denken zette over de vraag hoe zo'n kerk wel zou kunnen zijn. Hierbij moet opgemerkt worden, dat het koor van de Domkerk eerder naar het voorbeeld van de Keulse Dom verwijst dan naar Amiens. Gezien de traditionele band van Utrecht met het keizerrijk is dit een logische zaak. Het is misschien maar goed, dat wij het verdwenen schip niet meer uit eigen aanschouwing kennen. Het is wel waar, dat de prachtige ruimte van koor en transept vraagt om een voortzetting van de wijdheid en weidsheid naar het westen naar het schip toe. Maar de oude prenten van dat schip vertonen een nuchter, kaal, onaf bouwwerk. Het was ook inderdaad niet af. In 1517 was het metselwerk aan de muren gereed en waren de zuilen opgetrokken. Het schip was onder de kap gebracht en

*Interieur van de Pieterskerk te Utrecht.
Deze kerk vertoont nog de
edele statigheid van de keizerlijk-
romaanse stijl.*

De crypt in de Pieterskerk.

daarmee bruikbaar geworden, maar de gewelven van steen, die het hadden moeten afsluiten en de daarvoor noodzakelijke luchtbogen aan de buitenkant, die het gewelf hadden moeten helpen dragen, zijn nooit gebouwd. De storm van 1 augustus 1674 heeft tenminste het esthetisch minst aantrekkelijke deel verwoest.

De Domkerk laat het provincialisme van de Nederlandse gotiek achter zich, ook dat van de Sint-Jan in Den Bosch, alleen het Maastrichtse romaans kan er zich mee meten. Belangrijker voor ons is, dat men aan de middeleeuwse kerken van Utrecht de spanningen en zo men wil tegenstrijdigheden van het christelijk bestaan van toen kan aflezen.

De Janskerk en Pieterskerk

Daar zijn om te beginnen de nog resterende twee oude kapittelkerken naast de vroegere kathedraal, die ook een kapittel had. Die twee zijn de Janskerk en de Pieterskerk.

Eén kathedraal, vier kapittelkerken, een abdij: het is het beeld van een vroeg-middeleeuwse stad. Militair en kerkelijk centrum, een stad van soldaten en geestelijken, of, economisch gezien: een stad alleen van consumenten. Geen handel, geen ambacht bepaalt er het karakter van. Op een klein gebied (de kerken liggen nauwelijks vijf minuten lopen van het middelpunt, de kathedraal, af) staan er de pompeuze geestelijke stichtingen. Van de twee bewaarde kapittelkerken vertoont de Pieterskerk nog het zuiverst de edele statigheid van de keizerlijk-romaanse stijl. Dit is met name het geval in het schip en in de crypt. In de Janskerk is veel meer veranderd. Hier is evengoed als bij alle oude Urechtse kerken het eindeloze verhaal te vertellen van branden, modeveranderingen, restauraties en herbouw van gehele gedeelten (steevast van het koor, dat trouwens ook in de Pieterskerk gotisch is geworden. Het koor is altijd het belangrijkste deel in een katholieke kerk en dat geldt dubbel voor een kapittelkerk, want de kanunniken hielden in het koor de getijdendiensten). In de Janskerk heeft de veranderzucht hard toegeslagen. Er kwam een hoog laat-gotisch koor, dat in de eerste tientallen jaren van de zestiende eeuw gebouwd werd. Hierdoor werd het schip, dat in een kapittelkerk toch al een secundaire functie heeft, nog meer teruggedrongen. Daarna werd de kerk preekkerk en om die reden werd, teneinde meer ruimte te krijgen, in 1657 in het schip om de andere pijler verwijderd. In 1681 werd de westelijke gevel vervangen door een die meer aan de voorkant van een enorm dorpshuisje doet denken dan aan keizerlijke representatie. De negentiende eeuw is schuldig aan de afbraak van de Mariakerk. Wat Pieter Saenredam van dit gebouw op doek heeft gebracht laat ons zien welke barbarij die vorige eeuw ook in Utrecht kenmerkte. U moet maar eens gaan kijken naar de roomse kerk van Sint-Augustinus op de Oude Gracht, werkstuk van K.G. Zocher uit de jaren 1839 en 1840. Ook hier een terugblik (want het woord 'inspiratie' wil er in dit geval niet goed uit) op de klassieken, maar van iemand (bouwheer of bouwmeester: zij zijn beiden schuldig), die vond dat men met een stel fikse zuilen en een driehoekig timpaan altijd een 'deftig' effect bereikte.

De kerk volgde de stadsuitbreiding

Trecht werd Utrecht en de leken kwamen hun plaats in de kerk opeisen. Die was er niet of nauwelijks voor hen in kapittelkerk en abdij. In het begin van de twaalfde eeuw gaat zich een stadspatroon ontwikkelen, dat als het ware buiten en gedeeltelijk dwars over de kerkelijke stad van bisschop Bernold heen gelegd wordt. De parochiekerken gaan ontstaan, voor de handelaren, de ambachtslieden en de edelen die zich in de stad vestigen of uit de stedelijke notabelengroep voortkomen. De oudste, de Sancta Maria Maior, beter bekend als de Buurkerk, is al genoemd; omstreeks 1130 is ervan al sprake. Er komen andere bij, zoals de Geertekerk. Deze kerk is toegewijd aan de Heilige Gertrudis van Nijvel, bekend uit de geschiedenis van Brabant. Nu kerken er de Remonstranten. Omstreeks het midden van de dertiende eeuw is zij in de zuidwesthoek van de stad gebouwd. Enkele tientallen jaren later verrees in het noorden de Jacobikerk. Aan de zuidkant van Utrecht bouwde men de Klaaskerk, naar de oude patroon van de kerk: de heilige bij uitstek van de schippers, Sint-Nicolaas van Myra. Geen van alle zijn zij onveranderd gebleven.

Dat waren de kerken van de leken en de wereldlijke priesters. Het was een geheel andere wereld dan de statige, zij het helaas niet altijd voor ordinaire ruzies gespaarde kapittels. Hier gold niet een ontwerp op het kruismodel geïnspireerd; de kerk volgde de stadsuitbreiding. In de stad behoren ook de latere orden thuis en hun huizen hebben eveneens kerken en kapellen en ook die zijn in Utrecht terug te vinden. Zo was de Sint-Catharinakerk, die nu de kathedraal van de rooms-katholieke aartsbisschop is, oorspronkelijk de kerk van de karmelieten. Zij begonnen omstreeks 1470 met de bouw ervan en deze is door de ridders van Sint-Jan, die het complex hadden overgenomen, in 1551 voltooid. Verder noemen wij nog het agnietenklooster, dat met zijn kapel gedeeltelijk in het Centraal Museum is opgenomen; het klooster van de tertiarissen van de franciscanen; Sint-Nicolaas, nu deel van de universiteit, en het minderbroedersklooster. Er is een kerk in gebruik, die vroeger geen kerkelijke bestemming had, namelijk het oude Gasthuis Leeuwenberg, dat als pesthuis is gebouwd. De hospitaalzaal (een van de weinige, die in ons land

Geheel boven, de Buurkerk te Utrecht, 14de en 15de eeuw, vanaf de Domtoren gezien. Boven: de Geertekerk te Utrecht omstreeks 1300, is nu een remonstrantse kerk.

nog uit de middeleeuwen over zijn) is nu bij de vrijzinnige protestanten in gebruik.

Geen behoefte aan nieuwbouw

In een stad zo vol van kerken had niemand bij de invoering van de gereformeerde religie behoefte aan nieuwbouw. Utrecht was wel een redelijk grote stad in de zestiende eeuw (al telde Holland al veel groter steden), maar bij het onttrekken van de kathedraal en de oude kapittelkerk en kloosterkapellen aan hun oorspronkelijke bestemming zat men zeer ruim in zijn kerkelijke capaciteit. De vier bestaande parochiekerken hadden alleen de behoefte al aangekund. Bovendien werd Utrecht een stad van het tweede plan, zonder de stormachtige ontwikkeling in bijv.

Onder van boven naar beneden: de Klaaskerk, 12de–15de eeuw; de Sint-Catharinakerk, en de neogotische Sint-Willibrorduskerk (1876–1877) te Utrecht. Rechts: de N.H. kerk, 15de eeuw, te Wijk bij Duurstede.

Amsterdam. Daarom geen nieuwbouw, hooguit verbouwing of sloop. Wat er in de achttiende eeuw nieuw is gebouwd, is werk van de kleinere geloofsgemeenschappen. De doopsgezinden zagen hun zaalkerk in 1772 en 1773 verrijzen en de lutheranen verbouwden in 1745 de oude kapel van het Ursulaklooster tot een plechtige barokke zaalkerk. In dit opzicht verschilt Utrecht niet van de rest van het land.
Meer nieuwbouw is er uit de negentiende eeuw te vermelden. Genoemd is al de Sint-Augustinuskerk uit de eerste helft van die eeuw. Uit de tweede helft stamt de heel hoog opgaande Sint-Willibrorduskerk, waar het interieur de geest van de romantische bewondering voor de middeleeuwen draagt. Decor en meubilair dragen het stempel van het Sint-Bernulphusgilde, dat in 1869 opgericht was ter bevordering van de eigentijdse (dus neostijlen-) kunst en de waardering voor de middeleeuwse kunst.
Nu dat wat in de jaren twintig nog als monsterlijke pastiche werd gevoeld tot antiek is verheven, is er voor de liefhebbers wel iets te zien.

*De N.H. kerk te IJsselstein, 15de eeuw?
Het onderste van de toren is in
renaissancestijl, 1552. De tweede
achtkant is van 1633–1635, de bekroning
vond veel later, 1925–1927, plaats.*

Navolgingen bouw van de Domtoren

Utrecht heeft zich ook elders in de kerkbouw voelbaar gemaakt. Zo is de grote kerk
in Deventer, eertijds aan de H. Lebuïnus gewijd, van oorsprong een kerk die veel op
de oude kapittelkerken van Utrecht heeft geleken. Men kan dit in de crypt nog zien.
Dit is niet zo verwonderlijk, want ook deze kerk is onder bisschop Bernold
gebouwd. Maar het meest in het oog lopen de navolgingen van de formule waarmee
de Domtoren is gebouwd. Op veel plaatsen in het diocees komt men dergelijke
torens tegen; de kritiek van Geert Groote heeft blijkbaar weinig uitgehaald. In de
provincie Utrecht staan er verschillende, onder andere de Lange Jan in Amersfoort,
de toren van de hervormde kerk in Loenen en dat bijzonder elegante bouwwerk dat
de Cunerakerk in Rhenen siert. Twee voorbeelden van verder weg mogen hier nog
worden genoemd: de Martinitoren in Groningen (dat was nog kerkelijk gebied van
Utrecht) en de toren van de Sint-Jan in Maastricht dat behoorde tot het diocees
Luik.
Wat nog te noemen? Wijk-bij-Duurstede, waar David van Bourgondië zich in 1459
vestigde? Hij was de in Utrecht weinig welkome bisschop en vertegenwoordiger der
Bourgondische belangen. Hij wilde de kapittelkerk uitbouwen tot iets dat meer
overeenkwam met zijn hoogheid: hij was immers bastaard van Philips de Goede van
Bourgondië. De torenstomp van de kerk laat zien hoe kostbaar en geraffineerd
David zich zijn verbouwing had gedacht... Neen, toch maar liever wat aandacht
voor een andere kapittelkerk in het Utrechtse: IJsselstein.

Sint-Nicolaaskerk van IJsselstein

IJsselstein was een kasteel en de heer ervan, Gijsbrecht van IJsselstein, en zijn vrouw
Bertha van Heukelom kregen van de Utrechtse bisschop Guy van Avesnes in 1310
toestemming om bij de vestiging, die bij hun slot was gegroeid, een parochiekerk te

Interieurs van de N.H. kerk te Oudewater, 14de en 15de eeuw. Opmerkelijk is het ontelbaar aantal nuances van licht in deze kerk.

bouwen. Zij zijn er begraven en hun tombes zijn nog aanwezig in de kerk, evenals die van hun zoon Arnold van Avesnes en diens vrouw. Nog een vijfde tombe moet vermeld worden. Dit is de tombe van Aleid van Culemborg, de vrouw van een latere IJsselstein, namelijk van Frederik. Zij is in 1471 overleden en een zeventig jaar later is haar renaissancegraf vervaardigd.

Deze Sint-Nicolaaskerk werd in 1397 kapittelkerk. Het was niet de meest vreedzame tijd die zij in die hoge waardigheid tegemoet ging. De vele twisten tussen Utrecht en Gelre hebben haar niet onberoerd gelaten. Maar in de jaren dertig van de zestiende eeuw was althans in IJsselstein de wereld niet al te bewogen. Het is te zien aan de nieuwe toren, die de kerk tussen 1532 en 1535 heeft gekregen. Die toren week geheel af van wat men was gewend. Een uit Bologna afkomstig architect, Alessandro Pasqualini, die in die tijd werkte voor Floris, graaf van Buren, heeft haar ontworpen. Floris was een machtig man en was voor Karel v een tijdlang stadhouder van Gelre, Friesland, Holland en Zeeland. Hij was de grootvader van Anna van Buren, die in 1551 met Willem van Oranje trouwde. Hierdoor kwam het graafschap Buren aan de Oranjes. Nog altijd is aan het kleine stadje de deftigheid van het oude graafschap af te zien. Helaas is er vrijwel niets meer van het oude kasteel, waar Pasqualini in diezelfde tijd druk mee bezig was, over. Het kasteel is in het begin van de negentiende eeuw gesloopt. Er zijn nog wat resten van zoals zuiltjes, gebeeldhouwde stenen, maskertjes en wat natuurstenen boogsegmenten, die op de renaissancesmaak van Floris wijzen. Misschien is de kerktoren van Buren door Pasqualini voorzien van de renaissance-achtkant die er nu op staat. Op zijn beurt heeft in 1665 de architect van de Oranjes, Pieter Post, hier nog weer een verdieping op gezet om de wijzerplaat van de klok te dragen. Daarop liet Post een houten lantaarn aanbrengen. Zo tekent zich daar in Buren de geschiedenis van de bemoeienissen der Oranjes met de vaderlandse kerkarchitectuur af. In IJsselstein zien wij meer van het werk van Pasqualini. De drie onderste geledingen, met de rondbogen, en de eerste achtkant daarboven zijn van hem. Er zijn al spoedig de onvermijdelijke branden en herstellingen. De tweede achtkant is na een brand van 1568 in de jaren 1633 tot 1635 gebouwd. De derde plus de bekroning is tot stand gekomen na de brand van 1911, die trouwens ook de kerk ernstig beschadigde. Die bekroning was ontworpen door architect M. de Klerk, een der scheppers van de Amsterdamse school. Het geheel is een harmonie van bijna vier eeuwen. De kerk zelf is na de woelingen van de vijftiende eeuw herbouwd als een pseudo-basiliek met een koor en omgang. De ronde zuilen geven het geheel een opmerkelijke doorzichtigheid.

Montfoort

De weg van IJsselstein naar Oudewater naar de andere kant van de Lopikerwaard is niet bijzonder lang. Men komt langs de Hollandse IJssel nog langs Montfoort, gegroeid bij een burcht van bisschop Godfried uit de tweede helft van de twaalfde eeuw. Deze burcht was bedoeld om zich de Hollanders van het lijf te houden (de kerk is uit ongeveer 1500 en is ook al een kapittelkerk geweest).

Oudewater

Oudewater is het doel. Ik behoef de lof van dit stadje niet te zingen, wie er komt gaat het vanzelf doen, zoals de jongen die langs de gracht fluit in het begin van Gorters *Mei*. De geschiedenis is wat prozaïscher, zij het niet minder bewogen. In de tiende eeuw is het ontstaan en in de twaalfde eeuw werd het een streekcentrum. Het viel onder het gezag van de bisschop van Utrecht. Bisschóp Hendrik van Vianden verleende het in 1265 stadsrechten, waaruit blijkt dat het niet zonder betekenis als handelsstad was. Jan van Nassau, elect (dus wel gekozen, maar nog niet pauselijk geaccepteerde bisschop) van Utrecht, gaf het aan Floris v in pand voor een lening. Zo kwam het in 1280 onder Hollandse jurisdictie. Het is lang zuchten onder vreemde heerschappij geworden. Utrecht had blijkbaar nooit geld genoeg om het pand in te lossen en pas in 1970 is Oudewater weer Utrechts geworden. Dat het onderwijl als grensstad van Holland in de veertiende en vijftiende eeuw zwaar te lijden heeft gehad, is begrijpelijk. Het is in de eerste tijd van de Tachtigjarige Oorlog niet gelukkig geweest: de geuzen bezetten het in 1572, de Spanjaarden heroveren het in 1575 en branden het plat, in 1577 kan het zich weer bij de opstand aansluiten. Oudewater is een van de weinige steden, die zich aan de door Willem van Oranje beraamde religievrede hebben gehouden. Dit is nog steeds te merken. Van de bevolking is 57 % katholiek, 26 % hervormd en 11 % gereformeerd. In IJsselstein is ook de meerderheid katholiek; daar zijn de percentages resp. 53 %, 28 % en 5 %. Montfoort telt trouwens nog veel meer katholieken, namelijk 71 % van de bevolking. Verder is er 23 % hervormd en 4 % gereformeerd. Toevalsfactoren kunnen ook wel eens in het spel zijn. Hoe valt anders te verklaren dat Lopik, eenmaal bezit van het Utrechtse kapittel der Mariakerk en uitgangspunt voor de ontginning van de Lopikerwaard, maar 25 % katholieken telt en de hervormden met hun 59 % in de meerderheid zijn?

Maar de gereformeerde religie heeft wel beslag op de Grote Kerk in Oudewater kunnen leggen. Het gebouw heeft alweer een lange geschiedenis. De geschiedenis begint eind 13de eeuw wanneer de romaanse zaalkerk een koor en een transept krijgt (dat rechte koor is weg, maar de bekapping ervan is nog aanwezig, vertelt het *Kunstreisboek voor Nederland*). Daarna wordt in het laatste kwart van de veertiende eeuw het rechte koor door een veelhoekig vervangen. Vervolgens wordt de kerk begin vijftiende eeuw tot hallekerk herbouwd: de kooromgang wordt recht afgesloten en een transept wordt ingebouwd, waardoor met name aan de oostzijde de doorzichtige ruimte is ontstaan, die een eindeloos boeiend lichtspel mogelijk maakt.

Van buiten is de toren het meest opmerkelijke deel van de kerk. Hij is gedekt met een zadeldak, dat hier helemaal niet thuis hoort. Zulke daken zijn te vinden in het noorden, vooral in Friesland. Bovendien staat dat zadeldak haaks op het dak van de kerk. Dat is in overeenstemming met de toegang, die namelijk niet in de westelijke wand is aangebracht, maar noord-zuid loopt (in Vianen is iets dergelijks te zien). Dit is nog niet alles. Dat zadeldak is namelijk aan de nok weer afgeschuind, zoals dat nog wel eens het geval is bij boerderijen op de Veluwe, in de Achterhoek en in Twenthe. Technisch gezegd heeft de toren een zadeldak met wolfseinden. Er is lang aan de toren gewerkt, van ongeveer 1300 toen althans in wat afgelegen oorden als Oudewater de romaanse rondboog nog niet als verouderd gold, tot aan het einde van de veertiende eeuw toen de spitsboog in de mode was gekomen.

Vergeet nu maar alles, en kijk hoe de kerk en de toren zich weerspiegelen in het grachtje, kijk naar de zuiverheid van raam en wand, amuseer u met de charmante en deftige aanbouw tegen de zuidelijke hal, vraag u even af waarom trouwens die zuidelijke wand plotseling twee recht afgedekte steunberen heeft te midden van de logischerwijs schuin afgedekte, ga ten slotte naar binnen en verheug u over een blankheid, die laat zien dat wit maar een grove aanduiding is voor een ontelbaar aantal nuances van licht.

Van Zeist naar Amerongen, Rhenen

Helaas, bijna genoeg over Utrecht; naar het oosten gaan wij, via de oude weg van Utrecht naar Arnhem, over Zeist (hervormde kerk, 1843, neogotiek op zijn Engels),

De r.-k. kerk te Rijssenburg, 1809–1810. Het halfronde plein ervoor wil een imitatie van het Romeinse Sint-Pietersplein zijn.

De Hervormde kerk te Amerongen, 15de begin 16de eeuw. Het schip is vijftiende-eeuws, en het hoge gotische koor moet omstreeks 1500 zijn gebouwd.

Oksaal, omstreeks het midden van de 16de eeuw, in de Cunerakerk te Rhenen.

Rijsenburg (de heer van het dorp was katholiek en liet in het hart van het dorp het Sint-Pietersplein van Rome in miniatuur aanleggen: halfcirkelvormig, met aan het einde de kerk. Het geheel, vroeg negentiende-eeuws, is nog te zien), Doorn (de oude parochie daar was verbonden met het Utrechts Domkapittel; de hervormde kerk was eens aan Sint-Maarten gewijd), Leersum (het kleine kerkje, dat eens grandioos naar de aartsengel Michaël heette is van ongeveer 1300, maar er is in de loop van de tijd het nodige aan verbouwd en de restauratie van 1937 is niet alleszins gelukkig geweest), en dan Amerongen. De hervormde kerk, eenmaal de apostel Andreas toegewijd, doet het goed op het kerkplein tussen de kleine huizen. Het schip is in zijn tegenwoordige gedaante vijftiende-eeuws, het hoge gotische koor moet omstreeks 1500 zijn gebouwd en de glorie van de kerk, haar toren, is iets later. Die is alweer een inspiratie van de Domtoren uit, maar evenmin als haar andere Utrechtse zusters, zoals in Loenen, in Eemnes-Buiten en elders nog, daarvan geen slaafse navolging. Van binnen heeft de zeventiende-eeuwse onhebbelijkheid om zuilen of pijlers weg te nemen in het schip (het is in 1661 gebeurd) de ruimtewerking niet gedisciplineerder gemaakt. Van Amerongen naar Rhenen. De rivier komt dicht langs de weg en na enkele bochten kan men dan ineens de toren van de Cunerakerk zien verrijzen. Die toren is blank en speels en onvergetelijk als de hemel fel blauw is of looddonker van een opkomende onweersbui. Het kan nog weleens onweren tussen de lage Betuwe en de hoge kant van de Utrechtse heuvelrug. In Rhenen moet men de tijd nemen en kan men zich verwonderen over het feit dat na zoveel oorlogsellende in het verre verleden

en in deze eeuw de kerk en haar toren er nog staan te zingen van een kerkelijke rijkdom, die met fantasie en smaak gepaard gaat. Wederom, wat de toren betreft, is er de inspiratie van de Domtoren. Hij is bijna anderhalve eeuw later voltooid; er is van 1492 tot 1531 aan gebouwd. In de kerk is het belangrijkste het oksaal, dat van kort na het midden der zestiende eeuw dateert. Opnieuw komen wij de renaissance tegen. Ook de Cunerakerk was eenmaal een kapittelkerk en in 1570 zijn de koorbanken geplaatst die er nu nog staan.

Dat oksaal is een luxueus werkstuk met zijn vele voorstellingen van de deugden, die in de middeleeuwen en nog lang daarna zo keurig gerangschikt konden worden. De sculpturen van de zangersgaanderij – Christus en de apostelen zullen erop hebben gestaan – zijn verdwenen. Hebben de gereformeerden gedacht: het oksaal is een kostbaar stuk, de deugden die erop te zien zijn, gelden voor ons ook, en het bouwsel sluit het koor, dat wij toch niet meer nodig hebben, goed af? Alleen wat de nieuwtestamentische beelden betreft: dat kon niet, die gaven de vromen van de nieuwe religie aanstoot.

VROME PELGRIMS

Het kapittel had aanzienlijke inkomsten uit de pelgrimages naar de heilige Cunera. Zij was naar de legende een van de elfduizend Maagden van Sint-Ursula. Zij werd door een koning meegenomen naar Rhenen, waar 's konings gade in hevige jaloezie ontstak en haar wurgde. Haar graf werd een bedevaartsoord en haar beeldje uit de veertiende eeuw is nog te vinden aan de toren boven het portaal. Wij hebben in de noordelijke Nederlanden niet zoveel kerken waar men nog aan kan afzien hoe vrome pelgrims maakten, dat de kerk van hun heilige financieel ruim in de middelen zat.

De koorbanken in de Cunerakerk te Rhenen dateren uit de tweede helft van de 16de eeuw (boven). Het beeld van de H. Cunera is uit de 14de eeuw (midden). Detail van het zeer kostbare oksaal met zijn vele voorstellingen van de deugden.

Schildering van wapens in de koepel van de vijf Utrechtse kapittels, de provincie, de Duitse Orde Balije van Utrecht, het bisdom van Utrecht, in de N.H. kerk te Renswoude, 1639–1641.

Gedenksteen voor de Deventer dichter en predikant Jacob Revius in de Grote Kerk te Deventer.

Renswoude

Om te zien hoe het in de zeventiende eeuw werkelijk moest als het om een gereformeerde kerk ging, moeten wij in dit gewest naar Renswoude. Daar liet de heer van Renswoude een gereformeerde slotkapel bouwen, waarvoor hij in 1639 de eerste steen legde. Wie deze kerk gebouwd heeft is niet bekend, maar hij moet een zeer vooraanstaand architect zijn geweest. De kerk is een centraalbouw: een plattegrond in een Grieks kruis met bijzonder korte armen en daarboven een achtkantige lantaarn, door een koepel bekroond; daarop weer een klokketorentje. Het interieur is rijk door de vele wapenborden en de rouwkassen van de meesters van Renswoude, die trouwens deze kerk tot 1922 in hun bezit hadden. Een zuiver protestantse kerk en de breuk met de oude bouwtrant, berekend op de katholieke viering, is er duidelijk genoeg. Maar toch, ga de kerk in en kijk omhoog naar de schilderingen in de koepel. In het midden de zon, maar in de acht bolsegmenten waaruit de koepel bestaat staan wapens geschilderd. Deze wapens zijn nu niet van de familie, maar van het Utrechtse kathedrale kapittel, de vier andere kapittels, van het bisdom, van de Utrechtse Staten en van de Duitse Orde Balije van Utrecht. De religie mag veranderen, de kapittels mogen dan niet meer in hun kerken de getijden bidden, maar de instellingen blijven bestaan, rooms of niet en zij blijven in notabele handen. De religie is niet de enige factor die het voortduren van oude kerkelijke instituten bepaalt.

Lebuïnuskerk te Deventer

Van het Oversticht was Deventer het belangrijkste kerkelijke centrum. Het was het uitgangspunt van de kerstening van Salland, economisch opgebloeid als handelsstad en middelpunt van de beweging van de Broeders des Gemenen Levens. In de zeventiende eeuw is een van de belangrijkste calvinistische dichters er predikant geweest. Dit was Jacob Reefsen, die zich deftiger Revius noemde. Hij kwam er in 1614 in die functie en heeft er zijn stempel op het geestelijk leven gedrukt. Dat hij heeft meegewerkt aan de Statenvertaling zij genoteerd, maar liever is hij mij als de dichter van de *Over-IJsselsche sangen en dichten*. Een onnozele titel, die volstrekt ten onrechte de associatie van provincialisme oproept. Hij bezingt het gewest niet, maar zijn dichten heeft het rijk van God tot onderwerp. Revius kan zich beklagen dat hij in een taal met een kleine verspreiding heeft geschreven; was zijn vaderland Frankrijk of Engeland geweest, dan hadden wij allang een betaalbare uitgave van al zijn gedichten.

Dan is daar de Lebuïnuskerk. Deze kerk is al vaker genoemd en is van oorsprong een 'Utrechtse' kapittelkerk. Omdat de kannuniken de kerk te veel nodig hadden voor hun eigen riten en bovendien niet zo gesteld waren op het onaangename lekenvolk van laag alloi, hebben zij naast de Lebuïnus een parochiekerk laten bouwen. Daarvan is alleen de ruïne over. De elfde-eeuwse kapittelkerk waar de tegenwoordige Grote Kerk uit is voortgekomen is een van de grootste en meest imposante romaanse kerken geweest, niet alleen in de noordelijke Nederlanden maar in het hele Duitse rijk. Er is ook nu nog veel te zien; alleen al de overblijfselen van de muurschilderingen en de grote oude crypt leggen de bezoeker de verplichting van aandacht op.

Bergkerk

En toch, waarom zou mijn hart altijd weer naar de Bergkerk trekken? Zij is evenals de Lebuïnus nu een hervormde kerk. Vóór de Reformatie was zij aan Sint-Nicolaas

De bergkerk te Deventer. Oorspronkelijk uit 1200, verder 15de-eeuws.

De Grote Kerk van Zwolle, 14de- en 15de-eeuws. Een van de mooiste kerken die ons land rijk is. Volgende blz. geheel onder: *gewelf uit deze grote hallekerk.*

gewijd, de patroon van de varende mens en de koopman. Hier in de buurt heerste eens de bedrijvigheid van handel en ambacht. Deventer had in de vijftiende eeuw, toen de stad toch al wat op haar retour was, nog vijf grote jaarmarkten en was het handelscentrum voor een wijde omtrek, tot in West-Duitsland toe. De straten van het Bergkwartier zijn nauw en bochtig. Nauwe straten in een stad betekenen ruimtegebrek, er moest veel leven kunnen bestaan op een klein areaal. In dit geval moesten zij ook nog de heuvel op. Op het hoogste punt staat de kerk, een toch al bijzonder hoogoprijzend gebouw, dat nog rijziger lijkt door die hoogste plek. Zij staat op een ruim kerkhof en laat zich aan alle kanten goed bekijken, maar feitelijk wel altijd van onderaf, hetgeen haar hoogheid nog groter maakt. Er wordt gerestaureerd in de buurt en dat is goed. Deventer, Utrecht en Maastricht zijn onze oudste steden. Alleen – nu ja, alleen kan zo'n buurt te fraai worden, te stijlvol, te museaal. De rommeligheid van een echte stad gaat verloren. Misschien geldt die klacht ook wel voor de Bergkerk. Haar grandeur is vooral haar ligging. Van binnen is zij donker doordat de ramen te klein en ook te hoog zijn om veel licht toe te laten. Het westfront met de twee torens verraadt in zijn opzet nog de romaanse oorsprong. Zo'n blok aan die zijde hebben bijvoorbeeld ook de twee grote romaanse kerken van Maastricht en de oude abdijkerk van Susteren. De Lebuïnuskerk heeft ook een zware bouw in het westen gehad.

In een stad als Deventer mogen wij ook bedelorden verwachten. Van het minderbroedersconvent is de Broerenkerk van de heilige Lebuïnus over. In Zwolle zijn meer sporen van oude kloosters overgebleven.

De Grote Kerk van Zwolle

Zwolle was in de vijftiende eeuw religieus en cultureel belangrijk wegens de activiteiten van de broeders des Gemenen Levens en wegens zijn stadsschool. Maar in de oudste documentaire vermelding van Zwolle wordt de parochiekerk in 1040 door bisschop Bernold aan het kapittel van Deventer geschonken. Die kerk stond waar nu de grote kerk staat, eertijds aan de aartsengel Michaël toegewijd. Kerkelijk stond Zwolle achter bij Deventer. Dat wil niet zeggen dat de zelfbewuste Zwollenaren van de veertiende eeuw genoegen wensten te nemen met hun oude kerk. Om en nabij 1370 begonnen zij met een nieuwe. Het moest een grote hallekerk worden. Die ontstond nu eens niet uit een verbouwing, maar was nieuwbouw, al zijn elementen van de romaanse voorganger opgenomen in de kerk die wij kennen. Veel ruimte had men niet, waardoor het ook niet zo gemakkelijk is om een ruime kijk op deze kerk te krijgen. Een gevaarte, en waar is de rest? – die vraag komt op, als wij vanuit het een of andere straatje er zicht op krijgen. Maar een kerk moet men ook van binnen zien, en binnen blijkt zij een van de prachtigste kerken die wij hebben. Het meubilair is rijk-gereformeerd. Het bestaat uit het koorhek uit 1597, de kansel, hoofdmeubel in een voor de gereformeerde religie ingerichte kerk en hier een kostbaar wonder van houtsnijwerk waar men niet op uitgekeken raakt, en dan het orgel. Het is tussen 1719 en 1721 gebouwd door de Hamburgse orgelbouwers Schnittger en de kas is van de Amsterdammer Jurriaan Westerman. Het is een van de mooiste orgels van ons land.

De Peperbus

De toren die dicht bij de Grote Kerk omhoog steekt, is van de Onze Lieve Vrouwekerk, die daar vlak bij ligt. Deze kerk, bij de katholieken in gebruik, is van 1463 af gebouwd ter vervanging van een kleine kapel uit 1393. Met de toren moet men in de jaren tachtig van die vijftiende eeuw zijn begonnen. De kerk is

Orgel en detail van de onderkant van het orgel, omstreeks 1720 ; koorhek uit 1597 ; de preekstoel met details 1617–1622, in de Grote Kerk te Zwolle.

oorspronkelijk eenbeukig en bijzonder hoog van binnen. Dit is een eigenaardigheid, die zij met meer kerken uit de IJsselstreek deelt. De Deventer Bergkerk is ook al rijzig en de Kampense Bovenkerk (ook al oorspronkelijk een Sint-Nicolaaskerk en om dezelfde reden als de Bergkerk) vertoont dezelfde eigenaardigheid. Met de toren van de Zwolse Lieve Vrouwekerk is het nodige gebeurd. Nog voor het midden van de zestiende eeuw kwam op de vierkante onderbouw een open achtkantige lantaarn, de afdekking daarvan brandde in 1815 af en in 1828 kwam er de tegenwoordige koepel op. Zo werd de Peperbus de Peperbus.

Kloosterkerken

Van de kloosterkerken zijn er nog enige over. De oudste daarvan is niet meer als kerk in gebruik. Dat is de Bethlehemse kerk, eens de kapel van het klooster der augustijner koorheren, dat in 1309 werd gesticht. De kapel stamt uit de vijftiende eeuw en is een tweebeukige hallekerk. Dan is er de Waalse kerk, een vroegere begijnenkapel van omstreeks 1500 ; hun samenleving is tegen het einde van de veertiende eeuw gesticht. Ten slotte de broerenkerk, ditmaal niet van de minderbroeders, maar van de dominicanen. Hun klooster werd in Zwolle in 1465 gesticht en hun ruime hallekerk is in 1512 gewijd. Dat de dominicanen een hallekerk lieten bouwen is wel te begrijpen. Een hallekerk kan veel mensen bevatten, is dus geschikt als preekkerk.

Kampen

Ten slotte naar de monding van de IJssel, waar Kampen ligt. De hoge Bovenkerk (27 meter onder het gewelf) is al genoemd. Genoemd is ook de Broerenkerk, in de tweede helft van de vijftiende eeuw gebouwd als preekkerk voor de minderbroeders. Nog moet uit de middeleeuwen genoemd worden de Buitenkerk, die als Onze Lieve Vrouwekerk de katholieken herbergt. Dit is een tot hallekerk verbouwde veertien-de-eeuwse kruiskerk.
Er zijn weinig stijltegenstellingen te bedenken die zo groot zijn als die tussen de Bovenkerk en de Lutherse Waterstaatskerk, die van 1843 dateert. De oude Sint-Nicolaaskerk is altijd een parochiekerk geweest, maar dan kennelijk van parochianen die zich voor de bisschop niet te min achtten. Zie naar dat hoge koor, dat ook hierdoor evenals het schip de rijzigheid suggereert, dat doet vergeten dat het triforium ontbreekt. Tussen de lancetten van de bogen der koorafsluiting en de hoge ramen bevindt zich alleen een lijst en geen geprofileerde band van een galerij met zuilen en bogen. De opgaande stroom van de ruimte spat uiteen tegen het netwerk van het gewelf, een fonteinstoot die bovenaan in glinsterende druppels uiteenwaaiert. Geen prelaat kon grootser tronen. Ook lager is het een fraai geheel zoals het renaissancekoorhek van 1552. De schippers van Kampen kunnen een dergelijk hek in de Sint-Gommaruskerk te Enkhuizen hebben gezien, dat is een jaar of tien ouder. De preekstoel is een grote zeldzaamheid. Hij is nog gotisch en omstreeks 1500 van de steenhouwer gekomen. Vóór de Reformatie was hij nog rijker met zijn vergulde lijsten en randen en de bonte beeldjes van heiligen, die onder de stenen baldakijnen hebben gestaan. Maar een gereformeerde preek van een preekstoel met een santekraam was niet aanvaardbaar. Tot troost hebben de gereformeerde heren gezorgd voor andere opschik zoals met name grafmonumenten. Het grote bord met de Tien Geboden herinnert eraan, dat Gods wet boven de instellingen van de mensen dient te gelden. Maar het monumentaalst is het enorme orgel, waar koning David met een heel hemels orkest zorgt dat het verdwijnen van de paapse beelden althans enigermate met nieuwe poppen is gecompenseerd.

Het Lutherse kerkje

Dan naar dat lutherse kerkje met zijn reuzenzuilen en zijn deftig koepeltje, bekroond door dat lutherse kenmerk van het luthers gelijk : de zwaan. In de kerk – een zaalruimte – komt die zwaan nog eens boven op de preekstoel terug. Het is een naturalistisch weergegeven beest op een nest waarvan de takken al even naturalistisch zijn gesneden, alleen wel van meer dan natuurlijke grootte. Een deftig geheel in wat voor de notabelen van toen een bedaarde en deftige woonstee geweest moet zijn – zie maar de huizen langs de IJsselkade. Ga dan niet te veel door de steegjes van de binnenstad. Toen de lutherse kerk werd gebouwd, was het al lang uit met de koopmansglorie van Kampen, die haar koopmansheilige in zijn kerk grootsteedser heeft geëerd dan de Amsterdammers het deden in hun Oude Kerk, die ook eens een Sint-Nicolaaskerk is geweest. Wat meetelde was bedaard en deftig geworden. En vervelend, sentimenteel en gevoelloos.

De Onze Lieve Vrouwekerk, Zwolle. De kerk is oorspronkelijk eenbeukig en bijzonder hoog van binnen. Een eigenaardigheid die meer voorkomt in de IJsselstreek.

Oldenzaal

Oldenzaal was in de middeleeuwen een belangrijk steunpunt voor de militaire kracht, nodig voor de beheersing van Twenthe; het was de enige stad die terdege was versterkt. Daar staat de kerk van Sint-Plechelmus. Deze kerk was eens een van de belangrijkste kapittelkerken uit het bisdom. De kerk dateert hoofdzakelijk uit de laatste helft van de twaalfde eeuw en met name aan de noordkant is te zien hoe het geheel geweest moet zijn: zwaar, bijna log, Westfaals. Eerder een vesting van geestelijken dan een geestelijke vesting. In het schip is de heldere en onverzettelijke dispositie van dit Duits-keizerlijke romaans te ervaren: breed onder zijn oude

De Bovenkerk in Kampen. Afgebeeld zijn het koorhek met een detail (1552), de stenen preekstoel met een detail (omstreeks 1500) en het orgel met een detail 1676–1686.

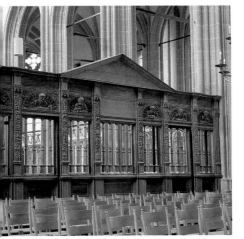

kruisgewelven, iedere travee twee poorten naar de zijbeuk, daarboven twee hoge lichtvensters, representatief en onbeweeglijk als een Ottoons statieminiatuur. Ook hier dreigde tegen het midden van de vijftiende eeuw de grote mode van de hallekerk toe te slaan. Men begon het oude romaanse koor af te breken en te vervangen door een gotische afsluiting, die met haar grote ramen bijna indecent aandoet aan het einde van de strenge ingetogenheid van het schip. Erger nog, men brak ook de zuidelijke zijbeuk af en bouwde een nieuwe, even hoog en breed als het schip. Die werd doorgetrokken tot aan het transept. Verder kwam men gelukkig niet. Als men maar niet te veel naar de zuidkant kijkt behoudt men nog de indruk van de vroegere gave grootheid. Aan de westzijde staat een zware toren, die uit de tweede helft van de dertiende eeuw stamt. Hij kan bedoeld zijn als behuizing van een westelijk koor, waar de missen voor de parochie plaats konden hebben. Het oostkoor was voor de kanunniken bestemd. De westzijde van de Onze Lieve Vrouwekerk in Maastricht is van zo'n inrichting ook een voorbeeld.

Het behoeft niet alleen maar een modegril te zijn geweest, toen men besloot tot die verbouwing tot hallekerk. Want hoe groots de kerk ook is, het valt niet te ontkennen dat men er bijna geen hand voor ogen kan zien en de vijftiende-eeuwers waren zoetjes aan gewend aan heel wat meer licht in hun kerken. De verlichting is een probleem van de romaanse kerken, waarvan de muren een veel duidelijker dragende functie hebben dan in de gotiek het geval is geworden. Een loodzwaar gewelf (het kruisverband van Oldenzaal is al een poging om de druk beter te verdelen), dat opgevangen wordt op de muren. Hierdoor moet men wel bijzonder voorzichtig worden met het aanbrengen van de ramen en die ramen mogen dan ook onder geen beding te groot zijn, of de kerk stort in. Vergeleken met de gotische kerken zijn de romaanse kerken, ondanks de robuuste indruk van die zware, soms metersdikke muren, zwak.

De Walburgskerk in Zutphen

Het is een daad van eenvoudige historische rechtvaardigheid om in Gelderland te beginnen met Zutphen. Doordat de Middenlimburgse heer van Gelre met de dochter van de graaf van Zutphen trouwde, kon het graafschap Gelre in de streek van de tegenwoordige provincie komen te liggen.

De Walburgskerk ligt deftig en stil tussen de oude zuidelijke stadsmuur en de drie

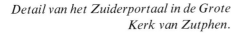

Detail van het Zuiderportaal in de Grote Kerk van Zutphen.

Het belangrijkste monument in de Grote Kerk van Zutphen is ongetwijfeld de librije.

Detail van het portaal van de Grote Kerk te Zutphen.

Onder: *gezicht naar het koor; geheel onder de ijzeren lichtkroon, 15de eeuw. Grote Kerk te Zutphen.*

markten die de spil van de oude stad vormen: de Zaadmarkt, de Houtmarkt en de Groenmarkt. Het plein voor de toren heet 's-Gravenhof, herinnering aan de oude bebouwing toen het kasteel van de graaf er stond. Dat kasteel is weg, maar de plek is nog altijd bestuurlijk centrum; het stadhuis kijkt op de noordkant van de kerk. Aan de koorzijde loopt de Proostdijstraat. Daar was de proost gevestigd. Zijn naam is een verbastering van het Latijnse *praepositus*: de man die aan het hoofd van een kapittel staat. Hij was een machtig heer, belast met beheer en bestuur van de goederen van zijn kapittel, dat de Walburgskerk als religieus centrum had. Het kapittel heeft de kerk nooit alleen maar voor eigen gebruik gehad, zij was namelijk ook parochiekerk. Het kapittel hield de school; dat was een van zijn taken. Bij een school behoort een boekerij, een librye (die uitgang *-ye* is één lettergreep: *-ie*). Zij bevindt zich nog in de kerk. Het was bij het scheiden van de markt der roomse bedeling dat zij van 1561 tot 1563 is gebouwd. In de eerste jaren van de Tachtigjarige Oorlog zal men in Zutphen niet al te veel zijn hoofd bij de culturele ontplooiing van de stad hebben gehad. Spaanse troepen hebben in de stad hevig huisgehouden. In 1579 zijn zij verdreven, maar in 1578 teruggekomen. In 1591 zijn zij weer weggejaagd en na het Twaalfjarig Bestand is de stad in 1629 weer door Spaanse troepen getroffen. Maar de librye is intact gebleven en zelfs de lessenaars zijn nog uit de bouwtijd. Dat de 400 boeken aan de ketting zitten is te begrijpen omdat handschriften zeer kostbaar waren. Ook de vroege drukken waren dat nog, al waren zij door het mechanisch procédé van vervaardiging veel goedkoper dan de manuscripten. En de auteurskosten? Ach, de auteurs...

De kerk is aan de heilige Walburgis toegewijd. Zij was een devote en kordate Angelsaksische, familie van Bonifatius. Met haar zuster Lioba en haar broeders Willibald en Winehald is zij naar Duitsland gegaan om hem te helpen bij de kerstening. Als abdis van het dubbelklooster Heidenheim in het land der Zwaben is zij omstreeks 780 gestorven. Kortom een zeer stichtelijke geschiedenis, maar er wordt niet duidelijk mee, hoe zij in Zutphen is beland en niet alleen daar wordt vereerd, maar ook in Arnhem. Dat komt omdat haar relieken op 1 mei 870 zijn overgebracht naar het Beierse Eichstätt, een van de steunpunten voor het door Bonifatius op touw gezette missiewerk. Zo'n translatie is meestal een reden tot feestvreugde, die zich in mirakels bevestigt. Eichstätt kreeg zijn Walburgskerk en werd een pelgrimsoord dat uit de Duitse landen veel bezoekers ontving. Zo is haar naam ook in het Gelderse gezegend. Nu had de eerste mei een bijzonder karakter. Van oudsher is die dag, en vooral ook die nacht, verbonden met vruchtbaarheidsmagie. De nacht van de eerste mei heeft dan ook iets demonisch: de heksen vieren hun jaarlijkse bijeenkomst op de Brocken in de Harz. Wie zijn *Faust* een beetje kent, weet dat Goethe deze diepzinnige, zij het wat ongure doctor met de duivel dat feest laat meemaken in de *Walpurgisnacht*. Zo merkwaardig kan Duits heidendom een eerzame Angelsaksische heilige te na komen.

Nieuwstadskerk

Zutphen heeft niet voor niets de reeks van de drie markten en het ligt niet voor niets aan de IJssel. Al vroeg, vermoedelijk als eerste in Gelderland, kreeg het stadsrecht in 1190 (uit die tijd moet ook de oorspronkelijke Walburgskerk stammen) en in de loop van de dertiende eeuw breidde het zich sterk uit, met een voorstad aan de noordelijke muren, genaamd de Nieuwstad. Het zal een levendiger en rommeliger buurt zijn geweest dan de omgeving van grafelijk slot en kapittelkerk en er kwam in de nieuwe parochie ook een minder plechtstatig kerkgebouw. Dat was de aardige eenvoudige hallekerk, bekend als de Nieuwstadskerk, nu weer een katholieke kerk, als vanouds aan Onze Lieve Vrouwe toegewijd. Ook deze kerk is weer niet als

De r.-k. Nieuwstadskerk, 14de en 15de eeuw, te Zutphen. In de 14de eeuw is men met de bouw van de toren begonnen, die in de 15de eeuw zijn definitieve hoogte heeft bereikt.

Volgende blz. *Gewelfschilderingen in de Grote Kerk te Zutphen.*

hallekerk begonnen in het begin van de veertiende eeuw, maar zij is er in de loop van de vijftiende naar toe verbouwd. Al vroeg bij de bouw in de veertiende eeuw is men met de toren begonnen, die in de vijftiende eeuw zijn definitieve hoogte heeft bereikt.

Broederenkerk

De Nieuwstadskerk is een monument van middeleeuwse stadsgroei. Er is nog zo'n monument te noemen: de Broederenkerk. Die broeders waren de dominicanen, die er in 1293 kwamen. Hun kerk is kort daarna tot stand gekomen, ongeveer in de tijd dat de Nieuwstadskerk werd gebouwd. De predikheren, volkspredikers, maar ook geleerden, hebben hun klooster op een strategisch goed gekozen plek neergezet. Deze plek lag tegen de noordzijde van de oude stad met de intellectuelen rondom de Walburgskerk en vlak bij de Nieuwstad met haar leken. Er is van het gehele complex vrij veel over, zoals de kerk en het gebouw dat slaapzaal en eetzaal huisvestte. Nu zijn het stadsarchief en het museum erin ondergebracht. De kerk is een goed voorbeeld van wat een dominicanerkerk uit de klassieke tijd behoorde te zijn: een strak, eenvoudig gebouw, zonder transept. Zij heeft haar charme niet voor een gering deel te danken aan de luchtbogen, die het gewelf schragen. Zij geven het geheel een nuchtere, logische helderheid (de wereld 'buiten', getekend in de luchtbogen, dient om de wereld 'binnen', het gewelf over schip en koor, te steunen), kenmerkend voor de mentaliteit die de ordebroeder Thomas van Aquino in zijn boeken zo voorbeeldig onder woorden heeft gebracht.

De Grote Kerk

In de Grote Kerk is het meeste te zien. Van het kapittel worden wij niet veel meer gewaar; het belangrijkste monument daarvan is de librye. Dat zij parochiekerk was is te zien aan de grote doopvont. Het is een indrukwekkend werkstuk van een Mechelse geelgieter, genaamd Gielis van Eynde. Het is er in 1527 geplaatst. Het deksel van het gevaarte is veel te zwaar voor handbediening. Vandaar de hijsarm die nog de oorspronkelijke is. Dat deksel draagt een groep, voorstellende Jezus' doop door Johannes de Doper. Daarboven verheft zich een torentje met heiligenbeelden; een ervan is Sint-Walburgis. Dan zijn er de muur- en gewelfschilderingen. De muurschilderingen zijn hier en daar vaag geworden, maar zij zijn nog goed herkenbaar en zij herinneren ons eraan, dat hier geleerdheid en devotie nauw met elkaar verbonden waren. Daar zijn Sint-Christophorus, de beschermer tegen de onverwachte dood op reis (hij komt tweemaal voor), en Sint-Vitus, die met name tegen epilepsie hulp bood. Ook de Heilige Ursula is er te zien. Zij is een Keulse heilige die thuis is in het rivierenland. Er is voorts de legende van de drie levenden en de drie doden. Dat is een verhaal, dat aan het einde van de middeleeuwen zeer geliefd was. Drie jongelieden, in de kracht van hun jeugd, gaan op jacht en ontmoeten bij een kruisbeeld drie voorname doden. Die verschillen nogal eens van functie, maar zijn steevast in hun leven hoge en machtige heren geweest. De schrik brengt de drie jongelieden tot inkeer. Het is een van de vele vormen waarin het 'gedenk te sterven' er bij de laat-middeleeuwse mens ingehamerd is. Er is ook de mis van Gregorius: bij de consecratie verscheen voor de grote paus de Christus zelf op het altaar. Op de wandschildering in een van de koorkapellen aan de zuidzijde, waar dit tafereel te zien is, is de paus de laatste in de rij van de traditionele vier westerse kerkvaders. Direct achter hem staat Hiëronymus met zijn kardinaalshoed, Ambrosius met zijn boek en Augustinus met het hart in zijn hand. Dat hart, het brandende hart van Gods liefde, is het traditionele embleem van de Afrikaanse bisschop. Wij zijn dat hart al eerder in de gevel van de oude augustijnerkerk in

Maastricht tegengekomen. De rij wordt gesloten door een heilige, die zijn hoofd in de handen draagt. Dat is Dionysius, de eerste bisschop van Parijs. Hij is als martelaar onthoofd. Vervolgens heeft hij dat hoofd in de hand genomen en is gaan lopen, de Rue des Martyrs op, over Montmartre, de 'berg van de martelaar', naar Saint-Denis, waar het koningsklooster zou verrijzen dat zijn naam draagt. Daar wilde hij begraven worden. Wat heeft deze heilige Dionysius nu met die geleerde kerkvaders te maken? Nu, heel veel, zij het door een misverstand. Het verhaal daarvan begint bij Paulus. De apostel preekte in Athene en maakte daar maar weinig bekeerlingen. Een van hen was Dionysius de Areopagiet. Aan het einde van de vijfde eeuw verscheen als van hem afkomstig een bundel geleerde geschriften van mystieke en speculatieve aard. Nu was Dionysius een vrij algemene antieke naam, en een van de dragers was de al genoemde eerste nogal legendarische bisschop van Parijs. Het klooster Saint-Denis was sterk begunstigd door de Karolingische vorsten en toen de oosterse keizer Michaël de Stotteraar in 827 een gezantschap naar zijn westerse collega Lodewijk de Vrome zond en daarbij de gebruikelijke passende geschenken aanbood, was daar dan ook het handschrift van die bundel mystieke geschriften van Dionysius bij. Het enthousiasme was groot.

Deze zending is van enorme betekenis geweest voor de ontwikkeling van de westerse theologie en filosofie. Gedragen door een bijna apostolische autoriteit was hier de gekerstende wijsheid van de Grieken te lezen. Het werk is spoedig vertaald en telkens weer gecommentarieerd.

Madonna en vier sibyllen

Geleerdheid van middeleeuwse snit is er voorts in de schilderingen van de koorafsluiting. In die sluiting zelf vindt men de Madonna en vier sibyllen, die de komst van de Christus hebben geprofeteerd in het heidendom. Het koorvak daarvoor vertoont Nebukadnesar, de Babylonische koning, verder Mercurius, Vergilius en Trismegistus. Nebukadnesars droom van de steen, die zonder hulp van mensenhand van de berg loskomt (*Daniël* 2:31), is verklaard als een profetisch gezicht van de Maagdelijke geboorte: de vanzelf losgekomen steen is haar moederschap zonder menselijke tussenkomst. Vergilius gold als de heidense dichter, die in een van zijn gedichten de komst van de Messias had voorzegd. De heidense bode der goden, zelf god van de handel en de gauwdieverij, doet wellicht wat onverwacht in dit gezelschap aan. Hij is een verdubbeling van Trismegistus. Uit de oudheid was het gerucht levend gebleven van een geschrift vol hemelse wijsheid, dat op naam stond van Hermes Trismegistus, Hermes de driewerf grootste. Nu is Hermes door de Latijnen vereenzelvigd met hun god Mercurius. Zo ontstond Mercurius Trismegistus. De middeleeuwer, die met de naam Mercurius vertrouwd was, maar geen Grieks kende en daarom dat woord *trismegistus* niet begreep, heeft daarvan een afzonderlijke persoon gemaakt. Zo konden de kanunniken, als zij in het koor omhoog keken, zien hoe hun geleerdheid hun religie bevestigde: de sibyllen en de vier figuren daar in de buurt waren de wereldlijke wijzen, die de waarheid van Christus en zijn Moeder bevestigden.

Arnhem

Het is jammer dat Arnhem zo weinig meer kan tonen op kerkelijk gebied. Er is in de laatste oorlog veel verwoest en al is er ook veel gerestaureerd, de vooroorlogse besloten sfeer van de binnenstad is zo aangetast, dat het moeite kost in de tegenwoordige city de oude structuur terug te vinden. Daar komt nog bij, dat Arnhem tot aan het einde van de middeleeuwen minder belangrijk is geweest als

Deze preekstoel, uit begin 17de eeuw, is uit Susteren afkomstig. De preekstoel staat in de Waalse Kerk te Arnhem.

handelscentrum dan Zutphen of Nijmegen. Er was wel een kapittelkerk, de tegenwoordig rooms-katholieke Sint-Walburgskerk, na vele wederwaardigheden weer een kerk die er wezen mag, maar van haar kapitteltijd rest er niets. De grote kerk, eens aan de heilige Eusebius toegewijd en daarvoor aan Sint-Maarten, is altijd parochiekerk geweest. De oudste kerk die ter plaatse heeft gestaan is uit de elfde eeuw geweest en zal geleken hebben op het kerkje in Oosterbeek-Laag. De kapittelkerk is van later datum, zodat men niet kan zeggen dat van het kapittel de aandrang tot de stichting van een bedehuis voor het gewone lekevolk is uitgegaan. Arnhem is van de tweede helft der zestiende eeuw af een bestuurlijk centrum geweest, hetgeen niet wil zeggen, dat het niet ook een middelpunt van de handel was voor de omgeving. De hessenwegen over de Veluwe lopen op de stad toe. Bestuurlijk centrum wil ook zeggen: wooncentrum en uiteenlopende religieuze verbondenheden. De Walen kerken in de oude kapel van het agnietenklooster, een gebouw uit de vijftiende eeuw (de preekstoel is er na de oorlog geplaatst; hij dateert uit de eerste vijfentwintig jaar van de zeventiende eeuw en is door het Amsterdamse Rijksmuseum in bruikleen afgestaan. Hij komt uit de kerk van Susteren). De lutheranen kerkten vroeger op de Korenmarkt. Die kerk is typerend voor de achttiende-eeuwse niet-gereformeerde protestanten: een deftig Louis XIV gebouw, dat in de jaren 1735 tot 1737 is verrezen. Helaas had een devote lutherse in de vorige eeuw te veel geld. Zij bracht de bouw van een nieuwe kerk tot stand voor een dominee die de scharen wist te trekken. Dat bouwsel vertoont de kenmerken van de negentiende eeuw op haar duidelijkst (of ergst). Als men van de Janssingel in de richting van Musis gaat ziet men dak en toren als een soort spiegelbeeld van de katholieke Sint-Maartenskerk aan de Steenstraat. Met een zekere spijt zal een oprecht Lutheraan moeten vaststellen, dat die roomse kerk, in 1875 gebouwd door Tepe in neogotiek, artistiek sterker is. Genoemd moet nog worden de Koepelkerk op de Varkensmarkt. Dit is een statig gebouw, dat in de jaren 1837 tot 1839 is verrezen.

Nijmegen

Neen, hoe dierbaar Arnhem hem mag zijn, de eerlijkheid gebiedt de schrijver, meer aandacht aan Nijmegen te besteden, een stad die al in de Romeinse tijd heeft bestaan.
Daarvan is behalve in het Museum G.M. Kam niet veel meer te zien. Helaas is ook het populaire verhaal van Karel de Grotes bouwerijen op het Valkhof, met name de Valkhofkapel, niet waar. De grote Karel heeft ter plaatse wel een palts gehad, maar die is in 1047 verwoest. De tegenwoordige Sint-Nicolaaskapel was op dat moment nog vrij nieuw; die was na 1030 onder keizer Koenraad II gebouwd. De tweede grote bouwer was keizer Frederik Barbarossa, dezelfde die op de derde kruistocht in 1190 verdronk in de rivier de Selef in het Kleinaziatische Cilicië. Vijfendertig jaar vroeger had hij op de plaats van Karels verwoeste palts een nieuwe laten bouwen. Van het slot van Frederik Barbarossa zelf is de ruïne van de Maartenskapel over. Dit is alleen maar een apsis, die tot de eigenlijke slotkapel heeft behoord. De Sint-Nicolaaskapel is een late en veel kleinere navolging van de oude Karolingische paleiskapel in Aken, die daar deel van de kathedraal uitmaakt: een keizerlijk monument, aangepast aan de omstandigheden in een uithoek van het Duitse rijk.

De Stevenskerk

De glorie van kerkelijk Nijmegen is de Stevenskerk, gewijd aan de eerste der martelaren, in het bijbelse boek der *Handelingen der Apostelen* beschreven. Ook deze kerk is kapittelkerk geweest en dat is aan de zeer grootse opzet te zien. Vooral het koor dat langer is dan het middenschip, is een teken dat de kanunniken het bouwplan bepaalden. De keizerlijke rijksstad die Nijmegen was kon niet met een eenvoudig bedehuis genoegen nemen. Het kapittel besefte wat het aan keizer, stad en niet te vergeten aan zichzelf verplicht was en had de middelen om die verplichting ruimschoots na te komen. Aan het koor is veel gebouwd en verbouwd. Dat geldt ook voor het schip, dat in de vijftig jaar rondom 1400 tot hallekerk werd uitgebouwd. De ingewikkelde bouwgeschiedenis van de Stevenskerk behoeft hier niet te worden verhaald. De toren heeft in het begin van de Tachtigjarige Oorlog nogal te lijden gehad en wat daarvoor in het begin van de zeventiende eeuw in de plaats is gekomen is in 1944 vernield. Bij de in 1969 gereedgekomen restauratie is het zeventiende-eeuwse model hersteld.

In de stad zijn nog betrekkelijk veel resten van het middeleeuwse kerkelijke leven terug te vinden zoals delen van kloosters, wat kapellen, en de Latijnse school vlak bij de Stevenskerk, zoals het een kapittelkerk paste. Toen Gelre geus werd heeft dat geen grote protestantse bouwnijverheid op kerkelijk gebied veroorzaakt. Men had aan de Stevenskerk genoeg. De stad is niet sterk geprotestantiseerd. De meeste nieuwbouw dateert van na 1853, toen de herrezen katholieke kerk een ruim aantal kerken en kerkelijke gebouwen heeft opgericht. Dat dit een adembenemend architectonisch of stedebouwkundig avontuur heeft opgeleverd is te veel gezegd. De roomse burgerlijkheid heeft er tot na de Tweede Wereldoorlog duidelijk getriomfeerd en dat is meestal geen plezierig gezicht. Ook de schepping van de katholieke universiteit is geen inspiratie tot visionaire architectuur geweest.

De Vluchtheuvelkerk in Zetten

Er is ook protestantse burgerlijkheid. In Zetten vinden wij er een zeldzaam monument van, namelijk de Vluchtheuvelkerk. Het is een geheel dat een zeer markante vroomheidsbeweging uit de eerste helft van de vorige eeuw in herinnering roept; zij wordt aangeduid met het woord *Réveil*.

Dragers daarvan waren over het algemeen leden van de *grande bourgeoisie*: notabelen uit Den Haag, bewoners van de grote Amsterdamse grachtenhuizen en plattelandsadel. Hun inspiratie was een veel algemener Europese opwekkingsbeweging in de eerste helft van de negentiende eeuw. Zij zetten zich af tegen de schipperende religiositeit van de vaderlandse kerken van toen, waarin zij vooral het verderf, het loslaten van de voorvaderlijke strengheid van het geloof, vonden. Willem Bilderdijk was een van hun grote inspirators met zijn hartstochtelijke visioenen van het oude Holland, het gereformeerde Israël, door Gods leiding behoed, door Gods roede gestraft bij zonde en afvalligheid. Zijn leerling, Isaac da Costa, heeft met een romantische hartstochtelijkheid dat oude geloof bepleit. Het *Réveil* verenigde uiteenlopende overtuigingen, van streng gereformeerd orthodox tot een bijna antidogmatisch spiritualisme toe, dat alles van de directe ingeving van de Heilige Geest verwachtte. De meeste mensen van het *Réveil* waren goed kerkelijk en zij hadden hartzeer van al het geschipper en alle compromissen die de gezapige rust van de burger moesten garanderen. Boven het kerkverband – lidmaatschap van de kerk kon politiek zijn, kon om bijkomstige redenen buiten de vroomheid des harten om gewaardeerd worden, kon een zekere maatschappelijke betrouwbaarheid betekenen – ging de geestverwantschap in het ervaren van Gods waarheid, die wonderbaarlijke en soms zo verschrikkelijke stroom van Gods leiding in het bestaan. Maar in het *Réveil* en bij mensen, die wat stand en mentaliteit daarmee verwant waren, leefde ook de onrust over het verval van het mensenleven door de armoede, de ellendige huisvesting, de drankzucht en de prostitutie. Goed: wie niet werkt zal niet eten. Dat bleef ook gelden voor de rijken

De Grote of St.-Eusebiuskerk, 15de en 16de eeuw, te Arnhem. De kerk is altijd een parochiekerk geweest.

die in het *Réveil* veelvuldig voorkwamen. Beroepsbedelarij werd de deur gewezen. Maar daarmee was nog niet gezegd, dat er geen werkelijke maatschappelijke ellende werd geleden. De mensen van het *Réveil* hebben dat vaak genoeg scherp gezien, en een predikant als O. G. Heldring, de hervormde dominee van het Betuwse Hemmen, had zijn ogen niet in zijn zak en zijn hart niet in de brandkast. Mensen als hij zagen de verschrikkingen. Dat zulke verschijnselen wel eens gefundeerd konden zijn in de maatschappij zelf hebben zij niet vermoed: revolutionairen of zelfs maar theoretische socialisten zijn zij niet geweest. De oorzaak van de maatschappelijke nood was de zonde van de mens, de eeuwige schuld, die alleen door het verzoeningswerk van Jezus Christus kon worden weggedaan. Symptoombestrijding, zou moderner maatschappelijk werk zeggen. Dat is waar, maar er gebeurde tenminste iets, aan drankbestrijding (Heldring schreef al in 1838 zijn *De jenever erger dan de cholera* en staafde dat met statistische onderzoekingen), aan onderwijs, aan zorg voor verwaarloosde jeugd. Heldring zelf is de organisator geweest van wat nu Heldringstichtingen heet in Zetten. De eerste daarvan was de inrichting voor ongehuwde moeders en prostituées, Steenbeek genaamd, die in 1848 werd geopend. Maar ook was hij de oprichter van het in 1849 geopende doorgangshuis voor jongens in Hoenderloo.

In Zetten zijn nog deze uit het *Réveil* afkomstige inrichtingen gevestigd. Voor ons is de genoemde Vluchtheuvelkerk belangrijker. Op een kunstmatige heuvel verrees Heldrings kerk, bedoeld voor al zijn gestichten in Zetten.

Die heuvel verdient onze aandacht. De grote rivieren waren nog niet vervuild en dat betekende dat zij met een beetje winter al bevroren. Het kruiend ijs was een steeds wederkerende bedreiging voor de Betuwe. In dit boek wordt niet gepleit voor het vuil laten van Rijn en Waal, maar de situatie in de negentiende eeuw met schoon water was ook niet alles. Men leefde niet veilig. Wie langs die oude schilderachtige dijken rijdt en zich verheugt over de wielen in de uiterwaarden, doet er ook goed aan te bedenken, dat zij even zovele tekenen van dijkdoorbraken, overstromingen, doden en armoede zijn. Daarbij telden bij de grote boeren de materiële verliezen zwaarder dan de verliezen aan mensenlevens onder de arbeiders. Toen in de winter van 1809 de dijken bezweken en de Betuwe onderliep, besloot men het anders te doen. De boerenschuren werden op hoge, vloedvrije heuvels aangelegd, maar de boerenarbeidershuisjes bleven waar zij waren. Dat bracht Heldring op de gedachte dat zijn kerk op een vluchtheuvel moest staan: symbolisch en praktisch tegelijk. Deze kerk bleek voor de mensen een toevlucht bij watersnood. Zo konden in de winter van 1869–1870 velen zich er in veiligheid brengen, toen de vorst met zijn ijsschotsen toesloeg. De kerk is op 19 juni 1870 ingewijd door Heldring. Dat bij die gelegenheid de verpleegden van Steenbeek, het tehuis van ongehuwde moeders en prostituées, het lied zongen *Jezus neemt de zondaars aan*, zij zonder verder commentaar vermeld.

De Vluchtheuvelkerk ligt schilderachtig achter de hoge bomen op haar heuvel en tal van namen uit het *Réveil* vinden wij op de grafstenen rondom terug. De kerk zelf is zo stijlloos als wij van een kerk uit die tijd, de jaren zestig van de vorige eeuw, kunnen verwachten. Toch is het heilige grond en heilige bouw, ondanks alle bezwaren. 'Gij zult God liefhebben met geheel uw hart en uw naaste als uzelf.'

Laat dit het afscheid van Gelderland zijn. Er is zo oneindig veel meer te zien dan hier ter sprake is gekomen. Dat geldt ook voor de provincies Utrecht en Overijssel. Gaat u maar zelf zoeken. U zult ook wel kerkgebouwtjes aantreffen die niet in het *Kunstreisboek* staan of in welk zichzelf respecterend, op schoonheid en oudheid gericht overzicht ook. Maar men zij gewaarschuwd, zo'n gebouwtje is meestal een monument van een geweten. Voor dat criterium bestaan geen gedrukte gidsen. Maar het is wel een echt criterium bij de *Kijk op kerken*.

De vluchtheuvelkerk te Zetten ligt schilderachtig achter hoge bomen op een heuvel. De kerk is stijlloos zoals wij van een kerk uit die tijd, de jaren zestig van de vorige eeuw, kunnen verwachten.

Kerken van Friesland, Groningen en Drenthe

't Kerkje tusschen lindeboomen,
't vroolijk landschap om u heen

P.A. DE GÉNESTET

De gereformeerde kerk te Bozum, 19de eeuw. In de kerk bevindt zich een schildering uit de 13de eeuw.

Eens heette al het land tussen Cadzand en de Weser Friesland. De aanduiding is rijkelijk vaag en heeft bovendien meer een aardrijkskundige dan een volkenkundige betekenis. Utrecht, dat in de zevende en de achtste eeuw nog als een Friese stad gold, was waarschijnlijk Frankisch. Dit zou wel eens het geval geweest kunnen zijn voor het gehele gebied rondom de grote rivieren en bezuiden Almere, de latere Zuiderzee, voor zover daar geen Saksers woonden. Het is voor ons niet belangrijk; genoeg, dat Friesland een uithoek was net buiten de grenzen van het Romeinse rijk, waar soms kooplui uit de geciviliseerde wereld de barbarij introkken, maar waar geen permanente *présence romaine* bestond. Pas onder Karel de Grote heeft er zich een Europees gezag laten gelden. Zolang de Frankische heerschappij er niet is doorgedrongen of er zich althans aankondigde is van kerstening niet veel terecht gekomen. Daarna gaat het beter. De moord op Bonifatius in Dokkum in 754, ieder Nederlands schoolkind bekend, was meer een ongelukkig incident in het christianiseringsproces dan een ernstige tegenslag. Dokkum is er een bedevaartsplaats door geworden en bezit in het Bonifatiuspark daartoe de nodige accommodatie: een kapel, een put en een kruiswegstatie. Van de oude abdij, ter plaatse van de moord gesticht, is niets meer over. Zij lag in wat nu het midden van het stadje is, vlak bij de grote hervormde kerk, die eens Sint-Maarten toegewijd was en in de vijftiende eeuw is gebouwd. Toen, na de invoering van de gereformeerde religie als de publieke, de abdij werd gesloten en in 1590 haar kerk werd afgebroken, gebruikte men de stenen van de sloop voor de bouw van een noorderbeuk tegen het schip aan.

Friesland is steeds kleiner geworden. Ten eerste is Groningen afgevallen; de stad aan het noordelijke einde van de Drentse en dus Saksische Hondrug heeft op den duur het land eromheen, vooral naar het oosten, onder haar macht gekregen (de Ommelanden) en het oude Fries is er verdrongen. Naar het westen, aan de overzijde van de Zuiderzee, hebben de Hollandse graven het daar gelegen deel van Friesland, Westfriesland, veroverd. Zo bleef ten slotte alleen een gebied over ten westen van de Lauwers en ten oosten van de Zuiderzee, waar het Friese zelfbewustzijn zich kon handhaven. Beter gezegd, waar de Friese taal zich kon handhaven, al zijn oude opschriften op gedenkstenen, borden en graftekens, voor zover zij niet in het Latijn zijn, in het Hollands gesteld. Dat de toren van de kerk in Minnertsga in 1505 is gebouwd, weten wij uit een opschrift daar in rond Hollands. Dat het Fries zich heeft gehandhaafd kon wel eens liggen aan de boeren, de arbeiders, de gezellen in de ambachten. Ook al dient men te erkennen dat het in hoger geklasseerde kring ook gesproken is (er is ten slotte deftig in gedicht), toch lag de bodem van het Fries op lager niveau. De taalstrijd kon wel eens minder met nationalisme te maken hebben dan met de sociale emancipatie van de Fries sprekende groepen. De voor zo'n emancipatieproces typerende bewegingen als de gereformeerden en socialisten, die vaak vijandige broeders zijn in wie de familiegelijkenis soms onverwachts zichtbaar wordt, hebben in Friesland hechte wortels.

Kerkelijk maakte Friesland ten westen van de Lauwers deel uit van het diocees Utrecht, samen met Zeeland en Holland. Op de uiterste punt van de Hondsrug markeerde de toren van de Sint-Maartenskerk in Groningen niet alleen door zijn op de Utrechtse Domtoren geïnspireerde gedaante de afhankelijkheid van Utrecht, maar ook door zijn naam, zo goed als de kerk in Dokkum, de kerk in Bolsward en nog menige andere in het Friese gewest het doet.

De geschiedenis van Friesland

De geschiedenis van Friesland, met name de politieke, blijft wazig, als men probeert haar te beschrijven in de termen van de bestuursvormen of de sociale geledingen, die wij van elders in de Nederlanden kennen. De feodaliteit is er nooit tot ontwikkeling gekomen; wel is er de oude indeling van edelen, vrijen, horigen en slaven bekend geweest. Friesland bleef een ver buitengewest. De Noormannen hebben er zich wel eens laten gelden (wat de lage Noormannenpoortjes betreft, die ook bij oude Friese kerken te zien zijn, en die meestal dichtgemetseld zijn, doet het verhaal de ronde, dat de Noormannen die voorschreven om de trotse Friezen te leren zich te buigen. Laten wij vriendelijk zijn en zeggen, dat het verhaal nogal onwaarschijnlijk is). In de elfde eeuw blijkt Friesland een welvarend boerenland te zijn. Zodra wij ver buiten het lokale vlak komen, zijn de politieke structuren chaotisch. Veel buitenlands gezag heeft zich niet kunnen laten gelden. Eerst waren er de graven van Brunswijk die er om de een of andere duistere reden iets te vertellen hadden. Toen dat misging, omdat een van hen in opstand kwam tegen de Duitse keizer, gaf Hendrik IV de rol van landheer aan de bisschop van Utrecht. Dat was in de jaren tachtig van de elfde eeuw. Daarmee was de zaak niet afgedaan. Op zeker moment heeft de keizer Friesland weer aan een graaf van Brunswijk in leen gegeven. Het schijnt dat diens rechten zijn overgegaan op zijn schoonzoon Dirk VI van Holland. In 1165 maakte keizer Frederik I Barbarossa de graaf van Holland en de bisschop van Utrecht tot gezamenlijke bestuurders van het gewest. Veel hebben zij er nooit te zeggen gehad, hoe vroom de Friezen ook waren en hoe aanhankelijk aan de bisschop. Trouwens, voor een effectieve heerschappij was nauwelijks een onderbouw aanwezig. Er was geen feodaliteit met haar systeem van leen, ban en achterban en derhalve geen vorstelijk militair apparaat. Centraal gezag ontbrak en de heren van het land, zoals de boeren, adellijk of niet, en de geestelijke heren, abten met name, hadden er volstrekt geen bezwaar tegen. Zij hadden geen behoefte aan centraal gezag. Er was een vaag bondgenootschap van alle Friese landen, met inbegrip van de Oost- en Noordfriezen, in het tegenwoordige Duitsland en Denemarken, rondom de zogenaamde Upstalboom bij Aurich (een twintig kilometer ten noordoosten van Emden). Het is een van de veelvuldig voorkomende bomen, vaak eiken, waaronder ook recht gesproken werd. Maar ook al deed men in tijd van nood wel eens een beroep op de solidariteit van dat verbond, veel haalde het niet uit en Friesland heeft meestal zijn eigen boontjes gedopt. Ook het ontbreken van steden is van belang. Alleen Stavoren stelde wat voor als handelsstad. Het kreeg in 1292 stadsrechten. Wat er verder aan bevolkingsconglomeraties tot stand kwam had meestal alleen lokale betekenis en als een plaats daar bovenuit kwam, zoals Bolsward, was zij niet ommuurd. Frieslands elf steden zijn van later tijd. Stavoren telde op de internationale markten mee; de legende van het vrouwtje van Stavoren is een typisch

De N.H. kerk, Minnertsga, 15de en 16de eeuw. Opschrift op toren, 1505. Het opschrift luidt:
Doe men screef XVe ende v iaer
op sinte Desideriusdach openbaer
toen leten de foechden van Sinte Merten
dit werck bestaen toe wercken
god laetet doer syn heilige naem
vastelick in eeren staen. Amen.
Desideriusdag is 23 mei.

*De Grote kerk van Bolsward
(1446–1466) getuigt nog van vroeger
rijkdom.*

produkt van afgunstige hongerlijders op het Friese platteland. In de loop van de middeleeuwen is de stad Groningen het eigenlijke economisch middelpunt van Friesland en van de Ommelanden geworden. In 1492 hebben de Groningers Friesland zelfs grotendeels onderworpen. Wel was dat maar tijdelijk. Anderhalve eeuw eerder hadden de Hollandse graven ook al het voornemen gehad om Friesland te veroveren. Dat is niet gelukt. Het is zelfs heel slecht afgelopen met graaf Willem IV. Hij was nog geen dertig jaar oud toen hij zijn fatale poging ondernam. Zo jong als hij was, had hij al roem geoogst tegen de Muzelmannen en ook tegen de Litouwers. Maar tegen de Friezen ging hij in 1345 bij de slag bij Warns, even ten oosten van Stavoren, ten onder. De romaanse toren van dat dorp is ongeveer het laatste dat hij gezien kan hebben. Deze toren zal toen een eeuw oud zijn geweest. De kerk erbij is van veel later datum, van 1682.

Friese vrijheid betekent ook Friese onenigheid, en middeleeuwse onenigheid komt op moord en doodslag neer. In de veertiende eeuw krijgt het gewest te maken met wijd verspreide twistende partijen: de Schieringers en de Vetkopers. Wat de oorsprong van die namen is blijft onzeker. Er is wel verondersteld, dat de Schieringers van oorsprong de partijgangers waren van de cisterciënzers, de 'schiere', grijze monniken, naar de kleur van hun pij, en de Vetkopers aan de kant van de premonstratenzers stonden, die slachtvee fokten en mestten.

Klaarkamp

*Het 'Noormannenpoortje' in de Grote
kerk van Workum.*

Beide orden waren zeer gegoed in Friesland, en daarmee komen wij op een belangrijk gegeven uit de kerkgeschiedenis van het gewest. De naam van de cisterciënzers leeft het duidelijkst voort in de naam van Schiermonnikoog, dat waarschijnlijk pas van 1400 af geregeld bewoond is geweest en wel door leden van deze orde, die er een uithof hadden. Zij waren afkomstig van de abdij Klaarkamp bij

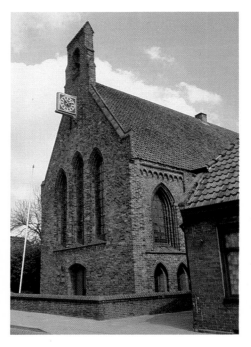

Rinsumageest. Noch op het eiland noch op het vasteland is van deze
kloostervestigingen iets over. Klaarkamp was een dochterstichting van Clairvaux, de
eigenste abdij van de heilige Bernardus van Clairvaux, prediker van de strenge
beslotenheid van het monnikenbestaan en rusteloos reiziger in de zaak van de kerk
en het christendom. In 1147 is hij nog in Maastricht geweest om er de tweede
kruistocht te prediken. Om en nabij 1165 werd Klaarkamp gesticht. De naam zegt
het al, Klaarkamp is een aanpassing aan *Clara Vallis,* Clairvaux in het Frans. *Clara
Vallis* betekent het klare dal. Alleen waren er in dat noorden van Friesland geen
noemenswaardige bergen en dalen. Er waren vlakke velden, *campi* in het Latijn, en
zo ging het klooster *Clarus campus,* Klaarkamp, heten. Klaarkamp zelf heeft ook
weer kloosters gesticht zoals het ook al volledig verdwenen Bloemkamp, dat bij
Hartwerd in de buurt van Bolsward lag, en voorts Aduard, dat tegenwoordig in
Groningen ligt. Aduard is in 1192 gesticht. De hervormde kerk in het dorp is nog een
van de vroegere kloostergebouwen, vermoedelijk een omstreeks 1300 gebouwde
ziekenzaal. Niet de abdijkerk; die is verdwenen. Het gebouw is een pronkstuk van
Gronings middeleeuws metselwerk. Er zijn in die provincie veel kerken met kunstige
metselverbanden te zien. Ook het gerkesklooster (er is nog een dorp van die naam) is
in 1240 in handen van de cisterciënzers gekomen. Van Klaarkamp uit is ten slotte
ook een klooster in Termunten gesticht, onder de rook van Delfzijl (1259). Het koor
van de kerk daar heeft de trekken van een cisterciënzer stijl, maar de kerk zelf is van
oorsprong ouder dan de kloosterstichting. Norbertijnen vond men eveneens op veel
plaatsen, bij voorbeeld in Dokkum, Lidlum, Mariëngaarde, Hallum; ook
Kloosterburen heet naar een norbertijnse stichting. Ook hier geldt, dat er geen spoor
meer van te vinden is. Toen de Reformatie kerkelijk Friesland in haar greep kreeg,
zijn alle kloosters opgeheven en grotendeels gesloopt, nadat al eerder de geuzen er
danig hadden huisgehouden.

Termunten, N.H. kerk, koor en transepttravee van een oorspronkelijk veel groter driebeukige kerk, tweede helft 13de eeuw. Onder: Termunterzijl, grafstenen in de dijk.

'Vermaning' in Hindeloopen. Doopsgezind schuilkerkje uit 1653.

Al is er dan vrijwel niets van de oude agrarische kloosters over, zij moeten hier worden genoemd omdat zij de Friese wildernis in exploitatie hebben gebracht. Als wij in de zeventiende en de achttiende eeuw de oude middeleeuwse kerken in het noorden zo rijk gestoffeerd vinden met overdadig en vaak uitmuntend snijwerk aan kansel, herenbank, doophek en orgel, dan is dat wel eens te danken aan het feit, dat oude kloostergoederen gereformeerd kerkegoed zijn geworden. Ook zijn deze goederen vaak opgekocht door vrome gereformeerden, die hun van roomse smetten gezuiverde en eerlijk gezegd daardoor nogal kaal geworden bedehuizen gaarne wilden opsieren en daaraan een deel van hun geld besteedden. Zo blijft het geld rollen en wordt de waarheid bevestigd van het Franse gezegde, dat hoe meer alles verandert, hoe meer het hetzelfde blijft. Behalve dan natuurlijk de verworpen paapse mis en andere paapse stoutigheden als heiligenbeelden en relieken. Want de grafborden vermelden wel rijke doden en de marmeren monumenten (bijvoorbeeld in Wychel bij Sloten van de vestingbouwer Menno van Coehoorn, of van baron Von Inn- en Knyphuizen in Midwolde in Groningen) kunnen in *pompe* het ruimschoots tegen welk heiligenbeeld ook opnemen. Met die rouwpronk vergeleken zijn piëta's of grafleggingen van Christus maar van geringe betekenis; ik ken er trouwens geen voorbeelden van in de noordelijke gewesten.

In de vijftiende eeuw werd ook in het noorden de Bourgondische macht steeds voelbaarder, maar zij heeft in Friesland heel lang geen voet aan de grond gekregen, ondanks pogingen van vreemde potentaten om het land te bezetten en er een voor hen voordelige nieuwe orde in te voeren. Onderwijl bleven de vrije Friezen elkaar op leven en dood bevechten, waarbij de Schieringen de kampioenen van die vrijheid beweerden te zijn en de Vetkopers van de weeromstuit nogal eens naar niet-Friese hulp uitkeken. De verwikkelingen verder te beschrijven heeft hier geen zin. Wij volstaan ermee te vermelden dat in december 1524 de erfgenaam van de Bourgondiërs, Karel v, zich in Friesland als landheer laat aanvaarden. Niet dat het veel betekende. Wel is echter van belang, dat bij het uitbreken van de opstand tegen de zoon van Karel v, Filips ii, Friesland aan de kant kwam van Oranje – en van de gereformeerden. Hoe die protestantisering is verlopen is voor ons niet direct van betekenis. Ook hier geldt het bekende patroon, dat een goede pastoor zijn schapen voor de overgang naar het andere kamp kon behoeden, dat een slechte of helemaal geen pastoor de Reformatie in de hand werkte, dat een plaatselijke potentaat de gang van zaken kon beïnvloeden. Maar hoe dan ook, het gewest werd wat de leiding betreft geus en gereformeerd. Er was althans voor het verzetten van de religieuze bakens wel enig voorwerk verricht. Al vroeg hebben anabaptistische bewegingen zich laten gelden en ten slotte hebben de doopsgezinden hun leidsman gevonden in de persoon van Menno Simonsz. Menno Simonsz is in 1496 in Witmarsum geboren, daar pastoor geworden en in 1536 uit het ambt getreden en getrouwd. Van 1540 af is hij leider van de doopsgezinde gemeenten geweest, totdat hij in 1561 bij Lübeck is overleden. Nog altijd telt Friesland een aanzienlijk aantal Mennisten.

Maar het gezicht van het protestantisme in Friesland is bepaald door wat overal elders in de Republiek de publieke religie was: het Calvinisme. Geen andere confessie heeft in Holland en Zeeland, in Utrecht en in het noorden zozeer het beeld van kerk en christendom bepaald.

Grote Kerk van Bolsward

Friesland bloeide in de tijd van de Republiek. Ook hier dient opgemerkt te worden, dat dit niet betekent dat iedereen deelde in de welvaart. Integendeel, ook Friesland heeft al voor de grote lijdenstijd in de negentiende eeuw, toen Domela Nieuwenhuis er als nieuwe Messias kon verschijnen, bittere honger en zwarte armoede gekend.

Bolsward, Grote kerk. Van boven naar onder en van links naar rechts: vroedschapsbank 1730, koorbanken met details (op de middelste afbeelding in de onderste rij Sint-Maarten) eind 15de eeuw en preekstoel, 1660–1662.

Maar aan de inrichting van de nu gereformeerd geworden kerken is dat bepaald niet te zien, ook niet op het platteland. Er zijn weinig streken in onze gewesten waar zoveel kostbaar kerkmeubilair te vinden is. Rooms is er niets gebleven; de katholieke kerken die er zijn stammen uit de vorige eeuw. Het oude meubilair is praktisch verdwenen. De belangrijkste uitzondering is te vinden in de grote kerk in Bolsward, eens aan Sint-Maarten gewijd. Dat was eens een kapittelkerk en de koorbanken getuigen nog van de smaak en de rijkdom van de koorheren. Niet alle banken hebben steeds in de Martinikerk gestaan; een deel ervan komt uit de Broerenkerk, de oudere, nog uit het einde van de dertiende eeuw stammende minderbroederskerk. Het bijbehorende klooster is in 1580 grondig verwoest. Van deze voormalige franciscanerkerk is helaas niet veel meer de moeite waard, behalve dan de prachtige westelijke gevel.

Terug naar de grote kerk van Bolsward. Er is niet alleen snijwerk uit de vijftiende eeuw aan de koorbanken te zien, er is ook de uitermate luxueus bewerkte preekstoel, vervaardigd in de jaren tussen 1660 en 1662. Een pronkstuk en bovendien nog esthetisch zeer bevredigend, met zijn vrij laag geplaatste zeskantige kuip en de torenhoge opbouw, luchtig en harmonisch, boven op het klankbord. De panelen van de kuip – vijf in getal, met zijn zesde kant staat de preekstoel tegen de noordelijke pijler van de boog die koor en schip scheidt – tonen de emblemen van de jaargetijden. Het middelste, vijfde paneel draagt de afbeelding van de bijbel. De blijde weligheid van het vrome Friesland rondom het Woord is op die kansel aan de orde: het winterpaneel vertoont zelfs de Friese schaats.

Martinikerk in Bolsward

De Martinikerk in Bolsward is een zeer blanke kerk: gelukkige erfenis van een voorgeslacht dat gruwde van bonte santenopschik op muren en glazen. Bij de restauratie in 1955 zijn muurschilderingen uit het einde van de vijftiende eeuw te voorschijn gekomen en deze zijn eerbiediger geconserveerd dan destijds weggekalkt. Het is een normaal verschijnsel, zo langzamerhand komen er heel wat schilderingen onder de witkalk vandaan. Niet alleen in grote stadskerken als hier in Bolsward of in Franeker is dit het geval, maar ook in dorpskerken zoals bijvoorbeeld in Bergum. Nu is de kerk in Bergum een bijzondere kerk. Het is een oude parochiekerk, die in de dertiende eeuw aanzienlijk is uitgebouwd om tot kerk voor augustijner koorheren te dienen. De zijbeuken zijn na de Reformatie weer afgebroken, maar bij de jongste restauratie herbouwd om het gebouw meer stabiliteit te geven. Teken van

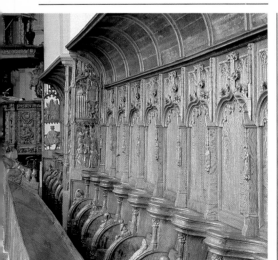

verschuiving: de kerk stond eertijds vol met familiebanken, die als teken van deftigheid ten dele overhuifd waren. Deze banken zijn nu opnieuw georganiseerd in de dwarspanden van de kerk en domineren het interieur niet meer.

Belangrijker dan de muurschilderingen in Bergum – ornamenten – is hetgeen in Bozum te zien is: een Christus als wereldheerser, omgeven door de symbolen van de vier evangelisten en begeleid door een viertal heiligen. De schildering wordt getaxeerd te stammen uit de dertiende eeuw en zal dan behoren tot het oudste dat aan schilderkunst in ons land te vinden is. Later te dateren muurschilderingen zijn nog wel elders in Friesland te zien, bijvoorbeeld in Kollum.

Aan kostbare gereformeerde interieurs, waarvan dan gewoonlijk de preekstoel *pièce de résistance* is, is zoveel in Friesland te vinden, dat iedere opsomming zinloos is. Een keuze van het rijkste voorbeeld uit de zeventiende en uit de achttiende eeuw is haast niet te verantwoorden. Wat de zeventiende eeuw betreft: het complex van preekstoel en doophek uit Sint-Anna Parochie of uit Kimswerd, waar het gehele interieur, preekstoel, doophek, herebanken, koorhek, Tiengebodenbord, uit het einde van die eeuw stamt? Voor de achttiende eeuw: de zware en toch speelse vormen in Engwierum? Daar is de preekstoel een werkstuk uit 1746. Of de uit 1768 stammende élégance van kansel, doophek, vont, psalmborden in Sexbierum?

Oosterend

Vóór-reformatorisch, allicht, is het enige oksaal dat in Friesland nog te vinden is. Het bevindt zich in Oosterend, een kilometer of twaalf ten noordoosten van Bolsward en bijna even ver ten noordwesten van Sneek. Er staat van alles op zoals teksten en afbeeldingen van bijbelse verhalen. Het is knap werk, maar wel heel wat naïever dan de koorbanken in Bolsward, al stamt het van een halve eeuw later (het is geplaatst in 1554), en ook dan het oksaal uit de Cunerakerk in Rhenen, dat eveneens gemaakt is tussen 1550 en 1560. Het Rhenens oksaal is kennelijk gemaakt voor mensen die dichter bij de toenmalige centra van de Europese cultuur leefden – in dit geval Utrecht – dan in Oosterend het geval was, waar een Oostfriese inslag, die heel wat boerser was, te zien is.

Vermaningen

Na al die gereformeerde pracht en boerenpraal is het soms een verademing iets te zien dat uit een soberder mentaliteit is ontworpen. Het is de verkwikking van zo

Orgel van de N.H. kerk te Bozum, 1791. Schildering in koorgewelf: Christus in zijn majesteit, met symbolen der Evangelisten en vier heiligen, 13de eeuw, in dezelfde kerk.

Onder van links naar rechts: *detail preekstoel en detail doophek, 1768 in de N.H. kerk te Sexbierum.*

menige doopsgezinde Vermaning. Zoals al eerder gezegd, telt Friesland nog altijd veel volgelingen van Menno. Een groot deel van de Nederlandse doopsgezinden is in dit gewest te vinden, meer dan in Holland of Groningen waar zij toch ook al van oudsher thuis zijn. De Vermaningen heten naar wat er gebeurde en gebeurt: 'weest daders des woords en niet alleen hoorders,' schreef de apostel Jacobus in zijn brief, 1:22. Het heeft de doopsgezinden zeer aangesproken. Deze Vermaningen staan vaak wat achteraf, zij willen er nog wel eens als een schuilkerk uitzien. Dit komt niet alleen doordat de Mennisten meestal tegen klinkende munt wel getolereerd werden, maar van de gereformeerden liever niet aan de straat moesten timmeren. Bovendien namen zij zich in acht tegen al wat hun ingetogenheid kon hinderen zoals pracht en praal en pronk, opzichtige kledij en opzichtige kerken. Een dergelijke ascese is niet alleen maar afwerend; zij is ook besef van een alternatief, van andere mogelijkheden en andere perspectieven die aan een christen op aarde worden geboden. Misschien dat daarvan bij de buitenlandse doopsgezinden meer levend is gebleven. Maar die hebben toch ook in de Nederlanden hun inspiratie kunnen vinden. Zo'n oude Vermaning is simpel, een vrij hoog oplopend schilddak, geen toren, soms achter een huis, bijvoorbeeld achter de oude kosterij van de doopsgezinde kerk in Workum, en niet aan de straat zelf.

Er zijn genoeg Vermaningen te vinden in Friesland. Die van Workum is een van de oudste en stamt uit 1694. Maar ouder en zeker even dierbaar is de Vermaning in Hindeloopen. Die is van 1653. Het gebouwtje heeft alle trekken van zo'n schuilkerkje zoals de ligging, het hoge dak, het ontbreken van een toren en boven alles de bijna schamele soberheid.

Maar in zulke kerkjes hebben mensen hun God vereerd en er het zout niet smakeloos bevonden.

Gereformeerde kerk te Hindeloopen, 19de eeuw.

Groningen

Dat geldt ook voor andere, latere gebouwtjes: bijvoorbeeld de eerste kerkjes die gebouwd zijn na de Afscheiding van 1834, toen in het Groningse Ulrum de breuk tussen de brede liberaal gezinde hervormde kerk en de strenge calvinisten daar onheelbaar werd. Het waren maar eenvoudige lieden, die de kerk verlieten of moesten verlaten. Onder grote opofferingen hebben zij hun eigen kerkjes moeten bouwen. Er zijn er nogal wat die niet meer in gebruik zijn; ook onder de Afgescheidenen en later onder de gereformeerden, die zich rondom het vaandel van Abraham Kuyper schaarden, zijn de economische en maatschappelijke omstandigheden veranderd. Naarmate het aanzien in de wereld groter werd en de financiële middelen ruimer konden vloeien, heeft de gereformeerde gezindte er grotere, meer representatieve en helaas ook wel eens protseriger, burgerlijker kerken voor in de plaats laten zetten. Maar de oude gebouwtjes zijn hier en daar nog wel te vinden, soms als pakhuis of werkplaats, garage of opslagruimte. Een naïef boograam of een primitief spitsboogvormpje herinnert nog aan de oorspronkelijke bestemming. U moet hier op uw tocht langs de kerken niet achteloos aan voorbij gaan: zij zijn het stenen protest tegen de arrogante vroomheid van de rijke kerkvoogdijen, met hun notabele leden die zich in de weelde van preekstoel, doophek, herenbank en niet te vergeten rouwkas en praalgraf hebben uitgeleefd. Groningen is de enige echte stad in het noorden geweest, niet zozeer staatsrechtelijk, want ook andere plaatsen hebben stadsrechten gehad, als wel economisch en cultureel. Daarbij dient men ook te tellen, dat dit primaat aanzienlijke politieke gevolgen had. Groningen is een stad gebleven; wie uit het station komt en het Peerd van Ome Loeks goed en wel voorbij is, krijgt spoedig over de Singelbrug een stadse

*N.H. kerk te Spijk.
De tegenwoordige vorm is van 1676, de
toren is van 1902.*

*Ten Boer, N.H. kerk. De rest van een
benedictinessenklooster, tweede
helft 13de eeuw.*

indruk. Van ongeveer 1000 af komt de plaats in de documenten voor. Er was toen al
een kerk en in 1014 blijkt de bisschop van Utrecht er een domein te bezitten. Het
platteland dat wij nu de naam van de stad geven was zeker al christelijk. Het
behoorde tot het diocees Munster, schepping van Liudger. Hij heeft in
Groningerland als missionaris gewerkt en hieraan is een romantisch verhaal
verbonden. Het is wel niet zo fraai als wij in sprookjesachtiger landen als het oude
Engeland en Ierland gewend zijn, dat verhaal van Liudgers bekeerling, de blinde
bard Bernlef, eenmaal de zanger van het groots verleden van helden en koningen en
na zijn doop ijveraar voor de nieuwe God. Toen Liudger op zeker moment het
Groninger veld moest ruimen, moet hij het werk van die prediker hebben voortgezet.
Maar van die tijd is bovengronds niets terug te vinden. Ook van de eerste eeuwen
daarna, tot in de twaalfde eeuw, zijn de gegevens uitermate schaars. Hoe was de kerk
er georganiseerd? Er was, wat het platteland betreft, een heel verre bisschop in
Munster en wat de stad Groningen aangaat een al even verre bisschop in Utrecht. In
enkele grotere woonkernen kunnen bisschoppelijke vertegenwoordigers toezicht
hebben gehouden en recht hebben gesproken. Die functionarissen, gesteld onder de
aartsdiaken, die plaatsvervanger van de bisschop was in dat 'Friese' deel van zijn
diocees, waren leken, voorwaar een nogal vreemde constructie. Helpt het tot een
beter begrip, als wij zien, dat die dekanale posten behoorlijk wat winst opleverden?
Op zichzelf niet, want dat gold ook elders in de christelijke wereld, en het kerkelijk
oppergezag hield er niet van dat kerkelijke functies door niet-geestelijken werden
bezet. Maar de bisschop van Munster heeft geen kans gezien in de situatie
verandering te brengen. Leken hadden vrij veel te zeggen in het middeleeuwse
Groningerland. Zo bleven de benoemingen van pastoors ook meestal buiten de
bisschop. Deze benoemingen geschiedden door rijke boeren, die een kerk hadden
gesticht of hadden begiftigd met gelden, en dat benoemingsrecht, de collatie, ging
over op hun erfgenamen. Natuurlijk mocht dat officieel niet en op het derde
Lateraanse concilie van 1179 had men neen gezegd. Maar wat in het hart van de
christelijke wereld, het verre Rome, gold, behoefde nog niet door te werken in een
uithoek van een uithoek als het gewest in die tijd was. Die grote invloed van de leken
in kerkelijke zaken is lang waarneembaar geweest. Maar achter die tegenstelling van
leken en geestelijken is een andere realiteit belangrijker. Kerkbouw en jaargelden
veronderstellen een zeer ruime beurs en wie de middelen ervoor op tafel wilde leggen
wilde ook wel zeggenschap behouden. Het was geen hoge adel, die met een weids
gebaar grond, mankracht en gelden beschikbaar kon stellen voor de kerk, in de
vrome hoop op eeuwig loon in de hemel. Het waren vrije boeren die niet zozeer in
achteloos weggeven, als gebaar aan hun stand verplicht bevrediging vonden als wel
in zeggenschap houden bij hun uitgaven. In dat opzicht is er een merkwaardige
kerkelijke continuïteit dwars door de Reformatie heen te bespeuren. Nog heel lang
zijn de sociaal en economisch sterken heer en meester over de dorpskerk in
Groningen geweest. Hier ligt tenminste een van de nevenoorzaken voor het conflict
van 1834, toen in het Groningerland de scheuring begon, die tot de sterke
versplintering van het calvinisme in de negentiende eeuw ten onzent zou leiden.

Kloosterkerk in Ten Boer

Kloosters zijn er in de eerste vier eeuwen na de kerstening in de dagen van de
Karolingers, dus sedert de tweede helft van de achtste eeuw af, niet geweest. Wel
hadden Duitse kloosters er goederen, zoals dat trouwens ook elders het geval was.
Men heeft dat ontbreken van belangrijke abdijen wel toegeschreven aan het te kleine
areaal. Dergelijke kloosters konden alleen bestaan door grootgrondbezit, en dat kon
alleen geschonken worden door de allerrijksten, de koning, de leden van de

Detail noordwand van de N.H. kerk te Ten Boer. Opvallend is de romanogotische baksteenbouwkunst.

allerhoogste adel, en die waren er niet. In de twaalfde eeuw ontstaat wel een vijftal aanzienlijke kloosters die zich voegen naar de regel van de heilige Benedictus. Alweer vormden die kloosters een onregelmatigheid in het kerkelijk patroon van toen. Zeker vier van de vijf waren zgn. dubbelkloosters, waarin communauteiten van mannen en vrouwen binnen één complex leefden. Veel is van de kloosters van de benedictijnse orde niet meer over. In Thesinge is nog een stuk van het koor der vroegere abdijkerk te vinden. Die abdij, Germania geheten, is verder geheel verdwenen. In 1786 is de oude kerk afgebroken met uitzondering van dat stukje koor, en dat is nog verlaagd. Meer is over in Ten Boer. Daar staat nog de gehele kloosterkerk, die in de dertiende eeuw is gebouwd. De buitenkant is boeiender dan het interieur, waarin vrijwel niets meer herinnert aan de tijd dat de benedictinessen er hun gebeden hielden.

Die buitenkant, uit het derde kwartaal van de dertiende eeuw, is bijzonder fraai en levendig: romanogotische baksteenbouwkunst van hoge kwaliteit. Het is een architectuur die voor Groningen zeer karakteristiek is. Bij tientallen zijn de kerken die in die trant gebouwd zijn, te noemen. Na het Maaslandse romaans van Limburg en de door de Noordfranse schittering geïnspireerde Brabantse gotiek vinden wij hier een derde bron van sterke inspiratie: de Noordduitse baksteenbouw. Natuursteen was vrijwel niet te krijgen in dat uitgestrekte vlakke land, dat Holland, de noordelijke provincies en Noord-Duitsland omvat. De kunst om baksteen te maken, waarvoor de grondstof op de kleigronden genoeg aanwezig was, heeft hier de bouwkunde pas werkelijk de mogelijkheden tot representatieve bouw gegeven.

Groningse kloosters

De grote tijd van de Groningse kloosters is wat later gekomen; hun geschiedenis is gelijk aan die in Friesland. Zeer belangrijk was het cisterciënzer klooster Aduard, een dochter van Klaarkamp. Het is in 1192 gesticht en al spoedig openbaarde er zich de veel modernere aanpak niet alleen in een strenger en veel soberder leven dan onder de oude benedictijnen het geval was, maar ook in de bewerking van het land. Soberheid voor alles, en hard werken: zo kon de kloostergemeenschap een levend offer voor God worden. Het betekende een intensiever landontginning. Het geld, dat de oudere orde naar de trant van de vroege middeleeuwse rijken in kerkelijke pronk stak, bleef beschikbaar voor vergroting van het kloosterbezit. In dit opzicht doet de geest van deze nieuwere orden, die van de cisterciënzers en die van de premonstratenzers, om de twee voor dit gewest belangrijke stichtingen te noemen, burgerlijker aan. Hoe dan ook, hun vestigingen bloeiden en met name Aduard was zeer rijk. Aan het einde van zijn kloosterbestaan, toen de zestiende eeuw ten einde liep, bezat het 6753½ hectare. De abt had ook in Groningen een eigen huis, en het verhaal ging, dat hij van Aduard naar de stad nooit over andermans grond behoefde te reizen. Het was bij de cisterciënzers gewoonte, dat behalve de paters ook lekebroeders in het klooster waren, de zgn. conversen. Die waren wel monniken, maar zij hadden geen priesterlijke bevoegdheden en waren bestemd voor de handenarbeid, in dit geval de landarbeid. Het waren vaak rauwe kerels, die hun aandeel aan de gewelddadigheden van het middeleeuwse leven ruimschoots hebben gehad.

Klooster in Ter Apel

Van de stichtingen der premonstratenzers is niets over. Er is echter wel van een andere orde, die der kruisheren, een aanzienlijk deel van hun klooster in Ter Apel bewaard. Zij zijn daar vrij laat gekomen, in 1464. Drie zijden van het complex bestaan nog, de kapel en verder de noord- en oostkant van de kruisgang. De rest is in de negentiende eeuw gesloopt. Het geheel is de moeite van een bezoek overwaard, zowel om de omgeving als om de kruisgang zelf. De ligging van het complex is nog landelijk, zoals het landelijk was toen de kruisheren erin trokken. Hoogtepunt van het bezoek zal de oude kapel zijn, waarvan een deel de dorpskerk is geworden. Die kapel, in 1501 gewijd, heeft sfeer genoeg. Maar behalve die altijd ongrijpbare sfeer zijn er substantiëler punten die de aandacht trekken. Er zijn nog oude koorbanken, die gezien mogen worden. Er is ook nog een oksaal, al heeft het calvinisme er de beelden van verwijderd. Nog is te zien, dat middenin een Madonna heeft gestaan: een amandelvormige omlijsting met vlammen en de maansikkel, waar zij op geplaatst was; 'en er werd een groot teken in de hemel gezien: een vrouw, met de zon bekleed, met de maan onder haar voeten en een krans van twaalf sterren op haar hoofd,' heet het in *Openbaring* 12:1. Die voorstelling heeft de middeleeuwer zeer gefascineerd; het Marianum in Thorn laat zien hoe het beeld in Ter Apel ongeveer geweest moet zijn. Het oksaal kan geen zangers meer dragen; een schot sluit het kloosterdeel (plus koor) af van het schip. Dit is vanwege de verwarming gedaan, want de kerk is nog altijd in gebruik. De toevallige bezoeker, die niet iedere zondag in de winter ter kerke gaat, kan dat betreuren, want de ruimte van de oude kapel wordt erdoor verstoord. Maar verwarming is duur, ook in het land van de gasbel, en alleen het schip is nog als (hervormde) kerk in gebruik.

Asingaborg

In het oude Groninger landschap zijn bij tientallen de kerken te vinden die tussen de dertiende en de zestiende gebouwd zijn, en anders, geheel anders zijn dan waar verder in ons land. Dat het gebied tot het diocees Munster heeft behoord is daarbij van minder belang dan dat volk en land aan weerszijden van de rijksgrens gemeenschappelijke trekken en gemeenschappelijke belangen hebben gehad. Ook kerkelijk is dat wel te merken. Groningen is vrij laat definitief deel gaan uitmaken van de Republiek, maar toen dat in 1592 geschiedde is de protestantisering vrij snel verlopen. Van belang kan daarbij zijn geweest, dat Oostfriesland in die tijd al stevig calvinistisch was; Emden is aan de vooravond van de Opstand een toevlucht geweest voor Nederlandse gereformeerd gezinden. Er zijn hier geen streken of uithoeken waar de katholieken de helft of meer van de bevolking uitmaken. Overal zijn zij in de minderheid en zij vormen zelfs in de meeste gevallen een kleine minderheid. Dat wil niet zeggen dat katholieken zich niet te weer hebben gesteld tegen de invoering van het protestantisme. Niet iedereen heeft het hoofd gebogen voor de eis der nieuwe religie. Dat standhouden was soms mogelijk door het verzet van patricische geslachten, ook op het platteland. In Middelstum is dat nog te zien: aan wat er over is van de Asingaborg. Hier hebben de katholieken eens een schuilkerk gehad. Gaat u in dit dorp trouwens ook de hervormde kerk bekijken. Het is een groot gebouw uit de vijftiende eeuw; men is in 1445 met de bouw begonnen en in 1487 werd de toren erbij gezet. Er zijn nog enige schilderingen in het gewelf bewaard zoals een scène van de zondeval van Adam en Eva en het Pinksterwonder. De kerk heeft altijd iets deftigs gehad: zoals te zien is aan het fraaie grafteken voor pastoor Egbert Onsta uit 1476. De pastoor ligt geknield voor de Madonna met haar goddelijk kind. Er zijn ook kostbare kerkmeubelen, een preekstoel van 1733 en bijbehorende Avondmaalstafel en een rijk bewerkte bank, die het koor afsluit. Die bank doet aan als streep door de roomse rekening: de vernieuwde religie had geen boodschap meer aan dat deel van de kerk. Maar toch... De kerk heeft een achttiende-eeuws portaal en daarop staat Sint-Hippolytus. Die was in de roomse tijd de heilige aan wie de kerk was gewijd. Na de Hervorming had men voor dergelijke paapse

N.H. kerk te Middelstum. Men is in 1445 met de bouw begonnen en in 1487 werd de toren erbij gezet. Onder: *poortgebouw Asingaborg, waar de katholieken een schuilkerk hadden.*

vrijmoedigheden geen plaats meer, maar de heerlijkheid Middelstum bleef hem trouw en vandaar is hij in het gemeentewapen terecht gekomen. Op deze plaats, boven het portaal, spreekt hij niet meer van de hemelse macht die de kerk in stand houdt, maar van de aardse in het herenhuis.

Middelstum

De kerk in Middelstum is met haar laat-gotisch karakter een tamelijk grote zeldzaamheid op het Groningse platteland. De meeste kerken zijn ouder en vertonen de eigenaardige mengstijl tussen romaans en gotisch in, die men de romanogotische pleegt te noemen. Er zijn wel oudere romaanse kerken, zoals de kerk in Marsum, die uit de tweede helft van de twaalfde eeuw stamt. De koorpartij is nog gedekt met middeleeuwse pannen, om en om hol en bol, 'nonnen' en 'monniken'. Leens vermelden wij hier ook, waar het schip van ongeveer 1100 is en koor en dwarspand een eeuw jonger zijn. In Leens vindt men nog zgn. hagioscopen, openingen waardoor van buiten af een blik op het altaar of eventueel op de crypt van een vereerd heilige mogelijk was. In Leens zijn ze raamvormig, maar elders zijn ze ook wel geheel rond. Een aantal van onze oudste kerken hebben zulke hagioscopen. Dit is niet alleen in het noorden het geval, maar ook in de kerk van Oosterbeek-Laag komt er een voor. Het kon van belang zijn voor pelgrims, die op die manier contact met de relieken van de heilige konden hebben. Ook kon het van belang zijn voor melaatsen, die zich niet onder de kerkgangers mochten begeven en zo toch konden communiceren. De priester legde de hostie dan op de opening en de melaatsen konden proberen het gewijde brood te bemachtigen. Het moet een Breugheliaans tafereel zijn geweest. Naderhand treffen wij de hagioscopen minder aan. De reden hiertoe is niet dat de pelgrimages ophielden, en ook niet dat er geen melaatsen meer waren, maar dat van de dertiende eeuw af het communiceren sterk afneemt.
In het landschaps- en dorpsbeeld overheersen die latere romanogotische kerken. Waarom zijn de oudere kerken verdwenen? De oorzaken zijn overal dezelfde: brand, verval, verwoesting, maar ook meer mensen, meer geld voor duurder nieuwbouw, de onuitroeibare neiging tot pracht en praal en de behoefte om te imponeren. Als tot dat doel goed vakmanschap te hulp werd geroepen, kon het resultaat uitstekend zijn.

Loppersum

Het is te zien in Loppersum, eenmaal een kerkelijk centrum als middelpunt van een der decanaten waarin Groningen verdeeld was. Het schip is uit de dertiende eeuw, het transept is uit het midden van die eeuw en het koor stamt uit de eerste helft van de vijftiende eeuw. Daarna, in de eerste helft van de zestiende eeuw, is er nog van alles aan gebeurd, maar aan de totale indruk is daarmee weinig veranderd: die van een grote lichte ruimte, waarin de aandacht onmiddellijk uitgaat naar het heldere koor, maar waarin de transepten niet als afzonderlijke bijruimtes werken, maar het totaal luchtiger en zelfs diffuus maken. Wat is er in het bijzonder te zien? De oude Mariakapel, aan de noordkant van het koor, afgesloten met een zeldzaam natuurstenen hek? Liever de schilderingen op muur en gewelf. Daarvan is veel verloren gegaan, maar wat over is heeft een allure die de gewestelijkheid verre te boven gaat. Zij zijn te vinden in het koor en de Mariakapel. Het heeft in dit boek geen zin, er een gedetailleerde beschrijving van te geven. De thema's van de schilderingen zijn conventioneel, bijbels, zij het met nogal wat nadruk op de geschiedenis van na de opstanding van Christus. Er is verder de Maagd te zien, in wier schoot de hoorn van de eenhoorn rust. Daarmee is een middeleeuwse vertelling

N.H. kerk te Leens. Het schip is van omstreeks 1100. Koor en transept zijn van omstreeks 1200.

Leermens, N.H. kerk. Hagioscopen van omstreeks het jaar 1000?

Het koor in de N.H. kerk te Loppersum; het schip is uit de 13de eeuw, het koor uit de tweede helft van de 15de eeuw.

Gewelfschildering in de kerk te Loppersum. Het detail stelt voor de H. Maagd met de Eenhoorn, symbool der kuisheid.

aangeduid. De eenhoorn was een fabeldier, dat zich alleen liet vangen door een ongerepte maagd. De hoorn van dit zonderlinge beest behoorde tot de meest begeerde objecten van dure verzamelingen; gewoonlijk werd een narwaltand ervoor uitgegeven. De eenhoorn en Maria behoorden bij elkaar: zij gaven de maagdelijke geboorte aan. Dan is er de schildering van de pelikaan met haar jongen: het dier dat naar de middeleeuwse dierkunde – die tegelijk de leer van de symbolen was – haar borst openpikt om de kuikens te voeden en daarom een zinnebeeld is van Christus' liefde.

Het orgel stamt in aanleg uit de tweede helft van de zestiende eeuw, maar van vóór de Reformatie, te weten uit 1562. Op het schild aan de top staat 'Vernieuwd in 1803.1932.' Maar dat is maar de helft van het verhaal. Er is ook in 1665 en 1735 aan gewerkt. Dat weelderigheid van uitrusting door de Reformatie niet verdwijnt maar van object verandert, is ook hier te zien aan preekstoel, herenbank en de vele grafzerken, van nog laat-middeleeuwse af. De dood maakt allen gelijk, maar toch niet helemaal. Maria van Selbach rust onder een overmaat van wapenschilden, waarop eenvoudiger stervelingen niet kunnen bogen: veiliger beschutting in het goddelijk gericht dan geboden kan worden door de patroonheiligen van de kerk, Petrus en Paulus? Zij staan geschilderd boven het centrale koorraam, en aan weerszijden van hen staan de vier Latijnse kerkvaders: Gregorius de Grote met een tiara, want hij was paus, Hiëronymus met zijn leeuw; Augustinus toont een hart, het brandende hart, dat zijn traditionele symbool is; en de vierde, fragmentarisch bewaard gebleven, is Ambrosius. Opmerkelijk is het, dat bij Hiëronymus en Augustinus de symbolen van de evangelisten zijn afgebeeld namelijk de stier en de leeuw bij de eerstgenoemde en de mens en de arend bij de laatste: Lucas, Marcus,

N.H. kerk te Nuis (Groningen) uit de eerste helft 13de eeuw.

N.H. kerk te Zeerijp, uit het midden 14de eeuw, met losstaande toren; zulke torens komen vaker in Groningen voor. Onder: een van de poorten in de kerk.

Mattheus, Johannes. De combinatie is ongebruikelijk; wijzen de evangelistensymbolen genoemde kerkvaders aan als de verklaarders van de Heilige Schrift bij uitstek? Ten slotte is de tijd van het ontstaan van deze schilderingen een tijd van preken geweest, en een tijd van toenemende behoefte aan geleerdheid, ook inzake de kerkelijke leer.

Groningen heeft immers in de vijftiende eeuw bijgedragen tot de bloei van het humanisme en de daarmee gepaard gaande grotere belangstelling voor de bijbel. De uitstraling is minder sterk dan wat van de IJsselstreek uitging, maar toch aanzienlijk belangrijker dan bijvoorbeeld het Amsterdamse humanisme van die tijd. Internationaal de beroemdste was Rudolf Agricola, in 1444 te Baflo geboren en 41 jaar oud als hoogleraar in Heidelberg gestorven. Gewestelijk heeft Wessel Gansfort meer kunnen doen. Hij was een Groninger jongen, die er in 1419 is geboren. Maar zijn opleiding heeft hij buitenslands moeten zoeken, eerst nog in de Nederlanden, waar de beroemde school van Zwolle hem een gedegen voorbereiding gaf, daarna in Keulen, Parijs, Heidelberg; ook Italië heeft tot zijn vorming bijgedragen. Terug in de Nederlanden is hij eerst in Zwolle werkzaam geweest, daarna is hij in het klooster Aduard getreden en ten slotte is hij in 1489 in Groningen gestorven. Bijbels humanisme: dat ideaal van Wessel Gansfort heeft de bodem helpen bereiden voor het aanvaarden van de Reformatie.

Reformatie

Niet, dat die in de eerste plaats zaak van geleerden is geweest, of zelfs maar van een enigszins geletterde burgerij. Zo geleidelijk is de hervorming van de kerk nergens in ons land tot stand gekomen. Daar zijn gewelddadigheden in het spel geweest, plundering, moord, doodslag, vervolging en vlucht, en de politiek heeft er zich mee ingelaten. De twisten in de vijftiende eeuw en de eerste tientallen jaren van de zestiende eeuw in stad en gewest zijn te ingewikkeld om hier uiteen te zetten. Het einde van het lied was, dat Karel van Gelre als heer van het land ging optreden, wat weldra de Groningers niet zinde; in 1536 deden zij een beroep op keizer Karel v als

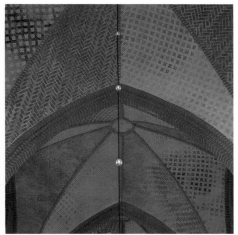

Rouwbord uit 1700, gewelfschildering en preekstoel uit 1646, in de N.H. kerk te Zeerijp.

landsheer van de Nederlanden en diens stadhouder nam stad en land onder zijn hoede. Daarop leek een periode van rust te kunnen volgen en inderdaad zetten ook allerlei kerkelijke hervormingen rustig in. Maar op de zuidelijke radicalisering van de situatie zoals de Beeldenstorm, de tegenmaatregelen van het centraal Brussels bestuur en het verzet van Oranje had men niet gerekend. In 1568 viel Lodewijk van Nassau binnen, Alva keerde de opstand. Zelfs dat leidde nog niet dadelijk tot wilde beroeringen. De Spaanse gouverneur van het noorden, Caspar de Robles, was een goed bestuurder. De moeilijkheden begonnen pas recht, toen zijn troepen begonnen te muiten, opgestookt door François Stella, daartoe uit de kring van de Staten-Generaal gezonden. Een nieuwe stadhouder, George de Lalaing Rennenberg, zocht een voorzichtig samenwerken op basis van religievrede met Oranje en de zijnen. Dat leidde tot spanningen tussen de stad en de Ommelanden, die elkaar toch al nooit goed konden verdragen. Groningen bleef trouw aan vorst en kerk, ook omdat de Ommelanden anders wilden. Even leek het of de stad zich zou aansluiten bij de opstand, maar Rennenberg zelf bleek ten slotte voor de koning te kiezen en aanvaardde op 3 maart 1580 weer de gehoorzaamheid aan Philips II. Die ommezwaai staat te boek als het verraad van Rennenberg. Pas in 1594, toen prins Maurits de stad innam, was het uit met de gehoorzaamheid aan de altijd zo geëerde koning van Hispanje. Voortaan waren stad en land teruggebracht tot de gehoorzaamheid aan de leiders van de opstand. Met die 'reductie' kon ook de protestantisering serieus ter hand worden genomen. Voor zover de kerken nog niet in protestantse handen waren, kwamen zij het nu en werden dienovereenkomstig onttakeld en opnieuw ingericht.

Martinikerk te Groningen

Wat de gebouwen betreft nam de nieuwe religie over het algemeen een hechte erfenis over. Het is het beeld van overal in de Nederlanden : vrij weinig nieuwbouw naar reformatorische beginselen. Als er nieuwe kerken zijn verrezen, dan is het vaak in nieuw gestichte plaatsen of bij stadsuitbreidingen. Hoofdzaak bleven (en blijven) de middeleeuwse gebouwen, met de Martinikerk in Groningen als eerste.

Zij is het resultaat van veel verbouwingen, met als uitgangspunt een romanogotische kruisbasiliek uit het midden van de dertiende eeuw. Zoals gebruikelijk werd, toen men met die kerk niet meer tevreden was, eerst het koor vernieuwd : een zeer hoog opgaande constructie die door een koorgang is omgeven. Aan de noordkant van het koor vindt men de oude sacristie en een kapel ; die kapel zal in het begin van de zestiende eeuw tot stand zijn gekomen. Na het koor werd het schip onderhanden genomen en naar de mode van de tijd tot hallekerk verbouwd.

Nu zijn er ook wel elders in het land hallekerken te zien, en ook wel betere. Het beste deel van de Martinikerk is het koor met inbegrip van de schilderingen, aangebracht in de eerste helft van de zestiende eeuw in een aantal dichtgemetselde hoge vensters. In renaissancetrant zijn daar scènes uit de geschiedenis van Jezus te zien, met name uit het begin van de evangeliën (de twaalfjarige Jezus in de tempel, *Lucas* 2 : 40–52, sluit deze reeks), en aan de noordzijde scènes uit het lijdensverhaal. Van het Laatste Oordeel op de hoge wand tussen koor en schip zijn nog maar fragmenten over.

De schilderingen zijn een halve eeuw te zien geweest en toen tot aan 1924 onder het witsel verdwenen om het gebouw te reinigen van paapse smetten. Ook de andere grote stadskerk van Groningen, de A-kerk, met alweer zo'n hoog koor, een twintig jaar jonger dan dat van de Martinikerk, en met een schip dat daarna is verbouwd, heeft de bezem van de Reformatie door zich heen moeten laten gaan. Geheel nieuw was de Noorderkerk, ook wel Nieuwe Kerk genaamd, die uit 1665 stamt. De Amsterdamse Noorderkerk heeft er model voor gestaan, maar de uitvoering is

De geveltop van de N.H. kerk te Leermens. De geveltop dateert uit de eerste helft van de dertiende eeuw. Onder: interieur van de N.H. kerk te Zeerijp.

soberder en ook wel provinciaalser dan de oude wijkkerk van de Jordaan. De plattegrond is die van een Grieks kruis met ondiepe armen en de inrichting is uit de bouwtijd, maar lang niet zo luxueus als wij uit diezelfde periode hier en daar op het Groningse platteland kunnen aantreffen.

Kolham

Er is wel meer centraalbouw in het gewest te vinden, bijvoorbeeld in Sappemeer, waar de kerk tussen 1653 en 1655 is gebouwd. Maar wat verder aan protestantse nieuwbouw te vinden is, vertoont veel traditionele vormen. Het zijn zaalkerken met soms zelfs een nutteloze veelhoekige koorsluiting, zoals het aardige uit 1641 stammende kerkje in Kolham. Het is een verschijnsel dat in het gehele land te vinden is: bij reformatorische nieuwbouw blijkt in de meeste gevallen de revolutionaire verandering van opvatting van wat een kerk is en hoe de liturgie dient te verlopen in een mondige gemeente zonder een bijzondere priester (want de predikant is principieel geen priester), niet door te werken. Waarom niet? Week het nieuwe model van centraalbouw te sterk af van wat de uitvoerders, zoals metselaars, timmerlieden, loodgieters, dakdekkers gewoon waren en vroeg het daarom wegens zijn buitenmodels karakter te veel kosten? Was men toch, over de Reformatie heen, nog veel te veel gehecht aan het oude model en nam men de principiële bezwaren dan maar op de koop toe, door ze weg te improviseren: een schot tussen koor en schip, schilderingen weggewit, de preekstoel en de daaraan vastgemaakte of althans vlak bij gezette doopschaal in plaats van de oude zware vont onder toren of in zijkapel? Ach, onder de aanwijsbare veranderingen is ook zoveel aanwijsbaar hetzelfde gebleven, als men bedenkt dat de opbouw van de samenleving door de publieke religie niet diepgaand gerevolutioneerd is geworden.

RIJK TEGENOVER ARM

Rijkdom genoeg, ook in de zeventiende en de achttiende eeuw, althans in borg en kerk; het was elders in Groningen wel eens anders. Niet overal en altijd kon gewag gemaakt worden in een kerk, dat de prijzen van landbouwprodukten: granen, zuivel, zo best lagen als te zien is op een schildering in de kerk van Tinallinge uit 1557. In de jaren veertig van de achttiende eeuw ging het slecht met het platteland van Groningen, maar in 1741 werd in de kerk van Kantens toch maar een zeer kostbaar gesneden preekstoel geplaatst. Leek bezit een pronkgeheel van preekstoel en doophek uit 1752 en het kostbare meubilair in de kerk van Noordwolde dateert uit 1743. Het is de moeite waard om zulke zaken ook te bedenken als men kerken bezoekt en zich mag vermeien aan de kostelijkheden die er te zien zijn. Al die luxe behoeft geen weerspiegeling te zijn van het welvaren van allen die op zondag werden geroepen ter kerke te gaan om zich te buigen onder Gods Woord. De weelderigheid weerspiegelt in vele gevallen de trots van de heren in hun banken, met hun familiewapens erop. Zij konden uitkijken op de dure kansel en het kostbare doophek. Als hun blik afdwaalde van de preekstoel tegenover hen, zagen zij de pracht van rouwkas en misschien zelfs praalgraf, waardoor hun voorgeslacht ook dood heel wat duidelijker tegenwoordig was in de gemeente dan de levende sloebers, die maar moesten zien hoe zij hun daglonersmaaltje bijeen scharrelden of met het beetje dat zij met grondwerk in de venen konden beuren rondkwamen. Het is al aangeduid dat de uitbarsting van de Afscheiding, voor zover er ook economische oorzaken aanwezig waren, niet onverwacht is gekomen.

Ook in de negentiende eeuw zijn kerken gebouwd: sober en classicistisch in de eerste helft, exuberanter, neogotisch in de tweede helft. Wat dat laatste betreft is er wel iets, maar heel wat minder van te vinden dan bijvoorbeeld in Brabant of in Holland. Maar daarvoor behoeft men niet naar Groningen te gaan. Groningen heeft beters te laten zien.

Drenthe

N.H. kerk te Anloo. Het schip is van omstreeks 1100, de toren iets later. Het spitsje op het zadeldak van de toren is uit de 18de eeuw.

De achtentwintigste juli van het jaar 1127 is de dag van Drentes krijgsroem geweest. Bisschop Otto II van Utrecht had geoordeeld, dat Rudolf van Coevorden een lesje moest hebben omdat hij te machtig en te brutaal dreigde te worden. Als heer van Coevorden kon Rudolf de belangrijkste en vrijwel enige weg door Drenthe, langs de Hondsrug, beheersen tot aan Groningen toe. De Drenthen zelf voelden bitter weinig voor een effectief wereldlijk gezag van hun bisschop met de daarbij behorende financiële gevolgen en Rudolf voelde zich geroepen om aan hun verzet leiding te geven. Hij had kort tevoren een troep bisschoppelijke soldaten bij Ommen verslagen en hij belegerde Groningen, dat een kostbare vooruitgeschoven post van de Utrechtse prelaat was. Het werd tijd dat bisschop Otto ingreep. Daarom organiseerde hij een strafexpeditie, waaraan ook Gerard graaf van Gelre deelnam en voorts een aantal ridders uit Holland (zo Gijsbrecht II van Aemstel, voorvader van Vondels treurspelheld) en van elders. Een deftig leger, dat dacht dat alleen al zijn verschijnen in Drenthe de boerenkerels voldoende schrik zou inboezemen. Maar bij Ane, een uur gaans ten zuid-zuid-westen van Coevorden, liep het verkeerd. Het bisschoppelijk leger moest het moeras door en aan de overkant stonden de boeren. Hun vijanden kenden het terrein niet en zakten met paard en al in het veen weg. De boeren hadden geen benul van ridderlijke strijd. Die hield naar ridderlijke ideeën in, dat de kinkels doodgeslagen zouden moeten worden en niet de ridders. Het liep echter anders. De edele slachtoffers van het moeras verdronken en wat er nat en bemodderd uit wist te kruipen, werd doodgeslagen. Dat waren onder anderen de bisschop van Utrecht en de graaf van Gelre.

In dit bericht hebben wij wel de voornaamste elementen van de geschiedenis van Drenthe bij elkaar. Kerkelijk viel het gewest onder de bisschop van Utrecht, maar ook wereldlijk. De bisschop had met zijn Drentse onderdanen nog wel eens moeilijkheden. Zij woonden afgelegen en grote stukken waren door de moerassen ontoegankelijk. De enig bruikbare verbinding van Oost-Nederland met het noorden liep over de ene zandrug, van Coevorden naar Groningen. Steden waren er behalve Groningen niet.

Groningen ontleende zijn welvaart niet aan Drenthe, maar aan Friesland ten oosten en ten westen van de Lauwers.

Coevorden

Alleen Coevorden was meer dan een boerennederzetting. De plaats heeft pas laat, in 1408, stadsrechten gekregen. De ligging maakte haar echter al vroeg van regionaal belang als halteplaats voor reizigers en als streekcentrum. De bisschop van Utrecht en daarna nog een tijdlang de hertog van Gelre – dat was toen Karel van Egmond; zijn praalgraf zijn wij al tegengekomen in de Arnhemse Eusebiuskerk – had er een kasteel. Maar de tegenwoordige stadsplattegrond van het stadje is hoofdzakelijk naar latere militaire inzichten ontstaan. Graaf Willem Lodewijk maakte er in de jaren tussen 1597 en 1607 een zevenpuntige vesting van en in 1700 heeft Menno van Coehoorn nog wijzigingen aangebracht. Nog altijd herinnert een aantal gebouwen

Rechts: *N.H. kerk te Coevorden,
omstreeks 1645 gebouwd. Het gebouw
bestaat uit een Grieks kruis met zeer
korte armen. Onder: gedenksteen voor
Karel Rabenhaupt.*

*De N.H. kerk te Norg. Het is de meest
zuivere romaanse kerk in Drenthe. Zij
stamt uit de dertiende eeuw. Het
meubilair, zoals preekstoel, doophek en
herenbank, is uit de 17de eeuw.*

aan dat krijgshaftige verleden. Daar behoort de kerk ook onder. Niet zozeer het
gebouw zelf: dat vertoont niet het model van een garnizoenskerk. Het is een gebouw
dat in de Amsterdamse Noorderkerk zijn belangrijkste model heeft en het bestaat uit
een Grieks kruis met zeer korte armen, in feite centraalbouw. Het meubilair is net als
de kerk uit het midden van de zeventiende eeuw; de commandantsbank is wat elders
de herenbank moet wezen. Enige gedenkstenen houden de gedachtenis aan het
beruchte jaar 1672 levend waarvan een voor Karel Rabenhaupt, baron van Sucha.
Hij was een uit Bohemen afkomstige protestantse emigrant, die het krijgsvak had
geleerd onder Maurits en Frederik Hendrik. Toen het in 1648 vrede was geworden,
vond hij emplooi bij de graaf van Hessen-Cassel. Maar in het jaar 1672, toen de
bisschop van Munster het noorden en oosten van het land met moord en brand tot
betere katholieke gedachten poogde te brengen, nam hij op verzoek van de Staten
van Groningen de verdediging van hun hoofdstad op zich. Hij wist de
hoogeerwaarde krijgsheer te verjagen van stad en Ommelanden en in één moeite
door ook van Drenthe en Twenthe. Vlak voor oudjaar 1672, op 30 december om

precies te zijn, heroverde Rabenhaupt Coevorden. De Staten-Generaal hebben hem om zijn manhaftigheid, in die streken bewezen, drost van Drenthe en gouverneur van Coevorden gemaakt. Twee en een half jaar na de herovering van de vesting op Bommen-Berend is hij in Coevorden gestorven. Maar ook in lagere maatschappelijke regionen blonk de dapperheid van Coevorden uit. De gedenksteen voor onderwijzer en koster Meindert van der Thynen, die tijdens het krijgsrumoer van 1672 het plan voor de herovering ontwierp, is hier een voorbeeld van.

Romaanse kerk in Norg

De meest zuivere romaanse kerk in Drenthe is uit de dertiende eeuw. Zij staat in Norg. Hier is ook het koor nog romanogotisch. In 1837 had men in een vlaag van gotiek spitsboogramen in het schip aangebracht, maar die zijn bij de restauratie omtrent 1970 weer vervangen door romaanse. Het koor is een juweel onder zijn koepelgewelf, waar de oude decoratieve geschilderde randen de witte gewelfsegmenten verlevendigen. Het zeventiende-eeuwse meubilair, zoals preekstoel, doophek en herenbank, draagt tot de aangename indruk van het geheel niet weinig bij. De preekstoel is van 1678 en door een goed vakman gesneden. Het sprekendst is de voorkant, onder de lessenaar: onderaan een brandende olielamp, daarboven een bijbel, opengeslagen op de tekst *Jacobus* hoofdstuk 1 vers 22. Daar staat: 'weest daders des woords en niet alleen hoorders'. De haan daarbij roept op tot waakzaamheid. Wie dat alles betracht: in het licht van de Heilige Geest de bijbel leest, daarbij doet wat er verkondigd wordt en wakker blijft, zal de erekrans ontvangen. Dit is allicht een eikekrans, want palmen en laurieren zijn in Noord-Drenthe niet te vinden. Om de preekstoel heen staat nog het doophek. Gelukkig heeft men weerstand geboden aan de mode van een jaar of dertig, veertig geleden, die vond, dat zo'n afschutting van de doopruimte de afstand tussen het Woord en de gemeente vergrootte. Niet dat dat effectief zo was, want het geluid ging er wel overheen en de dominee bleef op de stoel toch ook behoorlijk zichtbaar, maar het hek was een symbool, en symbolen waren gezocht en gevreesd – alsof het in de kerk ooit om symbolen gaat, en niet om de realiteit zelf. Maar goed, toen moesten alle doophekken eruit. Als ze heel mooi waren, dan werden de fraaiste stukken tegen een muur geplaatst, het liefste tegen de wand van het koor, want dat had men toch nergens voor nodig. De kerk als monumentenverzameling... Zo is het in Norg niet en zo is het in het noorden op veel plaatsen gelukkig niet.

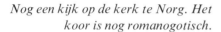

Nog een kijk op de kerk te Norg. Het koor is nog romanogotisch.

Boerengotiek

De voorbeelden van gotiek zijn betrekkelijk schaars; allicht, zoveel kerken telde het destijds heel dun bevolkte Drenthe niet. Gotiek komt trouwens het best en het overdadigst tot haar recht in een stedelijke cultuur; en steden, zagen wij, ontbreken hier. Wat wij vinden is dorpsbouw. Het naïefste is dit wellicht in Nijeveen, in de zuidwesthoek van de provincie een kilometer of vier ten noorden van Meppel. Het kerkje daar is tegen het einde van de vijftiende eeuw ontstaan. Boerengotiek: van binnen is een constructie als bij een boerderij toegepast, met staanders in plaats van pijlers. De muren staan er iets buiten en op die manier ontstaat aan weerskanten iets als een zijbeuk. Dan heeft de kerk in Meppel zelf heel wat meer pretenties. Van oorsprong is zij een eenbeukig gebouw uit de tweede helft van de vijftiende eeuw: het koor werd in 1459 gewijd. Daar bleef het niet bij. Het schip volgde; daarna bouwde men in 1517 een tweede beuk aan de noordkant. Bij de invoering van de Reformatie werd het koor overbodig en toen men laat in de achttiende eeuw de kerk moest vergroten, heeft men het koor afgebroken en vervolgens de beide beuken verlengd.

Detail van de lezenaar met bijbel, opengeslagen op de Brief van Jacobus.

De oostelijke wand kreeg een fatsoenlijke classicistische gevel. Even classicistisch is de torenbekroning die bestaat uit deftige uurwerken met een timpaan erboven, balusters met op de hoeken obelisken met ballen, die zich een omgang daarboven herhalen. Daarop staat een slank achtkantig lantarentje met koepel. Voortaan kon de zware, in verhouding tot de kerk wel heel forse toren de indruk van een zuiver protestants kerkgebouw wekken, geheel van roomse en middeleeuwse smetten gezuiverd. Gezegd moet worden, dat met name het interieur bijzonder plezierig aandoet met zijn witte ronde zuilen, het donkere beschot van de houten overwelving en de blanke wanden. De preekstoel met het doophek – de stoel uit het einde van de zeventiende eeuw, het hek uit de tijd van de achttiende-eeuwse verbouwing – behoren tot de meest luxueuze van Drenthe. Daarbij verzuimt het hek niet, de wat melancholieke boodschap van het gereformeerd christendom uit het einde van de achttiende eeuw te vertolken met de symbolen van Christus' lijden, het kruis, de spons waarmee de lijdende Christus werd gedrenkt, de staf ervoor, de lans en de doornenkroon: tekens die alle christelijke tijden hebben overleefd. Verder wordt ook de mens zelf aan zijn vergankelijkheid herinnerd door de zandloper en de slang die zichzelf in de staart bijt. Het zijn voorwerpen die men telkens weer vindt op kerkhofhekken en grafstenen.

Kerk van Kloosterveen

Van wat na de Reformatie is gebouwd is de hervormde kerk van Coevorden al genoemd. Indrukwekkend van deftigheid – en goede verhoudingen – is de kerk van Kloosterveen, onder de rook van Smilde. Het is centraalbouw, achtkantig, met een hoog dak en een torentje in het midden. De kerk is het directe gevolg van de uitbreiding der bevolking in de buurt van Smilde, toen de Drentse Hoofdvaart werd gegraven en het veengebied op die manier ontsloten. Het Landschap betaalde de bouw van de kerk, waarmee in 1780 begonnen werd en die in 1788 voltooid was. Een representatief geheel, met de preekstoel, het doophek, de trapleuning naar de galerij die rondom de binnenkant loopt: alles statig gesneden in eikehout.

Zo'n galerij is feitelijk alleen denkbaar in een protestantse kerk, waar het van belang was zoveel mogelijk accommodatie aan toehoorders te verlenen en de mobiliteit van de bezoekers niet op de eerste plaats kwam. In een katholieke kerk was dat anders. Daar was het middelpunt de eucharistieviering en de communicanten moesten zich naar het koor begeven om aan de viering deel te nemen. Toen het communiceren in de tweede helft van de middeleeuwen minder werd, was zeker in de grotere gotische kerken de beweeglijkheid van de bezoekers aanzienlijk, niet alleen noodgedwongen, omdat men als men wilde zitten zelf voor stoel of bank te zorgen had, maar ook omdat de kerk een verzamelruimte werd van plaatsen waarop men zijn devotie kon richten: op altaren, beelden eventueel, kansel, biechtstoel. Dan waren er de processies, die binnen de kerk plaatsvonden en als zij naar buiten gingen, toch in het gebouw zelf begonnen. Maar zeker het gereformeerde protestantisme voelde niet voor een vaak herhaalde Avondmaalsviering; een paar maal per jaar was voldoende. De preek – met haar correlaat, een aandachtig, dus stilzittend gehoor – was de hoofdzaak. Voor die paar keer Avondmaalsviering, als men naar de tafel moest gaan, nam men het ongerief van zich bewegen tussen stoelen en banken wel op de koop toe. Vandaar de mogelijkheid van een galerij, waardoor men binnen een betrekkelijk kleine ruimte velen een plaats kon bieden. Dat maakte tegelijk de akoestische problemen geringer, al was ook in zo'n galerijkerk een klankbord boven de preekstoel gewoonlijk geen overbodige luxe. De kerk van Kloosterveen is dan ook een dergelijk meubelstuk rijk.

Schijn bedriegt, of geeft een eenzijdige indruk. De kerk in Kloosterveen maakt een

Nijeveen, N.H. kerk, eind 15de eeuw. Gebouwd naar de techniek van een boerenschuur (kap met balken, gedragen door houten staanders). Kijk in het interieur.

Van boven naar onderen: *Hijkersmilde, N.H. kerk, 1781–1788. Interieur met preekstoel en doophek uit de bouwtijd. Toren van de N.H. kerk te Meppel. Rechts: interieur van deze kerk met preekstoel 1696, doophek 2de helft 18de eeuw en orgel, begin 18de eeuw.*

sobere, maar zeer welgestelde indruk, zoals een achttiende-eeuws herenhuis op het platteland er ook uit kon zien. Was de streek door de ontsluiting nu plotseling zo welvarend geworden? Of geldt ook hier dat de ontsluiting sommige lieden zeer welvarend heeft gemaakt? Er is een bank voor de overheid in de kerk: de herenbank met het wapen van Drenthe. Wie was de overheid? Die was niet samengesteld uit de veenarbeiders en werklozen van elders die aangetrokken waren door het vooruitzicht op tenminste een karig bestaan. Voor hen is zeker ook de kerk gebouwd; maar dat gebeurde dan wel in de stijl van de bouwheren, het bestuur van het Landschap dat bestond uit de edelen en de grote boeren. Die waren er thuis. De anderen waren er te gast en hadden zich maar te schikken naar de regels van het huis.

Wapserveen

Ook in de negentiende eeuw is in vergelijking met elders niet veel gebouwd in Drenthe. Kort na 1800 is de kerk van Wapserveen, bij de Friese grens ten westen van Dwingeloo, afgebroken omdat de directe omgeving ontgonnen werd, en met het oude materiaal is opnieuw gebouwd in gotische stijl. Dat is bekwaam gebeurd, zodat een simpele en aantrekkelijke ruimte is ontstaan. De preekstoel uit 1765, nog met de oude koperen kaarsenhouders in de rand van de kuip, is hier in het koor geplaatst, hetgeen een harmonieuze indruk maakt. Van zorg voor de maatschappelijke rust in het vaderland getuigen de gestichten van Veenhuizen, die daar op 3200 ha waren

ingericht als dwangkolonie voor landlopers, bedelaars en andere zelfkanters, wie de liefde tot de arbeid en het bevrijdende karakter van werken moest worden bijgebracht. Hier en daar herinneren de namen van gebouwen op het terrein er nog aan. Hier zegevierde de gedachte dat de samenleving er een diende te zijn van hard werkende, aan haar doen en laten goed aangepaste en nuttige mensen: onaangepasten deugden niet. Dat stond in' het Veenhuizen van de jaren twintig der vorige eeuw voorop. Het is de consequentie van de burgermoraal dat hard werken geluk geeft. Men heeft er al spoedig een kerk bij gebouwd. Deze achtkantige verrees er in 1825 en 1826. Zij ligt aardig tussen de hoge bomen, maar is wat plomper van verhoudingen dan de kerk van Kloosterveen, waar zij een navolging van is.

Grollo

Het heeft geen zin om volledigheid te betrachten. Nog één kerk uit de vorige eeuw vermelden wij hier, met name die van Grollo, dat hemelsbreed een kilometer of tien ten zuidoosten van Assen ligt. Een volmaakte negentiende-eeuwse idylle, dit kerkje met zijn ingebouwde toren, en met zijn pastorie: de dominee moest door zijn achtertuin in de consistoriekamer kunnen komen. De pastorie zoals het hoort met een deur in het midden, twee ramen links, twee ramen rechts, een lange gang naar de achtertuin, en dan het geheel onder oude bomen: ''t Kerkje tusschen lindeboomen, 't vroolijk landschap om u heen...' en dan 'Al de liefde van dat oord: Op uw avondwandelingen Kleinen, die zich om u dringen, Grijsaards, luistrend naar uw woord...' De Génestet heeft het beeld in 1847 opgeroepen. Het is niet onaantrekkelijk gebleken. Maar het is wel voorbij als het ooit werkelijkheid is geweest. Wat wij van de realiteit van 1850 en daaromtrent weten, is niet zo idyllisch. Die grijsaards konden wel eens bij de dominee hebben aangeklopt om materiële hulp en morele steun tegen de machtigen van de boerengemeenschap, waarvan de kerk het middelpunt was en die kinderen... Ach, die kinderen. Sommigen zouden rijp blijken voor het socialisme, sommigen voor onverschilligheid tegenover al wat kerk was, sommigen zouden de weg naar de Afgescheidenen en later naar Abraham Kuyper vinden.

Het was trouwens zelden overdaad in zulke pastorieën. In het noorden was de dominee nog wel eens boer met de boeren mee (landbouw behoorde tot de vakken, die een student aan de theologische faculteit in Groningen te volgen had). Op den duur zijn de kerkelijke inkomsten wel zo gedaald, dat heel wat van de oude pastorieën verkocht zijn; en dat de dominee een paar dorpen verder woont, in een nieuwbouwwijkje, vanwaar hij een aantal gemeenten onder zijn hoede moet nemen. Ook wat in de negentiende eeuw is gebouwd behoort voor het overgrote deel tot het voltooide verleden. De gemeente kerkt vaak in een gebouw dat met de aard van de tegenwoordige maatschappij niet meer in overeenstemming is.

Grollo, de N.H. kerk met ingebouwde toren uit 1856 met pastorie uit dezelfde tijd.

Kerken van Noord- en Zuidholland

Wie Amiëns bezocht, dat hij zijne ogen sla
Op 't grootste kerkgesticht, de rechte wedergâ
Van Eggaarts arrebeid, en lette of ons pylaren
Gewelf en koren min den bouwlust openbaren
In Hollands Graaflijkheid...

JOOST VAN DEN VONDEL,
over de Nieuwe Kerk in Amsterdam

Grote kerk van Dordrecht: gebouwd van omstreeks 1280 tot begin 16de eeuw.

De verdeling van Holland in twee provincies is pas in 1840 voorgoed geregeld, nadat er van 1798 af, de tijd van de Bataafse Republiek, mee was gesukkeld. Voordien was het één gewest en ver-uit het machtigste van de Republiek der Zeven Provinciën. Het was ook het rijkste. Betrekkelijk laat is het dat geworden. Het begin is zeer bescheiden geweest: de beboste duin- en geestgrondstreek zowat tussen Noordwijk en Haarlem. Holtland heette het, het land van De Hout. 'De Hout' is een typisch Hollands woord voor bos: Noordwijkerhout, Haarlemmerhout, Alkmaarderhout. Bestuurder van dat oerstukje Holland was een graaf, een titel die toen nog niet erg veel voorstelde. Benoorden Haarlem begon Kennemerland, daar weer aan voorbij, tussen en achter de meren en de moerassen ten oosten van de duinen woonden de westelijke Friezen. Bezuiden Noordwijk lag Rijnland en daar wilde de bisschop van Utrecht zeggenschap hebben, begrijpelijk, want Utrecht lag aan de Rijn. Wat er aan verkeer naar het westen ging, nam de rivieren. Ten zuiden van de Maas begon wat later Brabant was. De Zeeuwse wateren en de steeds maar weer verschuivende eilanden scheidden Vlaanderen van het Noordwesten.

De uitbreiding van het grafelijk gezag heeft het eerste naar het Zuiden plaatsgehad. Daar was meer te halen; wij hebben al gezien dat het zwaartepunt van de Lage Landen tot ver in de middeleeuwen gelegen heeft in de zuidelijke gewesten, Brabant en Vlaanderen.

Floris V

De expansie naar het Noorden kwam wat later. Wel is Kennemerland al heel vroeg onder grafelijk gezag gekomen: in 925 heeft Dirk I van Holland bij het latere Egmond een vrouwenabdij gesticht. De kerk was toen nog van hout en dat zal voor de andere gebouwen ook zo zijn geweest. Dat was voor een grafelijk klooster niet bijzonder representatief en waarschijnlijk ook niet bijster duurzaam. In 950 heeft tenminste Dirk II de stichting in steen laten herbouwen. Het klooster is toen omgezet in een mannengemeenschap; monniken uit het klooster van Sint Baaf in Gent hebben de reorganisatie op zich genomen. Maar ten oosten van Kennemerland had de graaf zo goed als niets te zeggen. Het heeft tot de tweede helft van de dertiende eeuw geduurd, voordat de Westfriezen definitief het Hollandse grafelijk gezag hebben aanvaard. De man die hen daartoe verplicht heeft was Floris V, die van 1256 af officieel graaf was – en effectief van 1266 af toen hij meerderjarig werd. Floris V is graaf gebleven tot 27 juni 1296. Op die dag sloegen een aantal edelen, die hem gevangen hadden genomen, hem in hun zenuwachtigheid bij Muiderberg dood.

Hij is begraven in een ander grafelijk klooster: bij de benedictinessen van Rijnsburg. Hun communauteit was in 1133 gesticht door Petronilla, de weduwe van graaf Floris III. Heel wat graven zijn er ter aarde besteld; een deel van hun zerken is nog in de kerk te Rijnsburg te zien. Zij is niet meer de vroegere kloosterkerk. Wat er nu staat is het resultaat van bouwactiviteiten in de zeventiende en de twintigste eeuw. De abdij is door de Spanjaarden verwoest, toen zij in de jaren 1573 en 1574 Leiden belegerden. De enige rest is het onderstuk van de toren; dat behoorde eenmaal tot het tweetal torens, dat de westzijde van de kloosterkerk markeerde. Van Egmond is niets meer over. In 1567 is het door de Geuzen geplunderd, in 1572 door de troepen van Sonoy beroofd van klokken, ketels en daklood en vervolgens platgebrand. Drie torens bleven staan, maar die zijn in de loop van de volgende eeuwen ingestort, de laatste in 1798. Op hetzelfde terrein is in 1935 een nieuw Benedictijns klooster gesticht.

Van de tijd van Floris V af was de omvang van Holland in hoofdzaak bepaald, hetgeen niet wil zeggen, dat het nu uit was met de grensoorlogjes. Het gewest werd ook steeds welvarender, de belangen van de steden met name bij de buitenlandse handel werden steeds aanzienlijker.

Holland was wel nog nat en drassig, met name het noordelijk deel, maar er zijn steden van belang ontstaan: Dordrecht, Leiden, Haarlem, Alkmaar, om een zeer willekeurige keuze te doen. In de loop van de vijftiende eeuw gaat de Hollandse handel, die van Amsterdam voorop, de handel van de Hanzesteden langs de IJssel en de Zuiderzee overtreffen. Dat alles bracht spanningen van sociale en politieke aard: van de regerende dynastieën en hun internationale verbindingen, van de adellijke geslachten, van de opkomende geldaristocratie, zoals de Van Duvenvoordes. De veertiende en de vijftiende eeuw zijn in Holland de tijd van de Hoekse en Kabeljauwse twisten; tegen het einde van de vijftiende eeuw eisen zij een ondraaglijke tol van het gewone volk, de boeren op het land, het proletariaat in de steden, geroepen om de lasten van de herenpolitiek te dragen, maar zonder enige reële zeggenschap in de gang van zaken. Getergde boeren en hongerige gezellen in de stad, het kaas- en broodvolk, hebben in 1491 en 1492 daarop gereageerd met een hevige rebellie, van Hoorn via Alkmaar en Haarlem naar Leiden, waar zij werden verslagen. In mei 1492 kon de overheid hun geweld met de nodige doodvonnissen betaald zetten.

Gevolgen van stedelijke ontwikkeling

De voor die tijd zeer sterke stedelijke ontwikkeling van Holland heeft voor de kerkgeschiedenis opmerkelijke gevolgen gehad. Aanzienlijke tegenstellingen tussen rijk en arm, potentaten, ook in de stad, en rechtelozen, tegenstellingen, die door iedereen werden gevoeld. Dat heeft religieus radicalisme in de hand gewerkt. Ten tweede: er is een duidelijke toeneming van de intellectuele kennis en belangstelling onder de leken, met name in de stad. Hier konden de librieën van de grote kerken ook leken van dienst zijn. Hier vond ook de boekdrukkunst, die in de tweede helft van de vijftiende eeuw een groot succes bleek te zijn, de markt die exploitatie rendabel maakte. Maar met die vergrote belangstelling van de leek voor het geestelijke en intellectuele leven is ook de eerbied voor de geestelijkheid als draagster van dat leven geringer geworden; de oudste Hollandse produktie van de drukpers was een bijbel en in het voorbericht daarvan wordt geklaagd over de bevoogding van de lekelezer door de kerkelijke overheid. Er was kritiek op de geestelijkheid. Wij moeten ons niet verkijken op de klachten over luie monniken en losbandige priesters; die vinden wij de hele tijd van de middeleeuwen door. Maar er is een bewustzijn van eigenwaarde bij de geletterde leken bij gekomen.

Geleerde klerken zijn geen wondermannen. Maar de kritiek en de spot over

Boven: *Rijnsburg, onderstuk van een toren van de oude romaanse abdij, 12de eeuw. Opgemetseld fundament van de klaverbladvorm van het oude koor van de oorspronkelijke kerk; koor is van de tweede helft 12de eeuw.*

De Grote kerk van Alkmaar, 1470–1512.
Onder: de Grote kerk van Edam, 15de
eeuw. Voorbeeld van een kerk die meer de
rijkdom en prachtlievendheid van de
kerkbestuurders verkondigde dan de
behoefte van de burgers.

onwaardige geestelijken hebben ook doorgeklonken in de lagere maatschappelijke regionen. De volgende gevaarlijke rebellie na die van het Kaas- en Broodvolk is de Beeldenstorm geweest, zeventig jaar later, en die betekende, dat men zijn woede koelde op kerkelijke instellingen.

Het heeft geen zin, hier de geschiedenis van de Opstand van 1568 te verhalen. Het zou spoedig blijken, dat de overheid, die zich van de greep van het katholicisme had losgemaakt, niet van zins was, de ene tirannie voor de andere te verwisselen, althans niet op kerkelijk gebied. De Nederlandse Geloofsbelijdenis, die van 1561 stamt, had wel als taak van de overheid aangewezen, niet alleen de wereldlijke orde te bewaren, 'maar ook de hand te houden aan de heilige kerkedienst, om te weren en uit te roeien alle afgoderij en valse godsdienst, om het rijk van de Antichrist te gronde te werpen en het Koninkrijk van Jezus Christus te bevorderen, het woord van het Evangelie overal te doen prediken, opdat God door een iegelijk geëerd en gediend worden, gelijk Hij in zijn woord gebiedt'; maar het wereldlijk gezag beschouwde zich toch bepaald niet als de politie-agent van kerkeraad of synode. Een staatsgodsdienst is in de Nederlanden niet ontstaan, ten eerste omdat er geen zo sterk centraal gezag was dat zo iets werkelijk doorgezet kon worden (zelfs de kerkenorde van Dordrecht is provinciegewijs aangepast), en ten tweede omdat in onze Republiek zelden werkelijk principieel is gestreden over de vraag van het gezag inzake de kerk. De wereldlijke overheid hield een oog in het zeil door de commissarissen-politiek, die bij de synodes aanwezig waren en de kerkelijke gezagsdragers konden nooit automatisch op medewerking van de overheid rekenen voor het vervullen van hun wensen, bij voorbeeld ten aanzien van niet-gereformeerden. De machthebbers achtten al genoeg te hebben gedaan aan de wering en uitroeiing van afgoderij en valse godsdienst, lees de religie van andersdenkenden, als zij dergelijke duisterlingen niet in het openbaar, maar in schuilkerken bijeen lieten komen, tegen aanzienlijke vergoeding uiteraard. En dan nog: schuilkerken? Dat gevaarte van de Oude Lutherse kerk aan het Spui in Amsterdam of het nog veel zichtbaarder bouwsel, de Nieuwe Lutherse kerk, de 'Ronde Lutherse' aan het begin van het Singel en van de waterkant af destijds de meest zichtbare kerk van wat Vondel de Keizerin van Europa noemde?

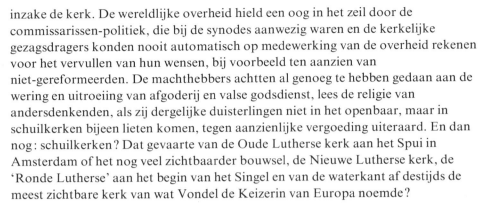

Amsterdam, hoogtepunt van gereformeerde kerkbouw

Maar die overheid zelf was gereformeerd. Geen Roomse, geen Lutheraan, geen Jood, geen Doopsgezinde kwam daarbij te pas. Ook het overgrote deel van de gereformeerden niet, eerlijk gezegd. Het verhaal van de schandalige bevoordeling der gereformeerden ten opzichte van andersdenkenden is pas ontstaan, toen moderne geesten in de achttiende eeuw verdraagzaamheid in naam van 'de' mensheid eisten. In de praktijk was de Republiek der Verenigde Provinciën, met Holland in de leiding, een oligarchie, die de rangen van de machtigen gesloten hield voor iedereen die niet tot de eigen kring behoorde. Maar goed: de regeerders waren gereformeerd en de gereformeerde religie was de publieke. Voor de bouw van haar bedehuizen waren redelijk ruime middelen beschikbaar. Daarvan getuigen de kerkgebouwen, die verrezen zijn. Dat men niet onbeperkt gelden wenste te fourneren, bewijzen de ontwerpen die niet zijn uitgevoerd, zoals de Koepelkerk, die in Amsterdam had moeten sieren wat later het Rembrandtsplein zou worden, en de tijdelijke gebouwen, die nooit zijn afgebroken, zoals in diezelfde stad de Amstelkerk op het Amstelveld.

De Amstelkerk te Amsterdam is een houten noodkerk uit 1669. Onder: toren van de Westerkerk te Amsterdam, 1620–1658.

Als wij het panorama van de Nederlandse kerken overzien, dan komt Holland het laatst: het is het gewest dat het meest spectaculair gereformeerde kerken heeft gebouwd in de zeventiende en de achttiende eeuw.
In het bijzonder is het Amsterdam, licht van Europa, glans (en hinderpaal) van de Republiek der Zeven Verenigde Provinciën, waarin wij de kerkbouw van het protestantisme kunnen vinden. De centraalbouw, zo essentieel voor de gereformeerde religie, mag in Willemstad zijn begonnen, het is in Holland: in Amsterdam, in Den Haag, dat hij zijn belangrijkste uitdrukking vindt. Maar ook het traditionalisme van een schip (eventueel met koor) vinden wij verheerlijkt in Holland terug. De pronkkerk van de grote uitleg van Amsterdam in de zeventiende eeuw, de Westerkerk, is er het voorbeeld van: een langwerpige zaalkerk, zonder koor, met een tweetal oneigenlijke transepten levendig en beweeglijk gehouden, anders dan zo'n deftige en vervelende achttiende-eeuwse bak als de grote Lutherse kerk in Den Haag is – die tussen haakjes de pretentie van sommige lutheranen logenstraft, dat de liturgie en daarmee het wezen van het lutheranisme heel anders is dan van het calvinisme. Hier al evenzeer: een preekstoel in het midden, een ruim doophek, gaanderijen en deftige banken.
Amsterdam, hoogtepunt van gereformeerde kerkbouw. Maar het is al aangeduid: Amsterdam is een laatkomer in de geschiedenis van een provincie die zelf ook al laat is gekomen in de kring van de Nederlanden. Lest best, wellicht; maar dan dienen wij wel te bedenken, dat de meest glorieuze produkten van laat-middeleeuwse kerkbouw in Holland schatplichtig zijn aan zuidelijke voorbeelden en zuidelijke bouwmeesters.

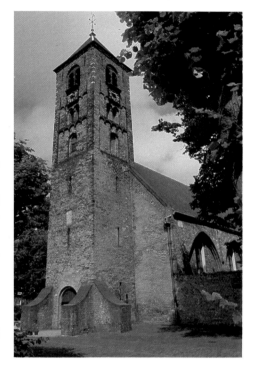

Een van de oudste bouwwerken van Nederland

Tienhoven, in de noordoostelijke hoek van de Alblasserwaard, aan de Lek, heeft een kerk, weggedoken in de rivierdijk. Wie er langs komt ziet een oud, maar op het eerste gezicht niet bijzonder in het oog lopend gebouw: een in de dijkvoet ingebouwde toren, het onderstuk ervan gebouwd uit tufsteen in de twaalfde eeuw, de eeuw daarop is er een bakstenen deel opgezet en ten slotte is de tegenwoordige hoogte in de vijftiende eeuw bereikt. Het schip is eenvoudig, dorpsgotiek – maar het onderste deel van de muren van het schip stamt van veel vroeger datum en moet tot de oudste bouwresten in ons land behoren: het is bouw uit de tijd van de Karolingers, negende eeuw dus of daaromtrent.
Eerlijk gezegd: die eerbiedwaardigheid ziet men er niet van af. Er is trouwens ook uit een volgende periode, die van het romaans, niet veel overgebleven. De statigheid van de Limburgse romaanse kerken, het plechtig karakter van het Utrechtse romaans in de Pieterskerk of de Oldenzaalse Plechelmuskerk, de charme van de Friese of Groningse dorpskerken uit die periode, dat alles is in Holland niet te vinden en de weinige romaanse resten, voornamelijk in de duinstreek, zijn opgenomen in latere verbouwingen of teruggerestaureerd tot een wel erg ver teruggelegen verleden.

Hervormde kerk van Velsen

De Hervormde kerk van Velsen is een voorbeeld van het eerste geval. De noordmuur van wat eens de Engelmunduskerk was dateert nog van de vroegste bouwtijd, de elfde of de twaalfde eeuw. In de vijftiende eeuw sloeg de hallekerkmode ook in Velsen toe; aan de zuidkant van het schip verrees een zijbeuk. Die heeft een honderd jaar stand gehouden. In 1572 hielden de Spanjaarden, die Haarlem belegerden, er huis en sloopten er het houtwerk uit. Dertien jaar later ging men tot herbouw over,

ENGELMUNDUS

De heilige Engelmundus is namelijk een nogal schimmige figuur. Hij zou een van de metgezellen zijn geweest van Sint Willibrord en in de omgeving van Velsen hebben gewerkt; een oud romaans reliëf in de toren moest bevestigen, dat in de kerk altijd de heilige Engelmundus is vereerd. Nu is die verering wel een feit; het is bekend dat er eind vijftiende eeuw relikwieën van de heilige waren. Maar ach: het reliëf bleek een afbeelding van Christus de Heiland te zijn en wat Engelmundus betreft: die naam kon wel eens een verbastering van Egmond wezen. Dat klooster bezat goederen in de buurt en er was zelfs een Egmondsbeek (die trouwens ook wel eens Sint Engelmondsbeek blijkt te heten). Nu had Sint Willibrord zich onvermoeibaar getoond in het zegenen van beken en bronnen en hun water had dan ook vaak genezende werking. Dank zij hem had de beek goede resultaten bij mondklachten en kiespijn. Maar bij Heiloo lag de concurrentie van de Willibrordsput op de loer en het is denkbaar, dat daardoor Sint Willibrord in Velsen vergeten raakte. Heeft men toen daar de Velser beek als door een andere heilige gezegend voorgesteld, een heilige naar wie hij genoemd was? En is zo van Egmonderbeek de heilige Engelmundus tot leven gekomen? Hoe dat zij: de naam is gebleven, ook na de Reformatie, onder de Kennemer katholieken; helaas zijn de relieken zoekgeraakt. Maar toereikende bewijzen dat Engelmundus uit de beek is opgedoken en niet met Willibrord over zee is komen aanvaren hebben wij niet. Daarom 'blijve Engelmundus zijn heuvel beklimmen om het evangelie te brengen aan de woeste en ontembare Kennemers!' zoals de laatste onderzoeker van Engelmundus' geschiedenis H.A. van Vessem schrijft in een artikel, dat hij gepubliceerd heeft in het Nederlands Archief voor Kerkgeschiedenis, 1970, bladzijden 122–139.

Geheel boven: *raam uit de Oude kerk te Amsterdam.* Boven: *onderbouw van het orgel, 1724 in de Oude kerk.* Rechts: *raam in O.L. Vrouwekapel, voorstellende de Annunciatie en de Visitatie; de onderste reeks zijn de stichters van het raam, oorspronkelijk 1555, maar van 1761–1763 zeer sterk vernieuwd.*

in gereformeerde geest. De zijbeuk werd afgebroken en de bogen tussen het oude schip en die latere aanbouw werden dichtgemetseld. In het midden van de achttiende eeuw – wij zijn in de tijd van een bevolkingstoename in heel Europa – werd de kerk te klein bevonden: in 1762 kreeg zij een stuk aan de oostkant erbij. Het dak moest toen toch onderhanden worden genomen en men maakte van de gelegenheid gebruik om de kerk van een houten tongewelf te voorzien.

Aan deze kerk zijn een paar historische herinneringen verbonden. Zo hadden de Brederodes er eenmaal hun grafkapel. Die is verdwenen; een dichtgemetselde boog aan de noordzijde is het enige overblijfsel. Zij hadden hun slot een uurtje gaans zuidelijker, zoals ieder Hollands kind van een schoolreisje zal weten.

Romaanse kerk in Sassenheim

Terugrestauratie van een romaanse kerk is in Sassenheim te vinden. Wat er nu staat is ontstaan door een ingreep in de jaren 1971–1975: een romaans schip, zoals dat al eeuwen niet meer te zien was geweest. In het begin van de zestiende eeuw had men een deel van de kerk afgebroken en tegen de rest een gotisch transept en koor geplaatst; het schip was verhoogd en er waren gotische ramen in gezet. Ook hier sloegen de Spanjaarden toe, tijdens de belegering van Leiden, in 1573. Hier heeft herbouw wat langer dan in Velsen geduurd: in 1594 werd alleen het schip gerestaureerd. Aan het koor had men geen boodschap meer.

De Grote kerk van Dordrecht

In gotische stijl is heel wat meer bewaard in stad en dorp. Naarmate Holland rijker en machtiger werd drong de zuidelijke beschaving er meer door en iedere stad of ieder stadje wenste te laten zien, dat men ook meedeed aan de vaart der volken; vooral de vijftiende eeuw heeft reuzenkerken zien ontstaan. Maar in feite is er in Holland maar één kerk, die werkelijk groots van gotische allure is: vleug Brabantse zwier in Holland. Dat is de Grote, eens aan Onze Lieve Vrouwe gewijde kerk in Dordrecht. Daarbij vergeleken is de Oude Kerk in Amsterdam, ook na haar jongste, ingrijpende restauratie, een dorpskerk waar voortdurend aan gesleuteld is door nauwelijks aan hun vee en hun vissen ontkomen burgers; de Nieuwe Kerk in Amsterdam kon vooral de geestdrift van een chauvinist als Vondel oproepen; de oude Bavo in Haarlem is een heerlijk gezicht van het Spaarne af en de vieringtoren is een vrolijk lied boven de stad, maar van buiten roept het wel erg nuchtere koor om een beschermende krans van luchtbogen, die er vanwege de kosten niet zijn aangebracht; de Sint-Laurens domineert nog altijd van bepaalde punten in de omgeving het stadsprofiel van Alkmaar en heeft een van de mooiste transeptramen van Nederland, maar zij blijft provinciaals; de twee grote kerken van Delft passen prachtig contrasterend in het nogal kleinschalige stadsbeeld en van de kerken in Leiden geldt dat ook. Voor andere steden is niet veel anders te zeggen: zowel voor vroeger belangrijke handelssteden als Hoorn en Enkhuizen als voor de kleinere landstadjes, Edam met zijn enorme hallekerk, Monnikendam precies zo, Gouda, Schoonhoven, Schiedam – ook zulke bouwsels als de oude kerken van Edam, Monnikendam, Gouda, met afmetingen die meer de rijkdom en prachtlievendheid van de kerkbestuurders verkondigen dan de behoeften van de burgers. De mentaliteit van opzet en ornamentering is door en door burgerlijk. In heel wat van genoemde kerken is de hand van Brabantse bouwmeesters te onderkennen, maar zij hebben in Holland zelden of nooit de kans gehad om de dromen van de late gotiek in hun vaderland te verwerkelijken.

Detail van een raam in de Grote kerk te Edam.
Onder: *de speeltoren van Edam. Oorsprong toren van de vrijwel geheel in 1883 afgebroken kleine kerk uit de 15de eeuw.*

Rechts onder: *Ev. Lutherse kerk te Hoorn. Orgel en kuif van herenbank, 1768.*

De Grote kerk van Dordrecht is evenwel een ander geval. Daar is, voor wie van het noorden komt, allereerst de grandioze ligging vlak achter de huizen langs de Oude Maas, en in de stad in de hoek van de rivierhavens. Er is een sterke eenheid van conceptie, ondanks de duidelijk waarneembare bouwperiodes. Die conceptie is van internationaler allure dan welke andere kerk in Holland ook. Ten slotte is er het interieur met de mooiste koorbanken van heel Nederland en ook naar buitenlandse voorbeelden gerekend behorende tot de hoogtepunten van laat-middeleeuwse houtsculptuur. Dat Dordrecht eens de belangrijkste stad van Holland was, lijkt door deze kerk te worden beaamd. Schijn bedriegt: toen in de vijftiende eeuw – de grote bloeitijd van de Hollandse gotiek – de nieuwe stadskerken verrezen, was Dordrecht al niet meer de belangrijkste stad van het gewest. Wel was het waar voor het begin van de bouwtijd: de jaren tachtig van de dertiende eeuw. Een stimulans voor nieuwe uitbouw zal de vestiging van een kapittel zijn geweest, in 1366. Vlot is de verbouwing niet gegaan. In die voor Dordt wel zeer bewogen eeuw was dat ook nauwelijks te verwachten: belegering door hertog Jan IV van Brabant in 1418, terwille van zijn vrouw Jacoba van Beieren, die door het kabeljauws gezinde Dordrecht niet was erkend als vorstin, de stad werd in dat verzet gestijfd door haar oom Jan van Beieren, bisschop-elect van Luik; daarna kwam de (tweede) Sint-Elisabethsvloed van 19 november 1421, waardoor de voor de Dordtse economie zeer belangrijke Grote Waard, ten zuidoosten van de stad gelegen, onderliep (dertig dorpen gingen toen verloren) en weldra, met de volgende Sint-Elisabethsvloed van 1424, de Biesbos ontstond. Voor de geschiedenis van de kerk was de brand van 1457, die Dordrecht zwaar beschadigd heeft, van nog meer belang: die dwong tot verregaande nieuwbouw. Dat het koor het kostbaarste is uitgevoerd ligt in de rede bij een kapittelkerk. Hier werkte de Vlaming Evert Spoorwater, die ook bij de kerken van Bergen-op-Zoom en Hulst en het stadhuis van Veere zijn kunde heeft bewezen. Het schip van de kerk is vrij kort in verhouding tot het koor. Dat dat koor zo ruim en lang is, zullen wij wel aan de wensen van het kapittel moeten toeschrijven, maar het schip is oorspronkelijk als veel langer bedoeld; bij een bodemonderzoek langs de toren kwamen fundamenten te voorschijn voor nog eens vijf traveeën in westelijke richting, dus voor een kerk die dubbel zo'n groot schip had moeten krijgen. Dat had wel de toren gekost. Wat dit onderdeel betreft: de toren is nooit afgebouwd.

Interieur Grote kerk van Monnickendam.

Monumentale wijzerborden

Achteraf gezien misschien gelukkig, al is het bewaard gebleven ontwerp bijzonder aantrekkelijk: op het (voltooide) onderstuk een achtkantige lantaarn in twee verdiepingen met een ajour bewerkte eveneens achtkantige spits en langs die lantaarn een traptoren, eveneens met een spits bekroond, zodat het profiel van een Madonna met Kind zou zijn ontstaan. De Onze Lieve Vrouwetoren in Amersfoort vertoont iets dergelijks (de daarbij behorende kerk, als kruithuis in 1788 in de lucht gevlogen en in 1805 geheel afgebroken, was een kerk, gesticht ter ere van een wonderdoend Mariabeeld). De vier grote en monumentale wijzerborden, die nu de toren uit duizenden doen herkennen, stammen uit 1624; de pijlerstukken waar zij tussen in geklemd staan zijn de resten van een poging, alsnog de toren te voltooien. Maar de verzakking van de kolos dwong tot het staken van het werk.
Wie zich verwondert, dat in het hol van de calvinistische leeuw (Dordrecht behoort tot de eerste Hollandse steden, die zich bij de Opstand aansloten en de Reformatie invoerden) de kanunnikenbanken zo goed gespaard zijn gebleven, moet bedenken, dat de Beeldenstorm er vrijwel geheel aan voorbij is gegaan. Het verhaal daarvan is niet ongebruikelijk. De Beeldenstorm was, het is al eerder gezegd, een volksoproer van werklozen, hongerlijders, bedelaars, zwervers, die in het chaotische jaar 1566

Grote kerk te Dordrecht ; het koorhek op het marmeren onderstuk is van 1743.

Onder, van links naar rechts: orgel uit de Grote kerk te Dordrecht, 1671 ; afsluiting van een zijkapel uit dezelfde kerk ; bekroning van de middendeur van het koorhek in de Grote kerk van Dordrecht.

Hallekerkinterieur in de Grote kerk te Edam.

hun verbittering luchtten door de kerken aan te vallen. De leiders van de geuzen hebben dat bedrijf niet zonder welgevallen aanschouwd, maar het was hun om iets anders te doen : om materiële en politieke steunpunten voor hun verzet. Lumey heeft Dordrecht aan zijn kant kunnen krijgen – de geuzen beheersten de wateren waarop Dordrechts welvaren lag – en besefte heel goed dat hij beter zaken kon doen met een ordentelijk stadsbestuur dan met hoe dan ook onbetrouwbare rebellen. Zo kon worden voorkomen, dat op grote schaal kostbaarheden vernield en gestolen werden. De afspraak tussen Lumey en de stad kon niet verhinderen, dat wat later alsnog een paar losgeslagen geuzen in de kerk wat schade aanrichtten. Zij zullen daar wel voor gestraft zijn, want wat op 24 augustus 1566 in Delft een Gode welgevallig werk was, kon op 5 oktober 1566 in Dordrecht een misdrijf zijn, wanneer het gedaan wordt buiten de instemming van de autoriteiten om.

Rooms of protestants : de kerk bleef representatief. Bezie maar het orgel van 1671, zo pompeus als grote orgels in stadskerken plegen te zijn. Bekijk ook maar het koorhek, koper, op marmeren onderstuk, van 1743, de weelderig gebeeldhouwde grafzerken in het koor, een en al familiewapen, de dure afsluitingen van de kapellen, en vooral de preekstoel van 1765 : wit marmer, koperen leuning, een mahoniehouten

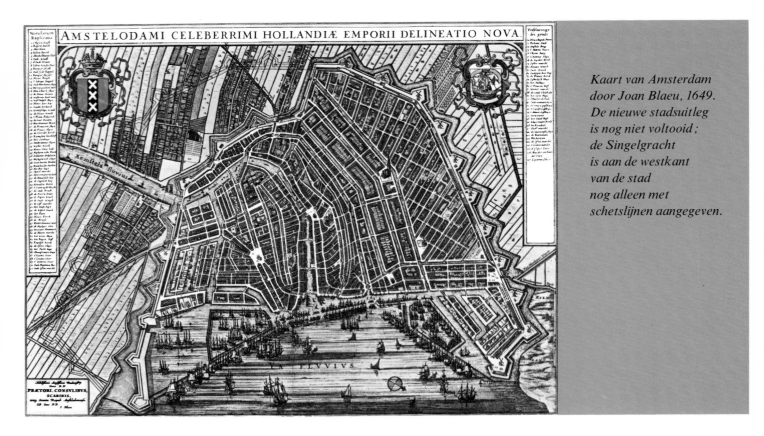

AMSTELODAMI CELEBERRIMI HOLLANDIÆ EMPORII DELINEATIO NOVA

Kaart van Amsterdam door Joan Blaeu, 1649. De nieuwe stadsuitleg is nog niet voltooid; de Singelgracht is aan de westkant van de stad nog alleen met schetslijnen aangegeven.

klankbord. Op de vier hoeken van de kuip Geloof, Hoop, Liefde, Standvastigheid (een pilaar), daartussen aan de voorkant Christus' Doop, aan weerszijden de Bergrede en de Twaalfjarige Jezus in de Tempel. Dan zijn er nog de regeringsbank en het doophek. Het heilige der heiligen, eenmaal rondom de koorbanken gesitueerd, heeft zich uit het koor verplaatst naar het schip, maar is er niet minder gewichtig en kostbaar om geworden. Overheid en kerk mochten hun kibbelarijen hebben, een ordelijke samenleving ziet ze eendrachtig bijeen.

Amsterdam

Amsterdam is tot grote bouwactiviteit gedwongen door de ongehoorde toeneming van de bevolking. Exacte gegevens over het inwonertal hebben wij niet; een burgerlijke stand ontbrak, gegevens van het aantal gedoopten zijn of niet aanwezig of fragmentarisch bewaard en opgaven voor de belasting zijn uiteraard onnauwkeurig, ook in de zestiende en de zeventiende eeuw. Wel zijn enige ruwe schattingen mogelijk. Omstreeks 1400 zullen vijfduizend mensen in Amsterdam hebben gewoond: voor die tijd de bevolking van een grote provinciestad. Anderhalve eeuw later, toen Cornelis Anthonisz. zijn vogelvluchtkaart tekende (omstreeks 1538), moeten er een dertigduizend Amsterdammers zijn geweest. Amsterdam is dan de grootste stad van de noordelijke Nederlanden geworden. Mogelijk heeft twee generaties later, in de eerste decennia van de zeventiende eeuw, Amsterdam het aantal van honderdduizend inwoners overschreden. Dat betekent dat het dan behoort tot de kring van de grootste Europese steden. Het is bij lange na niet de grootste; Londen bij voorbeeld moet toen het dubbele aantal inwoners hebben geteld. Maar hoe dan ook: mensen waren er veel en geld was er genoeg. De gereformeerde christenen waren bereid, een deel er van in de kerk en vooral haar bouwprogramma's te steken.

Voorshands, in het begin van de zeventiende eeuw, omsloten de muren langs Singel, Kloveniersburgwal en Gelderse Kade een nauw areaal. Waar woonden al die mensen? Voor een deel in een verkrottende binnenstad en verder buiten de poorten, in buurten die de voorlopers geweest moeten zijn van de *bidonvilles* in de steden van de ontwikkelingslanden. Bij de nieuwe uitleg verdwenen zulke wijken; ook aan de bewoners van zulke buurten was heel wat te verdienen en de grondspeculanten (soms zou hun nageslacht tot de ongenaakbare stedelijke aristocratie behoren, want zo gaan nu eenmaal de zaken) hebben van die mogelijkheid een gepast, dat wil zeggen zeer ruim gebruik gemaakt. Het plan van de uitbreiding (die de plattegrond van de stad tot aan de Singelgracht heeft bepaald) werd in 1610 aangenomen; het is in de loop van de zeventiende eeuw uitgevoerd. Voor ons is het van belang, dat in de zich uitbreidende stad met zijn gereformeerd bestuur (sinds 1578; op het koorhek van de Oude kerk kan men lezen dat het 'misbruik in Gods kerk' in dat jaar is 'afgedaan') ook centra van de gereformeerde eredienst moesten komen.

Naamgeving naar windstreken

Hun naamgeving is zo nuchter als men zich maar kan voorstellen: naar de windstreken. Met de heiligen is het uit: geen Sint-Nicolaas- en geen Sint-Catherinakerk meer, maar Oude en Nieuwe kerk, in feite ook al naar de stadskwartieren, de Oudezijds, ten oosten van Amstel, Dam en Damrak, en de Nieuwezijds ten westen ervan. Op dat loffelijk simpel spoor ging men voort. De romantiek van latere protestanten om kerkgebouwen namen te geven uit de Heilige

Dit koorhek van omstreeks 1650 bevindt zich in de Oude kerk te Amsterdam.

Schrift of tenminste uit de gewijde geschiedenis: Maranathakerk, Thomaskerk, Opstandingskerk, of, meer naar Lutherse trant: Maarten Lutherkerk of Augustanakerk (die heet naar de Lutherse Geloofsbelijdenis van Augsburg, daar in 1530 aan de keizer aangeboden), is een nieuwigheid die een flauwe smaak in de mond nalaat. Een kerk is geen openbaring van wat voor soort gewijde traditie ook, zij moet niet naar een heilige heten. Die kerk dient om de hoorders van de Heilige Schrift te herbergen, dat bovenal; en om een dak boven de sacramenten van de Doop en het schaars bediende Avondmaal te bieden, maar verder is het een gewoon, zij het deftig gebouw (alleen: zou de neiging om zich in de kerk te laten begraven toch niet ook te maken hebben met een verscholen gevoel, dat daar, op die gewijde plaats, de opstanding des vlezes ten Jongsten Dage wat geruster afgewacht kon worden?). Sacraal is de kerk niet en daarom kan zij maar het beste aangeduid worden met zulke neutrale namen als de windstreken waarin zij liggen.

TE NONCHALANTE OMGANG MET DE KERK

Weliswaar bleken soms aanwijzingen nodig om een al te nonchalante omgang met de kerk af te remmen. Als voorbeeld zij een bord in de kerk van Schermerhorn geciteerd, met een verordening van 9 maart 1659, opgesteld door schout, schepenen en vroedschap van het dorp samen met het kerkbestuur, dat 'niemant tsij van wat qualiteit en conditie hij mocht sijn, out ofte jonck, tot eenigen tijde, bij dage, avonden ofte bij nachten eenige insolentien, moetwille ofte dertelheden van lopen, jagen, roepen, krijten, trommelen ofte bommelen, in de kerck, int portael van dien ofte buyten omtrent de kerck, tsij onder tijt ofte dienst van predicatie, cathechisatie, voor ofte na deselve, sal mogen maken…' De boete bedraagt 20 stuivers en de ouders zijn verantwoordelijk voor de wandaden van hun kinderen. Het huis des Heren is ook geen speelhol, blijkt uit het derde artikel: dobbelen, kaarten, kaatsen, tollen, knikkeren komen ook op 20 stuiver. De helft kost het schillen van appels, peren en ander fruit in de kerk en achterlaten van rommel. Er is nog veel meer verboden, maar dat ga men er zelf maar lezen.

De nieuwe kerken in Amsterdam hebben van het begin af geheten naar het Zuiden, Westen, Noorden en Oosten. De ingemetselde gedenkstenen zeggen het: 'Ter oeffeninge van de christelycke religie is deze Zuyderkerck ghesticht' in het jaar 1603, en er is voor het eerst op Pinksteren 1611 gepreekt (de toren is drie jaar later klaar gekomen: die vermeldt het jaar 1614). De Westerkerk: 'Tot oefeninge van de christelycke religie is dese Westerkerk ghesticht' in 1620 en er is voor het eerst op Pinksteren 1631 in gepreekt. Ten slotte de Noorderkerk: 'Ter oefeninge van de christelycke religie is dese Noorder-Kerck ghesticht' in 1620 en op Pasen 1623 is er voor het eerst gepreekt. Alleen al aan die naamgeving is te zien, dat de kerkelijke wind uit een andere hoek is gaan waaien: een kerk is een gebouw met een bepaald doel, de oefening van de christelijke religie, en kan dan ook genoemd worden naar de plek waar zij staat. De Lutheranen waren trouwens niet minder stoer en geloofden al evenmin in kerken met mensennamen: de Lutherse kerk aan het Spui in Amsterdam heeft de Oude kerk geheten van het moment dat er een Nieuwe Lutherse kerk was: de Ronde Lutherse aan het begin van het Singel. De oude Lutherse kerk is gebouwd in de jaren 1632 en 1633, de nieuwe tussen 1668 en 1671. Eerstgenoemde kerk is wat het interieur betreft een navolging van de grote Hugenotenkerk te Charenton bij Parijs. In die stad mochten geen protestantse kerken staan, daarom zette men er een 'n uurtje lopen buiten de poort. Die kerk is afgebroken, toen Lodewijk XIV per edict van 1685 verklaarde, dat er geen gereformeerden meer in het land konden bestaan. Charentons kerk was goed calvinistisch, maar de

Amsterdamse Lutheranen hebben dat model voor hen geschikt geacht. Zo hoog zat hun blijkbaar de aansluiting bij de klassieke liturgische tradities van hun religie ook weer niet.

De Zuiderkerk

In Amsterdam is de Zuiderkerk de oudste opzettelijk voor de gereformeerde godsdienstoefening gebouwde kerk. Zij is nog niet in het grote uitbreidingsplan opgenomen, maar verrees wel in een buurt aan de buitenkant, in wat men de banlieue zou kunnen noemen. Het was een buurt waar nieuwe bedrijven waren en waar nogal wat arbeiders en ambachtslieden waren gevestigd. Hendrik de Keyser, de stadsarchitect, heeft haar ontworpen. De breuk met de traditie schuilt hier in het weglaten van het koor: de kerk is verder een langwerpige pseudobasiliek met twee transepten. Datzelfde schema heeft hij toegepast in zijn volgende kerk: de Westerkerk.

De Westerkerk

Dat gebouw is echter veel statiger en spannender geworden, ook door het spel van de lichtinval via de grote ramen en de vensters van de wel zeer hoge middenbeuk. Het is strenge en welvarende calvinistische levensstijl, zoals de tijdgenoten van de bouwers hem liefhadden: een indrukwekkende, maar niet gefigureerde preekstoel aan de lange noordkant, een zwaar doophek, beide uit de bouwtijd, en dan nog een glorieus orgel, een halve eeuw later gemaakt, het stamt uit 1682. Hier konden de rijken van de nieuwe grachtenhuizen ter kerke gaan en zich thuis voelen. Niet voor niets tooit het stadswapen het noordoostelijke binnenportaal. De kerk was het bedehuis van de welstand. Rembrandt – na zijn faillissement niet een arme sloeber, maar een welvarend schilder – is er van zijn huis aan de Rozengracht uit op 8 oktober 1669 begraven.

In datzelfde jaar 1620, op 15 juni, een paar maanden voordat de eerste steen werd gelegd bij de Westerkerk (dat was op 9 september), is dat gebeurd bij de Noorderkerk, bedoeld als kerk voor de Jordaan. De stadstimmerman Hendrick Jacobsz. Staets, die het ontwerp heeft gemaakt, is van een totaal andere conceptie uitgegaan: die van de centraalbouw; de plattegrond vertoont een Grieks kruis met korte gelijke armen. Dat schema hebben wij al eerder gezien, in de Hervormde kerk van Renswoude en de Noorderkerk in Groningen; ook bij de Haarlemse Nieuwe Kerk van Jacob van Campen, gebouwd tussen 1646 en 1649, is het toegepast. De

Onder, van boven naar beneden: *Oosterkerk, 1669–1671; Noorderkerk, 1620–1623; Zuiderkerk 1603–1611, toren uit 1614.* Rechts: *opschrift in de Zuiderkerk.*

Opschrift in de Westerkerk te Amsterdam.

Noorderkerk is heel wat simpeler dan de Westerkerk en bij de compacte centraalbouw paste geen dure toren; een torentje op de viering was genoeg. Niet dat de kerk onversierd is en ook monumentaliteit heeft zij, van buiten en van binnen. Maar de representatieve statigheid van de Westerkerk ontbreekt en pompeuze overdaad van het gereformeerde meubilair in de Nieuwe Kerk ook. Deze kerk is heel wat minder regentesk dan de Wester- of de Nieuwe Kerk.

De Oosterkerk

Nadat de Westerkerk in gebruik is genomen heeft het een generatie geduurd voordat de gereformeerde kerkbouw in Amsterdam voortgang heeft gevonden. De Oosterkerk, gereformeerd centrum voor de oostelijke eilanden, is van 1669 tot 1671 gebouwd. Ook hier centraalbouw, strak en monumentaal. Bouwkundigen hebben hun bedenkingen over de stabiliteit van het bouwwerk; dat hebben zij trouwens ook bij de Westerkerk. Maar dat is niet de voornaamste zorg van de bezoeker. Het interieur heeft iets van een decor. Niet door ornamentering: die is sober. Maar het oog weet in het begin niet goed raad met een ruimte-indeling waar het dwars doorheen kijkt: vier zijruimtes in de hoeken, zwaar geaccentueerd door zuilen, bogen, kroonlijsten, gewelven, maar leeg: ruimtes zonder specifieke functie. Oriënteringspunt is de preekstoel: daar moet de bezoeker wezen, als zijn blik lang genoeg door die vreemde leegten en hun indelingen is gegaan. Via illusie naar waarheid? In calvinistische kerken uit de zeventiende eeuw ontbreken lang niet altijd theatrale effecten. Ten slotte is het de tijd van de barok en van het bedrieglijk perspectief, het *trompe-l'œil,* bedrog van het oog: de bedrieglijk-echte perspectivische weergave – waarvan? Van de geziene werkelijkheid? Neen, maar van een ongeziene. In de *Brief aan de Hebreeën* heet het hoofdstuk 11 vers 27 van de geloofsgetuige Mozes, dat hij was als ziende de Onzienlijke. Heeft men in de zeventiende eeuw dat willen weergeven door het optisch bedrog van het theater? De meer dan overladen pronkpreekstoel in de Nieuwe Kerk in Amsterdam roept die vraag ook wakker. Bezie daar maar dat hemelhoog opgetuigde klankbord: een bekroning met een toren als een vorstelijk stuk speelgoed voor verwende kinderen, met poortingangen, balustrades, gaanderijen, koepels, spitsen, wat niet al; zelfs de poppetjes op de transen ontbreken niet. Bekijk ook de panelen van de kuip, waarop de werken van barmhartigheid staan afgebeeld. Die worden verricht in een

Details van de preekstoel 1647–1649 in de Nieuwe kerk te Amsterdam. De kuip vertoont de werken der barmhartigheid; links is te zien het kleden der naakten, daarvoor de Evangelist Marcus.

soortgelijke ruimte als de Westerkerk vertoont. Dat is niet het enige: de taferelen worden voorgesteld in een overdreven perspectief, dat van de panelen kijkdozen maakt, een technisch kunststuk, aangelegd op de verzuchting: net echt, zo bedrieglijk. Albert Vinckenbrinck heeft het gevaarte in de jaren 1646 tot 1649 gemaakt, juist toen Jacob van Campen in Haarlem zijn Nieuwe Kerk (met soortgelijke schema's als later in de Oosterkerk zijn gerealiseerd) aan het bouwen was. Vinckenbrinck is ook de maker van de grote bewegende beelden van David en Goliath, die eenmaal een attractie waren van een tuin bij een Amsterdamse uitspanning, daarna in het Rijksmuseum boven een der ingangen de wacht hebben gehouden en nu terug zijn op een plek waar zij behoren: in de koffiekamer van het Amsterdams Historisch Museum.

Het mag misschien niet, maar de associatie van die speeltuin met die kansel is maar al te gemakkelijk te leggen.

Onze Lieve Heer op Solder

Binnenlandse andersdenkenden hadden het wat minder gemakkelijk om te mogen bouwen, alleen de Lutheranen hebben nogal open en bloot mogen bouwen aan de openbare weg, al moest dan voor de vorm hun Spuikerk met haar twee volstrekt onfunctionele gevels aan de kant van het Singel er nog aan herinneren, dat daar eens twee pakhuizen hadden gestaan waarin zij hadden gekerkt. Schuilkerken waren er genoeg en zij waren voor burger en vreemdeling gemakkelijk te vinden. De Remonstranten hebben al tien jaar na de Synode van Dordrecht op een erf achter de huizen van de Keizersgracht nrs. 100 tot 110 een grote kerk gebouwd, ook al naar het model van Charenton, twee jaar eerder dan de Lutherse Spuikerk. Inpandig is ook de Doopsgezinde kerk achter Singel 452; die is in 1638 gebouwd (en precies twee eeuwen later tot een nogal saaie Waterstaatskerk gereconstrueerd). Het meeste is altijd te zien aan katholieke kerken, omdat daar geen angst voor beelden tot opluistering van de heilige omgeving bestond. Van de oude schuilkerken is weinig meer over; vrijwel ongerept is alleen Onze Lieve Heer op Solder, nu Museum Amstelkring: een schuilkerk die ook de verscholenheid suggereert: veel trappen op, onder de hanebalken. Er is zelfs nog zo iets als een schuilkamertje voor de priester. Maar ook het Begijnhof heeft zijn schuilkerk gekend.

*Begijnhof te Amsterdam, schuilkerk van
de katholieken. Opschrift bij de ingang.*

Begijnhof

Begijnen moeten er al in het begin van de veertiende eeuw in de stad zijn geweest.
Hun vestiging bloeide en toen in 1578 de zgn. Alteratie kwam en de roomse kerk
onmogelijk werd, is het Begijnhof toch in katholieke handen gebleven, want de
huizen waren geen communaal, maar persoonlijk bezit en bovendien hadden de
bewoonsters familiebanden met de heersende geslachten. Alleen hun kerk moesten
zij afstaan. Die is aan de Engelse calvinisten toegewezen (1607) en grondig verknoeid
in 1727. De begijnen bleven de oude religie trouw; in 1671 werd in twee woonhuizen
tegenover de ingang van hun vroegere kapel een schuilkerk ingericht: de
Mirakelkapel. Een schilderij van Antoon Derkinderen, 'De processie van het H.
Sacrament van het Mirakel', tussen 1884 en 1888 geschilderd, is er sinds de
restauratie van 1929 te zien: staal van herlevende katholieke kunst – of moeten wij
zeggen: kunstnijverheid? of is dat een onrechtvaardig oordeel van een later levende?
Hoe dat zij: na de ontwijding van de Nieuwezijds Kapel door de Alteratie en de
kwaadwillige afbraak ervan in 1908 en vervanging door het tegenwoordige gebouw,
dat nu tot moskee is ingericht, leeft de herinnering aan het Mirakel betrekkelijk
verscholen voort. De Stille Omgang, die de oude middeleeuwse processie ter ere van
het Mirakel van 1345 in gedachtenis houdt, begint en eindigt op het Begijnhof. Daar
worden ook de relieken bewaard, die eenmaal behoorden tot de Nieuwezijdskapel,
de 'Heilige Stede', die de pelgrims van buiten de stad bereikten langs de Heilige Weg
en de Kalverstraat.

Mozes- en Aäronkerk

De schuilkerktijd was ook voor de katholieken definitief voorbij na het verdwijnen
van de oude Republiek. Wat wij elders al zagen: de bouw van Waterstaatskerken en
daarna de triomf van de neogotiek en andere neostijlen, is ook te zien in Noord- en
Zuidholland. In Amsterdam worden hier twee voorbeelden genoemd. Ten eerste: de
Mozes- en Aäronkerk aan het Waterlooplein, een classicistische en bijzonder fraaie
demonstratie dat nu in het openbaar kon treden wat eens schuilen moest, de kerk is
de opvolgster van een schuilkerk in twee huizen aan de Jodenbreestraat, met Mozes
en Aäron in de gevel. Die stenen zijn er nog, ingemetseld in de blinde oostelijke
muur van de kerk, die in de jaren 1837 tot 1841 is gebouwd. Daarvoor is een huis
afgebroken, dat gezegd wordt eens de woning van Baruch de Spinoza te zijn geweest.
De kerk is een levendig middelpunt voor protestacties, die in deze buurt veelvuldig
en gewoonlijk met het volste recht worden georganiseerd.

Vondelkerk

Ten tweede: de Heilig Hartkerk in de Vondelstraat (maar niemand zegt 'H.
Hartkerk', zij heet Vondelkerk). Zij is een produkt van P. J. H. Cuypers en misschien
wel de knapste en boeiendste kerk die hij gemaakt heeft. Tussen 1870 en 1880 is zij
verrezen, in 1904 door brand geteisterd, maar herbouwd en de tegenwoordige
middeltoren (de enig belangrijke lichtbron!) is van daarna.

DE EZELKERK

De kerk heeft literaire faam gekregen door de huldiging van de man, die toen nog
G. K. van het Reve heette, maar sindsdien Gerard Reve. Nog lang hebben op de muur
gekalkte protesten tegen die glorieuze happening er te lezen gestaan. De ezelkerk –
maar wie waren de ezels? En is die naam onbijbels?

Heden en toekomst

Wat werdter Houts en Steens verhackelt en verhouwen,
Om eene Kerck te bouwen!
Ick weet een beter en onkostelicker werck:
Dry in Gods naem vergaert, ja één hart, is een' kerck.

CONSTANTIJN HUYGENS

De r.-k. kerk van St.-Joseph, uit 1952 te Amsterdam.

Het heden begon een generatie terug, na afloop van de Tweede Wereldoorlog. In de jaren 1940–1945 was het prestige van de Kerken over het algemeen niet gering geweest. Naarmate de bezetting langer duurde en de misdadigheid ervan zichtbaarder werd hebben zij meer geprotesteerd en nood helpen lenigen. Het protest gold niet alleen de eigen vrijheidsbeperking, maar ook de letterlijk moordende ontrechting in onze samenleving: de deportatie van als joden aangemerkte landgenoten, maar ook de dwangarbeid, de gijzelingen, de gerechtelijke moorden, wat al niet. Het kerkelijk protest was bemoedigend. De kerken waren ook vrijwel de enige plaatsen, waar de Duitse demonie nog aan de kaak kon worden gesteld, al was volledige vrijheid ook op de kansel niet gewaarborgd, zoals menig predikant en priester heeft ervaren.

Een geest van vernieuwing

De bezettingsjaren hebben de Kerken geconfronteerd met de futiliteit van menig vooroorlogs probleem en conflict en dat heeft in tamelijk brede kerkelijke kring het besef doen ontstaan dat de Kerk nog iets anders behoorde te zijn dan een instituut ter bewaring van teer gekoesterde gevoelens in religieuze zaken. Er leefde een geest van vernieuwing, in de Hervormde Kerk, maar ook in de kleinere gemeenschappen van remonstranten, doopsgezinden, lutheranen. Een vernieuwde Kerk zou een nieuw getuigenis van het Evangelie in de wereld doen horen; de kritiek, die eenmaal de profeten van Israël hadden laten horen in maatschappij en staat, zou opnieuw tot klinken moeten worden gebracht in de boodschap der Kerk. Het gezag van een man als de Zwitserse theoloog Karl Barth is in de oorlogsjaren sterk toegenomen; van hem leerde men, dat de boodschap van het Evangelie onontkoombare politieke en sociale implicaties had.

Tweede Vaticaans Concilie

In de katholieke Kerk leefde dit besef wel onder bepaalde groepen (die dan ook naar de 'doorbraak' streefden), maar als geheel is deze Kerk eerst tot vernieuwing gestimuleerd door het Tweede Vaticaanse Concilie, dat in 1962 door paus Johannes XXIII werd geopend en in 1965 door zijn opvolger, Paulus VI, afgesloten. Was die vernieuwing ingrijpender dan bij de protestanten in 1945 en daarna? De radicalisering kan in bepaalde kringen zeer wel groter zijn geweest dan bij de radicalen van hervormden huize in 1945. Begrijpelijk, als dat zo is, want ten eerste waren wij in de eerste helft van de jaren zestig nauwelijks de Koude Oorlog te boven – die heeft de tegenstanders van het dilemma Oost-West in de radicale hoek gedreven –, ten tweede was het élan van de opbouw na de bezetting voorbij en had de welvaart zijn stempel op de samenleving gezet, wat een aantal gelovigen zeer verontrustte, ten derde werd de beslotenheid van het Nederlandse katholicisme plotseling doorbroken, hoewel de katholieke voormannen die nadrukkelijk bleven propageren ook toen de voornaamste doeleinden van de emancipatie allang waren bereikt. Men had geleerd, ridder van Christus te zijn; men had nooit buiten de beschutting van het toernooiveld mogen kijken; ineens keek men nu naar buiten en ontwaarde onrecht en zag dat dat onrecht evenzeer in eigen katholiek milieu bestond. Kortom: de christenridder ging niet meer op zoek naar de Graal, waarnaar de katholieke jongeren door middel van golvende capes in vrolijke kleuren, dansen en veel vendels op zoek waren geweest, maar ging, als een nieuwe Sint-Joris, op jacht naar de echte draak in het hol van het kapitalisme om jonkvrouw Mensheid te bevrijden en vond op weg daarheen Karl Marx als vijfde Evangelist.

Dit radicalisme is voor ons belangrijk, omdat men daardoor geen boodschap meer heeft aan de grote representatieve kerken van het verleden en men ze, zeker op die schaal, niet meer zal willen bouwen. Maar de onzekerheid erover is ook elders te vinden: wat doen wij met die oude kerken en die negentiende-eeuwse stijlen van de neogotiek en de nieuwe en o zo oude ambachtelijkheid? Wat doen wij met die overbodige ruimten en die nonsensicale en in het onderhoud geldverslindende tierelantijnen?

Sloop en Nieuwbouw

Door oorlogshandelingen waren reeds een aantal kerken verwoest. De achterstand in onderhoud (die allang voor de oorlog bestond: de kosten van reparatie en restauratie waren altijd al hoog en zeker in de crisisjaren, voor het uitbreken van de oorlog, ontbraken de middelen) had andere bouwvallig doen worden en herstel was duur. Daar kwam bij dat nieuwe ideeën omtrent functie en bouw van een kerk het oude gebouw toch al verwierpen. Dus vond men sloop en nieuwbouw beter. Verder was er de snelle bevolkingsgroei en de urbanisatie. Er ontstonden bij de steden en ook bij de grotere dorpen nieuwe wijken, met alle mogelijke sociale problemen, die al spoedig aan den dag traden. Als men de kerk wilde bezoeken dan waren deze wijken soms uren gaans van het oude centrum en de oude kerken daar verwijderd. Voor de nieuwe bewoners bleek de afstand bezwaarlijk (waar was de tijd van de achttiende eeuw, dat Lutherse boeren uit de noordelijke uitlopers van de Eifel een halve dag naar Vaals liepen om daar naar hun confessie te kerken?) en daarom kwam de kerk naar de mensen toe. Kortom, restauratie en nieuwbouw, veel nieuwbouw waren noodzakelijk.

Wat die nieuwbouw betreft: direct na de oorlog was hij nog traditioneel genoeg. De tijden van de uitbundige neogotiek en de nieuwe ambachtelijkheid waren echter voorbij en soberheid was een allereerste vereiste: er was geen geld en elders waren bouwvakkers dringend nodig voor meer urgente bouwwerken. Maar dat was toch niet het enige. Al voor de oorlog was de romantiek uit de jaren twintig verdwenen: de landhuizen onder het strodal en de wijken van de Amsterdamse School werden ongeloofwaardig vergeleken bij bijvoorbeeld de Nieuwe Zakelijkheid. Die had ons soberheid geleerd. Soberheid evenwel bleek met gewijd traditionalisme te kunnen worden verbonden: de Delftse School, waarmee de namen van onder anderen Kropholler en Granpré Molière verbonden zijn, is wel in de jaren twintig ontstaan, maar heeft na de oorlog aanzienlijke kansen gekregen. Het was begonnen om de stoerheid en de eenvoud, en het Romaans en nog meer de antieke Romeinse basiliek, vierden, althans in de kerkbouw, hoogtij. Er verrees toen een aantal kerken die de

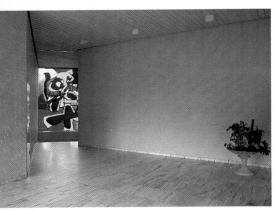

Details bijruimten in
de N.H. Thomaskerk te Amsterdam.

De verwerking van beton in het interieur van de N.H. Thomaskerk te Amsterdam.

Romeinse inspiratie moesten vertolken, maar zonder de Romeinse leutigheid en pronklust, plechtig, vrijwel zonder ornament, of men moest de op cruciale punten aangebrachte natuursteen als ornament tussen de baksteen zien – want het betonnen skelet kon het daglicht niet velen. Dus natuursteen ter afwerking van een poort of langs een raam of bij de goten, of ter verfraaiing van de doopkapel. Deze stijl is trouwens vrij snel minder aanvaardbaar gebleken. De geest van de naoorlogse kerkelijkheid bleek weldra niet zo monumentaal gezind en vond de aansluiting bij zulke traditie toch te onecht om erin te geloven met de geestdrift, die de negentiende-eeuwse emancipatie bij de neogotiek had gevoeld.

Soms is ook de protestantse nieuwbouw nogal traditioneel geweest, maar er is ook veel en geslaagd geëxperimenteerd. Dat gebeurde in vele gevallen met toepassing van de klassieke schema's zoals centraalbouw (bijvoorbeeld in de hervormde Maranthakerk in Amsterdam-Zuid), naar zaalmodel (nogal wat gereformeerde kerken, waarbij niet onaanzienlijke afmetingen, met name ook de hoogte in, toch weer aan zeventiende-eeuwse bouw doen denken en waarbij nogal eens een stijf-representatief karakter synoniem met vroomheid lijkt te zijn).

De preekstoel aan de kant geschoven

Er is een aanzienlijk aantal kerken gebouwd vanuit een liturgisch centrum, met als oriënteringspunt voor de aandacht een wand en een podium met een Avondmaalstafel in het midden en opzij daarvan een Doopvont. Daarop heeft men weleens zijn exegetische fantasie botgevierd, waardoor dit kerkmeubel werd omgetoverd in een soort rotssteen waaruit water ontsprong, want zo was het ook in de woestijn gegaan, toen Israël dorst leed en Mozes water uit de rots sloeg (zie Exodus 17 vers 6). Dat soort symboliek is een van de plagen van de christelijke kerk. De preekstoel verliest zoal niet aan belangrijkheid, dan toch aan plaatsing: hij wordt terzijde van tafel plus vont opgesteld. Dat liturgische centrum heeft heel wat harten en hoofden in beweging gebracht. Religie – prof. dr. G. van der Leeuw, een der grote mannen van de vernieuwing der liturgie, heeft het nadrukkelijk aan de orde gesteld – en dus ook de christelijke religie, is niet alleen en zelfs niet in de eerste plaats zaak van het dorre verstand, maar van heel de mens, de etende, zingende, dansende, spelende mens. Daarom kon de dienst in de kerk niet uitsluitend op de preek zijn gericht, maar moest hij ook gewijd zijn aan die handelingen waarin het goddelijk geheimenis van reiniging en spijziging met eeuwig leven aan de orde zijn: Doop en Avondmaal. Vandaar dat de preekstoel, eenmaal het pronkstuk bij uitstek in een deftige calvinistische kerk, nu aan de kant is geschoven. Voor het geluid is dat gevaarte van een klankbord ook al niet meer nodig: de geluidsinstallatie zorgt ervoor dat ook de spreker met een zwakke stem overal in het gebouw te horen is.

Prof. dr. G. van der Leeuwstichting

Er is veel en met liefde gebouwd: een opsomming ervan zou willekeurig zijn. Liever verwijzen wij naar instellingen als de Prof. dr. G. van der Leeuwstichting, die in de afgelopen jaren uitnemend inspirerend en registrerend werk op dit gebied (en op velerlei gebied, de liturgie en de kerkelijke kunst betreffende) heeft verricht. Haar publikaties en die van soortgelijke aanverwante instellingen kunnen een goede oriëntatie in deze materie bieden.
Er zijn in ons land vele moderne kerken te zien, en sommige zijn zeer verrassend van vorm. Er zijn er van een moderne monumentaliteit en er zijn er ook van rustiger of speelser allure. Maar zij trekken in het stadsbeeld van oude of nieuwe wijken steeds de aandacht.

Buitenwijken en forensenplaatsen

De aandacht van wie eigenlijk? Van de gemeente? Zeker ook. Zij is anders dan vroeger. Niemand, en dat geldt zeker voor de grote bevolkingscentra in de randstad, gaat ter kerke om daar door iedereen gezien te worden of om zelf de samenleving te observeren. Niemand moet voor het verwerven van sociale of politieke macht lid van de Kerk zijn. In dat opzicht is de gemeente anoniemer geworden en nauwelijks anders dan welke willekeurige gemeenschap ook. Dat is te merken aan de leegloop van de grote steden naar de buitenwijken en de forensenplaatsen. Zij die zich daar vestigen zijn vaak alleen met de allergrootste moeite te registreren en wie zich vrijwillig bij de plaatselijke gemeente aanmeldt is een uitzondering. Verandering van omgeving betekent in zeer veel gevallen onkerkelijkheid.

Christelijk radicalisme

Wie overblijft gaat steeds meer tot de vleugels behoren; de middengroep wordt kleiner. Het zijn de zeer overtuigden, die voorshands blijven: de radicalen links en rechts. Maar de linkse radicalen ontdekken vaak, dat zij hun maatschappelijke idealen beter in een linkse politieke partij kunnen onderbrengen dan in een kerk, die ondanks al haar profetische allures en pretenties toch te weinig voor actie op dat gebied is toegerust. Blijven de rechtse radicalen. Zij behoeven geen politieke reactionairen of contrarevolutionairen te zijn; dat zijn zij ook eigenlijk zelden of

---

ONKERKELIJKHEID

De onkerkelijkheid neemt snel toe. Tot 1960 gold dat vooral voor de hervormde Kerk en de kleinere kerkgenootschappen, remonstranten, doopsgezinden, lutheranen (de hervormden omvatten volgens de volkstelling van 1930 34,5 %, in 1947 31,1 % en in 1960 28,3 %; de katholieken waren van 1930 tot 1960 van 36,4 % naar 40,4 % gestegen, de gereformeerden waren met hun 9,3 % in die dertig jaar vrijwel gelijk gebleven). Maar volkstellingen zeggen niet zo veel over het leven van de Kerken. Daarvan is meer af te lezen in de teruggang van de kerkelijke inkomsten uit de bijdragen van de leden en in het zeer snel verminderde kerkbezoek. In dat opzicht hebben de Kerken, ook de katholieke Kerk, ook de gereformeerde Kerken, zeer veel terrein in de samenleving verloren, ondanks het feit dat de samenwerkende christelijke partijen in de politiek nog altijd de meeste stemmen op zich verenigen. Maar de tijd, dat de sterkte van de Kerk en van de daarbij behorende politieke partij bij elkaar pasten, is voorbij.

nooit in ons land. Maar zij willen met alle kracht vasthouden aan het geloof der vaderen, of zij dat nu historisch juist interpreteren of niet – meestal niet. Zo ontstaat het fanatisme van wat men met een uit Amerika afkomstige term het 'fundamentalisme' noemt: wat in de bijbel staat is letterlijk waar, het is tijdloos, het geldt onvoorwaardelijk, zoals een wiskundige waarheid tijdloos is. De theorie van de evolutie, het darwinisme, kan niet waar zijn; de schepping wordt in de bijbel anders beschreven. Deze groepen zijn afstammelingen van het piëtisme. Daarmee is tegelijk gezegd, dat zij niet in de eerste plaats streven naar directe politieke of sociale macht in de samenleving, hooguit indirect of op specifieke punten: zondagsheiliging, discriminatie van psychische minderheden als homoseksuelen, verzet tegen abortus en dergelijke. Zij blijven het karakter van een zekere geslotenheid vertonen: naar buitenstaanders gaat weinig wervingskracht uit. Dat wil zeggen: zij hebben wel behoefte aan massameetings om met elkaar het eigen gelijk van het eigen geloof te beleven, maar zij vragen niet om de monumentaliteit van een imposant kerkgebouw dat Kerk en Staat, kerkeraad en overheid, christendom en samenleving verbindt. Een grote congreszaal is hun genoeg.

Dit rechtse kerkelijke of althans christelijke radicalisme (vaak hebben deze mensen meer binding met de eigen leiders dan met de kerkelijke instanties) inspireert niet tot grote kerkbouw. Wat de linkse radicalen betreft: die willen het juist niet van grote demonstraties hebben. Ook zij hebben piëtistische trekken in hun gemeenschapsleven, al zijn zij in wezen niet werkelijk piëtistisch. Zij vormen kernen, soms voor maatschappelijke of politieke actie, soms in experimentele kerkdiensten. Wij moeten die echter niet zo scherp scheiden: het is niet zo, dat deze groepen zichzelf en hun bijeenkomsten zien als de activiteit van politieke cellen, maar zij vinden in hun eredienst wel de vreugde, de bevestiging, het gebod en het gebed waaruit zij hun religieuze inspiratie voor hun acties naar buiten kunnen putten. Voor die vorm van eredienst staan zij betrekkelijk onverschillig ten opzichte van het gebouw waarin zij hun liturgie kunnen vieren en hun leerhuizen kunnen houden. Kerken, zalen, kosterijen genoeg – waarom dan nieuwbouw?

Met dat al leveren deze buitenste vleugels van het kerkvolk niet de grote inspiratie tot kerkbouw, terwijl de middengroep duidelijk slinkt. Maar daarmee slinkt het lidmaatschap van de Kerk, van vrijwel alle Kerken (terwijl dat van buitenkerkelijke, al dan niet christelijke religieuze bewegingen na de oorlog aanzienlijk is toegenomen).

Groothandels, supermarkten, opslagplaatsen en garages

Wat zal de toekomst van al die gebouwen zijn? De oudste monumenten worden gerestaureerd, voor miljoenen vaak, en als zij er weer goed bijstaan komt de vraag: wat er nu mee te doen? Wijkwerk in een grotendeels ontvolkte binnenstad? Maar de achterblijvers of de nieuw gevestigden hebben niets aan die volstrekt onpraktisch geworden gevaarten. Latere gebouwen, negentiende-, vroeg twintigste-eeuwse, vinden profane bestemmingen. De ruimte is geschikt voor groothandels, supermarkten, opslagplaatsen, garages; maar dan moet het oude gebouw nog wel solide zijn en redelijk goed te verbouwen. Anders: sloop, direct of na een langzame verkrotting samen met de verkrottende buurt ondergaan.

Wordt dat ook het lot van de na de oorlog gebouwde kerken? Misschien wel, zeker voor sommige ervan. Te voorzien is, dat de oude monumentaliteit niet terugkeert. Zullen op den duur kleine, niet in het oog springende centra voldoende blijken? Hoe dan ook: zoals kerken nooit de gehele uitdrukking van het christelijk geloof zijn geweest, zo kan ook hun verdwijnen nog niet automatisch het verdwijnen van dat geloof betekenen. Maar dat onderwerp hoort niet in dit boek thuis.

De voormalige Gereformeerde kerk aan de Amstelveense weg te Amsterdam. Het opschrift spreekt voor zich.

Provinciegewijs overzicht van de kerken

De duizenden Nederlandse kerken op te sommen in het bestek van enige bladzijden is ondoenlijk, laat staan dat zij naar hun karakter en inrichting ook maar summier beschreven zouden kunnen worden. In het hierna volgende overzicht zijn zij naar provincies gerangschikt, en dan nog voor zover zij van enig belang zijn uit het oogpunt van stijlzuiverheid en/of inrichting. De chronologische indeling volgt eerder de gang van de kerkgeschiedenis dan van bouw- of beeldende kunst. Vandaar dat romaanse en gotische gebouwen of mengvormen ervan onder één hoofd, Middeleeuwen is samengebracht: de tijd van een onverdeelde kerk. Daarop volgt de periode Van Reformatie tot Omwenteling, dat wil zeggen de tijd (grofweg de tweede helft van de zestiende eeuw tot het einde van de achttiende), waarin nieuwbouw ofwel een publieke zaak was ofwel oogluikend werd toegestaan. Vervolgens is er een rubriek Eerste helft der negentiende eeuw, meestal als de tijd van de Waterstaatskerken aangeduid, toen de overheid, steunende op de officiële tolerantie, voor de kerken bouwde. Ten slotte is er de periode van de neostijlen, vooral geïnspireerd door het herstel van de katholieke hiërarchie.
De herontdekking van de muur- en gewelfschilderingen, waaraan wij menig verrassend kunstwerk danken, heeft aanleiding gegeven om op zulke arbeid bijzondere aandacht te vestigen.
De rubriek Interieur vermeldt kerken, die voornamelijk om hun inrichting van belang zijn. Dat kunnen preekstoelen, doop- en koorhekken zijn maar ook altaren en beelden. Voor verdere uitsplitsing ontbreekt hier de ruimte.
Ten slotte zijn nog bijzondere grafmonumenten (waaronder ook rouwkassen en epitafen gerekend zijn) vermeld, omdat zij in vele gevallen van hoge artistieke kwaliteit zijn.

GRONINGEN
GEBOUWEN

Middeleeuwen: Aduard, Appingedam, Groningen (Martini- en A-kerk), Leens, Leermens, Loppersum, Middelstum, Noordbroek, Pieterburen, Scheemda, Ten Boer, Ter Apel, Zeerijp, 't Zandt, Zuidbroek.
Tussen Reformatie en Omwenteling: Groningen (Noorderkerk), Harkstede, Hoogezand, Midwolda, Nieuweschans, Nieuw Scheemda, Sappemeer (Ned.Herv.).
Eerste helft negentiende eeuw: Sappemeer (Doopsgez.), Veendam (R.K.), Woltersum.
Neostijlen: Groningen (St.-Joseph, St.-Martinus).

MUUR- EN GEWELFSCHILDERINGEN: Appingedam, Bierum, Garmerwolde, Groningen (Martinikerk), Godlinze, Holwierde, Huizinge, Loppersum, Leermens, Middelstum, Noordhoek, Sellingen, Stedum, Westeremden, Westerwijtwerd, Wirdum, 't Zandt.
INTERIEUR: Fransum, Krewerd, Holwierde, Loppersum, Groningen (Martini- en A-kerk), Noordbroek, Noordwolde, Pieterburen, Ter Apel, Uithuizermeeden, Westerlee, Woldendorp, Zuidhorn.
GRAFMONUMENTEN: Bierum, Hellum, Midwolde, Pieterburen, Stedum, Uithuizen, Uithuizermeeden, Zeerijp, Zuidhorn.

FRIESLAND
GEBOUWEN

Middeleeuwen: Achlum, Anjum, Augustinusga, Veers, Bergum, Blija, Bolsward, Boxum, Bozum, Buitenpost, Dantumawoude, Dokkum, Dronrijp, Eestrum, Ferwerd, Franeker, Giekerk, Grouw, Hallum, Hantum, Hantumahuizen, Hollum (Am.), Holwerd, Hoogebeintum, Hyum, Janum, Jelsum, Jorwerd, Kimswerd, Kollum, Leeuwarden (Grote Kerk), Lutkewierum, Marum, Marssum, Minnertsga, Murmerwoude, Nijland, Oenkerk, Oldeberkoop, Oosterend, Oosterlittens, Oostrum, Oudega, Oudkerk, Schraard, Sexbierum, Sloten, Sneek, Stiens, Ternaard, Waaskens, Weidum, Westergeest, Wommels, Workum.
Tussen Reformatie en Omwenteling: Akkrum, St.-Annaparochie, Berlicum, Drachten, Driesum, Harlingen, Heerenveen (Doopsg.), Idaard, Joure, Langweer, Lemmer, Longerhouw, Makkum, Oldeboorn, Oosterwolde, Oost-Vlieland, Warns, Wijkel, Wijnjeterp, Wolvega, Workum (Doopsg.), Zweins.
Eerste helft negentiende eeuw: Akkrum (Doopsg.), Bolsward (Doopsg.), Sint-Jacobiparochie, Pietersbierum, Rauwerd.
Neostijlen: Leeuwarden (RK. St.-Bonifatius).

MUUR- EN GEWELFSCHILDERINGEN: Augustinusga, Bolsward, Bozum, Kollum, Leeuwarden (Grote Kerk), Oldeboorn, Westergeest.
INTERIEUR: St.-Annaparochie, Achlum, Akkrum, Ballum (Am.), Beers, Bergum, Berlicum, Blija, Bolsward, Boxum, Bozum, Buitenpost, Burgwerd, Burum, Dantumawoude, Dokkum, Drachten, Driesum, Dronrijp, Franeker, Garijp, Giekerk, Hallum, Holwerd, Hoogebeintum, Huizum, Idaard, Jelsum, Jorwerd, Kimswerd, Kollum, Koudum, Langweer, Leeuwarden (Grote Kerk), Lemmer, Longerhouw, Marrum, Marssum, Oenkerk, Oosterend, Oosterlittens, Oosternijkerk, Oosterwolde, Oostrum, Oost-Vlieland, Oudega, Oudkerk, Rauwerd, Schraard, Sexbierum, Sloten, Ternaard, Tjerkwerd, Waaskens, Warns, Weidum, Wieuwerd, Wijnaldum, Wijnjeterp, Wolvega, Wommels, Workum, Zweins.
GRAFMONUMENTEN: Bolsward, Buitenpost, Dantumawoude, Dongjum, Franeker, Friens, Hallum, Harich, Hijlaard, Holwerd, Hoogebeintum, Idaard, Leeuwarden (Grote Kerk), Oenkerk, Oldeboorn, Oostrum, Oudega, Rauwerd, Tjerkwerd, Wijkel, Wommels, Ysbrechtum.

DRENTHE
GEBOUWEN

Middeleeuwen: Anloo, Beilen, Diever, Eelde, Kolderveen, Meppel, Nijeveen, Norg, Peize, Roden, Vries, Westerbork, Zuidlaren.
Tussen Reformatie en Omwenteling: Coevorden, Hijkersmilde, Hoogeveen, Oosterhesselen, Smile (Kloosterveen).
Eerste helft negentiende eeuw: Assen, Gieten, Veenhuizen, Wapserveen.
MUUR- EN GEWELFSCHILDERINGEN: Anloo, Eelde, Ruinen.
INTERIEUR: Coevorden, Diever, Eelde, Gieten, Havelte, Norg, Peize, Roden, Rolde, Vries, Zuidlaren.
GRAFMONUMENTEN: Coevorden, Gieten, Oosterhesselen.

OVERIJSSEL
GEBOUWEN

Middeleeuwen: Borne, Dalfsen, Delden, Denekamp, Deventer (Grote Kerk, Bergkerk, Broederenkerk), Diepenveen, Hasselt, Hellendoorn, Kampen (bovenkerk, Buitenkerk, Broederkerk), Oldenzaal, Ootmarsum, Paaslo, Raalte, Rijssen, Steenwijk (Grote en Kleine Kerk), Steenwijkerwold, Vollenhove (Grote en Kleine Kerk) Weersalo, Wijhe, Wesepe, Windesheim, Zalk, Zwolle (Grote kerk, O.-L.-Vrouwekerk, Bethlehemse Kerk, Broerenkerk).
Tussen Reformatie en Omwenteling: Almelo, Blokzijl, Diepenheim, Goor, Rouveen.
Eerste helft negentiende eeuw: Kampen (Luthers), Tubbergen (NH), Den Ham, Oostmarsum (NH).
Neostijlen: Tubbergen (RK), Bathmen (NH), Haaksbergen (RK), Hengelo.

MUUR- EN GEWELFSCHILDERINGEN: Bathmen, Borne, Delden, Deventer (Grote Kerk, Bergkerk), Hasselt, Hellendoorn, Kampen (Bovenkerk), Zwolle (Grote Kerk).
INTERIEUR: Blokzijl, Delden, Deventer (Grote Kerk), Diepenheim, Hasselt,

Kampen (Bovenkerk), Oldenzaal, Ootmarsum (NH), Raalte, Steenwijk (Grote Kerk), Steenwijkerwold, Tubbergen (NH), Vollenhove, Wijhe, Wilsum, Zalk, Zwolle (Grote Kerk, Broerenkerk).
GRAFMONUMENTEN: Almelo, Dalfsen, Delden, Goor, Rijssen, Wijhe.

GELDERLAND
GEBOUWEN

Middeleeuwen: Aalten, Aredt, Alphen, Andelst, Arnhem (Grote Kerk, St.-Walburgis), Barneveld, Batenburg, Beekbergen, Brakel, Buren, Culemborg, Didam (RK), Dinxperlo, Dodewaard, Doesburg (Grote Kerk), Doetinchem (Grote Kerk), Drempt, Driel, Eck en Wiel, Ede, Eibergen, Elburg, Elst, Epe, Geldermalsen, Groenlo, Hall, Harderwijk, Maurik, Nijkerk, Nijmegen (Valkhof, St.-Steven), Oene, Ommeren, Oosterbeek, Otterlo, Oud-Zevenaar (RK), Ressen, Rheden, Rumpt, Sikvolde (NH), Tiel (Grote Kerk), Trichg, Twello, Valburg, Voorst, Wadenoyen, Winterswijk, Zaltbommel, Zoelen, Zoelmond, Zutphen (Grote Kerk, Broederenkerk, Nieuwstadkerk).
Tussen Reformatie en Omwenteling: Arnhem (voorm. Lutherse kerk), Boven-Leeuwen, Breedevoort, Est, Hedel, Zevenaar (NH).
Eerste helft negentiende eeuw: Arnhem (Koepelkerk), Culemborg (Luthers), Doornspijk, Heerde (Gereformeerde kerk), Horssen, Laren (NH), Loenen (RK), Nederhemert-Noord, Veessen, Zaltbommel (RK).
Neostijlen: Apeldoorn (NH), Arnhem RK St.-Eusebius en St.-Martinus), Baak (RK), Kranenburg, Neerijnen (NH), Zeddam, Zetten (Vluchtheuvelkerk), Druten Hernen (RK).

MUURSCHILDERINGEN: Aalten, Arnhem (Grote Kerk), Beekbergen, Bemmel, Dinxperlo, Elburg, Groenlo, Hall, Harderwijk, Hattem, Hengelo, Herveld, Ingen, Lienden, Maurik, Nijmegen (Grote Kerk), Oene, Tricht, Valburg, Voorts, Winterswijk, Zaltbommel (Grote Kerk), Zutphen (Grote Kerk, Broederenkerk).
INTERIEUR: Alphen (RK), Arnhem (Grote Kerk, St.-Walburgis), Barneveld, Batenburg, Beekbergen, Brakel, Breedevoort, Culemborg, Doesburg (Grote Kerk), Drempt, Dreumel, Driel, Eck en Wiel, Ede, Elburg, Epe, Etten (RK), Geldermalsen, Hattem, Herveld, Ingen, Kerkwijk, Leur, Lienden, Nijkerk, Nijmegen (Grote Kerk), Ommeren, Otterlo, Oud-Zevenaar, Rumpt, Silvolde (RK en NH), Tricht, Twello, Voorts, Wadenoyen, Zaltbommel, Zeddam, Zevenaar (RK en NH), Zoelen, Zoelmond, Zutphen (Grote Kerk).
GRAFMONUMENTEN: Arnhem (Grote Kerk), Barneveld, Batenburg, Buren, Culemborg, Ellecom, Eest, Hemmen, Heumen, Nederhemert-Zuid, Nijmegen (Grote Kerk), Tiel, Tuil.

UTRECHT
GEBOUWEN

Middeleeuwen: Abcoude (NH), Amerongen, Amersfoort, Benschop, Blauwkapel, Breukelen, Doorn, Eemnes-Binnen, Eemnes-Buiten, Harmelen, IJsselstein, Jaarsveld, Kockengen, Loenen, Maarssen, Maartensdijk, Montfoort, Nieuw-Loosdrecht, Oudewater, Rhenen, Utrecht (Dom, Janskerk, Pieterskerk, Buurkerk, Geertekerk, Jacobikerk, Klaaskerk, St.-Catharina), Vreeland, Westbroek, Wijk-bij-Duurstede.
Tussen Reformatie en Omwenteling: Renswoude, Tull en 't Waal, Lage Vuurse, Vreeswijk, Willige Langerak.
Eerste helft negentiende eeuw: Amersfoort (St.-Franciscus Xaverius), Jutphaas (NH), Rijssenburg (RK), Utrecht (St.-Augustinus), Zeist.
Neostijlen: Abcoude (RK), IJsselstein (RK), Jutphaas (RK), Utrecht (St.-Willibrord).

MUUR- EN GEWELFSCHILDERINGEN: Amersfoort, Lopik, Odijk, Oudewater, Utrecht (Dom, Janskerk, Pieterskerk, Buurkerk), Westbroek.
INTERIEUR: Abcoude (NH en RK), Amerongen, Amersfoort, Benschop, Breukelen, Eemnes-Buiten, Jaarsveld, Jutphaas (RK), Houten, Kockengen, Linschoten, Loenen, Montfoort, Nieuw-Loosdrecht, Nieuwer Ter Aar, Nigtevecht, Oudewater, Renswoude, Rhenen, Schalkwijk, Utrecht (Dom, Pieterskerk, Buurkerk, Jacobikerk, Klaaskerk), Vreeland, Vreeswijk, Westbroek, Wijk-bij-Duurstede.
GRAFMONUMENTEN: Abcoude (NH), Amerongen, Amersfoort, Benschop, Breukelen, Houten, Loenen, IJsselstein, Maarssen, Nieuwer Ter Aar, Nieuw-

Loosdrecht, Rijssenburg, Schalkwijk, Utrecht (Janskerk, Jacobikerk, Klaaskerk), Westbroek.

NOORDHOLLAND
GEBOUWEN

Middeleeuwen: Aalsmeer, Alkmaar (Grote Kerk, Kapelkerk), Amsterdam (Oude Kerk, Nieuwe Kerk, Oude Waalse Kerk, Oudezijds Kapel), Bergen-Binnen, Beverwijk, Broek in Waterland, Den Burg (Texel), Castricum, Edam (Grote Kerk), Egmond aan den Hoef, Enkhuizen (Zuiderkerk en Westerkerk), Haarlem, (Grote Kerk, Bakenesserkerk, Janskerk, Waalse Kerk), Haringhuizen, Heiloo, Hippolytushoef, Hoorn (Oosterkerk en Noorderkerk), Kortenhoef, Lambertschaag, Limmen, Medemblik, Monnickendam, Muiden (NH), Naarden, De Rijp, Oosterend (Texel), Oosthuizen, Schellinkhout, Spanbroek, Twisk, Uitgeest, Velsen, Venhuizen, Weesp, Wijk aan Zee, Zwaag.
Tussen Reformatie en Omwenteling: Alkmaar (Remonstrant, Luthers), Amsterdam (Zuider-, Wester-, Ooster- en Noorderkerk, Oude en Nieuwe Lutherse Kerk, Oude-Remonstrantse Kerk, Ons Lieve Heer op Solder, Begijnhofkerk RK), Bennebroek, Blaricum (NH), Bloemendaal, Buiksloot, Edam (Lutherse), 's-Graveland, Groot-Schermer, Haarlem (Nieuwe Kerk), Heemstede (NH), Hensbroek, Hoogwoud, Hoorn (Luthers), Koog aan de Zaan, Krommenie (NH, Doopsgezind, Oud-Kathol.), St.-Maartensburg, Midden-Beemster, Oostzaan, Ouderkerk aan de Amstel, Oudeschild (Texel), Schermerhorn, Schoorl, Schardam, Spaarndam, Spaarnwoude, Volendam (NH), Watergang, Westzaan (NH, Doopsgez.), Zaandam (Westzijderkerk, Luthers, Oud-kathol.), Zuid-Schermer.
Eerste helft negentiende eeuw: Amsterdam (RK De Duif, Mozes en Aäronkerk), Durgerdam, Muiden (RK).
Neostijlen: Amsterdam (RK St.-Nicolaas, Vondelkerk), Bovenkerk (RK), Bussum (RK), Haarlem (RK nieuwe St.-Bavo), Hilversum (RK), Hoorn (Grote Kerk, NH, RK St.-Cyriacus en St.-Franciscus), Overveen (RK), Schagen (NH en RK).

MUURSCHILDERINGEN: Alkmaar (Grote kerk), Amsterdam (Oude Kerk), Beets, Enkhuizen (Zuiderkerk), Muiden (NH), Naarden.
INTERIEUR: Aartswoud, Alkmaar (Grote Kerk), Amsterdam (Oude Kerk, Nieuwe Kerk, Oude Waalse Kerk, Zuider-, Wester-, Noorderkerk, Oude Lutherse Kerk, Ons Lieve Heer op Solder, Begijnhofkerk (RK), De Duif, Mozes en Aäronkerk, St.-Nicolaas), Bergen-Binnen, Broek in Waterland, Edam (Grote Kerk, Lutherse Kerk), Enkhuizen (Zuider- en Westerkerk, Lutherse Kerk), Haarlem (Grote Kerk, RK kathedraal St.-Bavo, Hoogwoud, Hoorn (Noorder- en Oosterkerk, Lutherse Kerk, Muiden NH, Naarden, Oosthuizen, Oostzaan, Overveen (RK), De Rijp, Schermerhorn, Weesp, Westzaan (Doopsgez.), Zaandam (Westeinderkerk, Luthers, Oud-Katholiek).
GRAFMONUMENTEN: Alkmaar (Grote Kerk), Amsterdam (Oude en Nieuwe Kerk), Beverwijk, Durgerdam, Limmen (NH), Oosthuizen, Spanbroek, Veenhuizen.

ZUIDHOLLAND
GEBOUWEN

Middeleeuwen: Abbenbroek, Asperen, Bleiswijk, Den Briel, Delfshaven, Delft (Oude en Nieuwe Kerk), Dirksland, Dordrecht (Grote Kerk), Geervliet, Gouda, Den Haag (Grote Kerk, Kloosterkerk), Heenvliet, Hendrik Ido Ambacht, Hilligersberg, IJsselmonde, Katwijk-Binnen, Kethel, Koudekerk aan de Rijn, Leerdam, Leiden (Pieterskerk, Hooglandse Kerk), Lexmond, Loosduinen, Maasland, Middelharnis, Mijnsherenland, Molenaarsgraaf, Monster, Naaldwijk, Nieuwe Tonge, Noordwijk-Binnen, Ouderkerk, Poortugaal, Rhoon, Rijswijk, Rotterdam (Grote Kerk), Sassenheim, Scheveningen, Schiedam, Schipluiden, Schoonhoven, Spijkenisse, Streefkerk, Strijen, Tienhoven, Vianen, Vlaardingen, Voorburg, Waarder, Wassenaar, Woerden, Zwammerdam, Zwartewaal.
Tussen Reformatie en Omwenteling: Berkel, Den Bommel, Delft (Oud-kathol.), Dordrecht (Nieuwe Kerk), Den Haag (Nieuwe Kerk), Luthers, Oud-kathol.), Hazerswoude, Hellevoetsluis, Herkingen, Leiden (Marekerk), Leiderdorp, Leidschendam, Maassluis, Moerkapelle, Moordrecht, Noordwijk aan Zee, Numansdorp, Ottoland, Oud-Beijerland, Oudewetering, Oudshoorn,

Rijnsburg, Schoonrewoerd, Westmaas, Woerden (Luthers), Woubrugge, Zoetermeer.

Eerste helft negentiende eeuw: Arkel, Den Briel (RK), Gorcum (NH en RK), Kralingen, Leiden (RK Hartebrugskerk), Leimuiden (NH), Nieuwkoop (Remonstr.), Ooltgensplaat, Overschie (RK), Schiedam (RK), Waddinxveen.

Neostijlen: Everdingen (RK), Gouda (RK), Den Haag (RK St.-Jacobus), Katwijk aan Zee (NH, Nieuwe Kerk), Kethel (RK), Leimuiden (RK), Woerden (RK).

MUUR- EN GEWELFSCHILDERINGEN: Asperen, Dordrecht (Grote Kerk), Leiden (Pieterskerk), Mijnsheerenland, Poortugaal.

INTERIEUR: Abbenbroek, Bleiswijk, Delft (Oude en Nieuwe Kerk, Oud-kathol.), Dordrecht (Grote Kerk), Everdingen, Geervliet, Giessenburg, Gouda (Grote Kerk, Oud-kathol.), Heenvliet, Hendrik Ido Ambacht, Katwijk-Binnen, Kethel (NH), Koudekerk aan de Rijn, Leiden (Pieterskerk, Hooglandse Kerk, Marekerk), Leiderdorp, Leidschendam, Maassluis, Mijnsheerenland, Naaldwijk, Nieuwpoort, Noordwijk-Binnen, Oestgeest, Ooltgensplaat, Ottoland, Oud-Beijerland, Oudshoorn, Pershil, Poortugaal, Rijswijk, Rotterdam (Grote Kerk), Scheveningen, Schiedam, Schildluiden, Schoonhoven, Vianen, Voorburg, Wassenaar, Wateringen, Westmaas, Woerden (Grote Kerk, Luthers), Zevenhuizen, Zoetermeer.

GRAFMONUMENTEN: Ameide, Den Briel, Delft (Oude en Nieuwe Kerk), Dordrecht (Grote Kerk), Geervliet, Giessenburg, Gorcum, Gouda (Grote Kerk), Den Haag (Grote Kerk), Katwijk aan Zee, Leiden (Pieterskerk), Mijnsheerenland, Monster, Naaldwijk, Noordeloos, Noordwijk-Binnen, Ouderkerk, Pershil, Rhoon, Rijnsburg, Rotterdam (Grote Kerk), Vianen.

ZEELAND
GEBOUWEN

Middeleeuwen: Aardenburg, Biggekerke, Brouwershaven, Dreischor, Gapinge, Goes, 's-Gravenpolder, Haamstede, 's-Heer Abtskerke, Hulst, IJzendijke, Kapelle, Kloetinge, St.-Kruis, St.-Maartensdijk, Middelburg (Abdijkerken), Nieuwerkerk, Nisse, Noordgouwe, Oud-Vossemeer, Poortvliet, Renesse, Scherpenisse, Tholen, Veere, Vlissingen, Zoutlande.

Tussen Reformatie en Omwenteling: Aagtekerke, St.-Anna ter Muiden, Biervliet, Burgh, Colijnsplaat, Driewegen, Hoofdplaat, Koudekerke, Middelburg (Oostkerk, Luth.), Nieuwvliet, Renesse, Vrouwenpolder, Waterlandkerkje.

Eerste helft negentiende eeuw: Heinkenszand, Zierikzee (Nieuwe Kerk).

Neostijlen: Wolphaartsdijk (NH).

MUUR- EN GEWELFSCHILDERINGEN: Aardenburg, Kapelle, St.-Maartensdijk, Nisse, Overzande.

INTERIEUR: Aardenburg, Brouwershaven, Cadzand, Dreischor, Goes, Groede (NH), Haamstede, 's-Heer Arendskerke, 's-Heer Hendrikskerke, Heinkenszand, Hulst (RK), IJzendijke, Kapelle, Kloetinge, Kruiningen, St.-Maartensdijk, Meliskerke, Middelburg (Oostkerk, Luth.), Vrouwenpolder, Wemeldinge, Zierikzee.

GRAFMONUMENTEN: Aagtekerke, Burgh, Dreischor, Heinkenszand, Kapelle, Kruiningen, St.-Maartensdijk, Oosterland, Stavenisse, Waarde, Veere, Vlissingen.

NOORDBRABANT
GEBOUWEN

Middeleeuwen: St.-Agatha (kapel Kruisherenklooster), Bokhoven, Boxtel, Breda (Grote Kerk), Breugel, Dennenburg, Diessen, Dongen (NH), Den Dungen, Eethen, Geertruidenberg, Halsteren (nu NH), Helvoirt (NH), 's-Hertogenbosch (St.-Jan), Hilvarenbeek, Leende, Middelbeers, Oirschot (RK en NH), Princenhage, Raamsdonk (NH), Sprang (NH) Terheyden, Veen (NH), Vlijmen (NH), Waalwijk (NH), Waspik (NH), Woudrichem (NH), Zevenbergen (NH).

Tussen Reformatie en Omwenteling: Besoyen (NH), Boxmeer (Karmelietenklooster), Dinteloord (NH), Drimmelen (NH), Esdonk, 's-Grevelduin-Kapelle (NH), Handel, Hoge Zwaluwe (NH), Meegen (Franciscanenklooster), Nieuw-Vossemeer, Oosterhout (NH), Ravenstein (RK en NH), Uden (Brigittinessenklooster), Velp (Capucijnenklooster Emmaus), Willemstad (NH).

Eerste helft negentiende eeuw: Aarle (RK en NH), Bergen op Zoom (RK),

Bladel (NH), Budel (NH), Deurne (NH), Eersel (NH), Erp (RK), Helmond (NH), 's-Hertogenbosch (Luth., RK. St.-Pieter), Hilvarenbeek (NH), St.-Oedenrode (NH), Oosterhout (RK en NH), Princenhage (RK), Roosendaal (RK), Schijndel (RK), Steenbergen (NH), Udenhout (RK), Veghel (NH), Waspik (RK).

Neostijlen: Asten, Cuyk, Deurne, Eindhoven (St.-Catharina, St.-Jan), Geldrop, Helmond, 's-Hertogenbosch (St.-Jacob), Leur, Lierop, Oisterwijk, Oss, Oudenbosch, Overlangel, Steenbergen, Uden (RK), Veghel (RK).

MUUR- EN GEWELFSCHILDERINGEN: Breda (Grote Kerk), Helvoirt (NH), Herpen, Sprang (NH), Vught (NH).

INTERIEUR: Aarle (RK en NH) Lievevrouwekapel) Bakel, Beek, Bokhoven, Boxmeer, Breda (Grote Kerk), Diessen, Den Dungen, Erp, Esdonk, Etten (NH), Geertruidenberg, Grave, 's-Gravenmoer (NH), 's-Grevelduin-Kapelle, Halsteren (nieuwe RK), Handel, Heesbeen, Helvoirt (NH), Herpen, 's-Hertogenbosch (St.-Jan, St.-Pieter, St.-Jacob), Hilvarenbeek (RK), St.-Hubert, Leende, Luykgestel, St.-Oedenrode, Oirschot, Oisterwijk, Oosterhout (NH), Oploo, Ravenstein (RK en NH), Roosendaal, Rosmalen, Schijndel, Teeffelen, Terheyde, Tilburg (RK Het Heike), Udenhout, Vlijmen (NH), Waspik (RK en NH), Willemstad, Wouw, Zundert.

GRAFMONUMENTEN: Bergen op Zoom (Grote Kerk), Bokhoven, Boxmeer, Breda (Grote Kerk), Grave (RK), Heusden (NH), Woudrichem (NH), Zevenbergen (NH).

LIMBURG
GEBOUWEN

Middeleeuwen: Asselt, Breust, Broekhuizervorst, St.-Geertruid, Grathem, Heerlen, Helden, Hoensbroek (oude parochiekerk), Kerkrade (Rolduc), Lemiers (oude parochiekerk), Limbricht (oude parochiekerk), Maastricht (St.-Servaas, O.-L.-Vrouwe, Cellebroederskapel, vm. Dominicanenkerk, vml (eerste) Franciscanenkerk, vml. Kruisherenklooster, Sint-Jan (NH), St.-Mathias), Meerssen, Neeritter, Noorbeek, St.-Odiliënberg, Roermond (kathedraal Munster, NH), Sittard (St.-Pieter) Stein, Susteren, Thorn (Stiftskerk), Venlo (St.-Martinus Mariaweide, Franciscanenkerk), Venray, Weert (parochiekerk, Franciscanenkerk).

Tussen Reformatie en Omwenteling: Ayen, Eys, Gennep (NH), Gronsveld, Houthem St.-Gerlach, Maastricht (vm.Augustijnenkerk, vml. Bonnefantenklooster vm. Jezüetenkerk, muth., Waals), Schaesberg, Sittard (St.-Michaël, NH., Dominicanessenklooster), Slenaken, Sweykhuizen, Thorn (O.-L.-Vrouwe onder de Linden), Urmond (RK en NH), Vaals (NH. Luth.), Wittem.

Eerste helft negentiende eeuw: Beek (NH), Bemelen, Elsloo, Geleen, Meerssen (NH), Nederweert, Roosteren.

Neostijlen: Maastricht (St.-Martinus), Mheer, Neer, Ohé, Reuven, Sittard (O.-L.-Vrouwe van het Heilig Hart), Steyl (Missiehuis), Tegelen, Vijlen, Venlo (O.-L.-Vrouwe).

MUUR- EN GEWELFSCHILDERINGEN: Blitterswijk, Heythuizen, Hoensbroek, Houthem St.-Gerlach, Leunen, Maastricht (O.-L.-Vrouwe, St.-Jan, Dominicanenkerk, Kruisherenkapel), Neeritter, Noorbeek, Roermond (Munster), Wahlwiller, Weert.

INTERIEUR: Afferden, Asselt, Breust, Bruggenum, Bunde, Elsloo, Eys, St.-Geertruid, Genhout, Gennep (NH), Grathem, Gronsveld, Heugem, Holset, Horst, Houthem St.-Gerlach, Kerkrade (Rolduc), Klimmen, Linne, Maastricht (St.-Servaas, O.-L.-Vrouwe, St.-Jan, St.-Mathias, St.-Martinus), Mechelen, Meerssen, Montfort, Neer, Neeritter, Noorbeek, Nunhem, Nuth, St.Odiliënberg, Oostrum, Oud-Valkenburg, Roermond (kathedraal, Munster, vm. Kartuizerkerk), Roggel, Sittard (St.-Pieter, St.-Michaël, O.-L.-Vrouwe van het Heilig Hart), Susteren, Sweykhuizen, Swolgen, Thorn (Stiftskerk, O.-L.-Vrouwe onder de Linden), Vaals (Luth.), Valkenburg, Venray, Weert (parochiekerk, Franciscanenkerk), Wijnandsrade, Wittem.

GRAFMONUMENTEN: Maastricht (St.-Servaas), Roermond (kathedraal, munster), Weert, Wijnandsrade.